D0987370

56

LANATA

56

Cuarenta años de periodismo y algo de vida personal

SUDAMERICANA

Lanata, Jorge
56 / Jorge Lanata. - 1a ed. - Ciudad Autónoma de Buenos Aires, Sudamericana, 2017.
432 p. ; 23 x 16 cm. (Biografías y Testimonios)

ISBN 978-950-07-5492-7

1. Biografías. I. Título.
CDD 923

Printed in Argentina – Impreso en la Argentina

ISBN: 978-950-07-5492-7

Queda hecho el depósito que previene la ley 11.723.

Esta edición de 20.000 ejemplares se terminó de imprimir en Arcángel Maggio–División Libros, Lafayette 1695, Buenos Aires, en el mes de mayo de 2017.

Penguin
Random House
Grupo Editorial

A Bárbara y Lola

Soy adoptado. Lo sé desde hace pocos meses. Tenía cincuenta y cinco años cuando me enteré. Toda mi vida pensé que mi vínculo —¿mi necesidad?— con el periodismo tenía que ver con una enfermedad de mi madre, víctima de un tumor cerebral que lesionó su centro del habla: ella no podía hablar. Mamá no podía responder, yo preguntaba. Ahora sé que ella no era ella, o sí lo era pero de otro modo, y que mis preguntas intuían un secreto que busqué sin proponérmelo, casi toda mi vida. Si "ellos" no eran ellos, yo ¿era yo? La pregunta es idiota. Lo primero que pensé cuando lo supe es que las largas manos de pianista de Bárbara, mi hija mayor, no venían de las manos de mi mamá. Hasta este momento, en que lo saben miles, cinco o seis personas supieron de mi condición: Sara, Bárbara, Margarita, Andrea, Martín y Patricio. Releo estas líneas y es evidente un tono trágico que no me empeño en darles: ese tono esta noche vive en mí. No sé cómo podría ser para ustedes descubrir, en plena madurez, que muchas de sus respuestas se convierten en preguntas: la mayoría de ustedes saben de dónde vienen; yo me pregunto, ahora, cómo hubiera sido lo que no fue. En mis últimas décadas de periodismo hemos tirado ministros, hemos llevado decenas de casos a la justicia, hemos investigado como muy pocos lo hicieron. Sin embargo, no sé sinceramente si en mi caso vale la pena buscar: la mayoría deben estar muertos. Tal vez, finalmente, sea yo quien viene de ningún lugar, o, para decirlo de otro modo, sea el camino que fui.

Son los libros quienes deciden lo que serán y nunca los autores quienes les imponen un destino; cuando es la conciencia lo que fluye, no se elige. Sé que no es normal comenzar una antología periodística con una confesión personal, pero no podría escribirla de otro modo. Soy adoptado, acabo de enterarme, desde entonces en mi cabeza no hay verdad para otra cosa. Evitar este dato echaría sombra sobre todos los demás. Esto soy ahora, nacido nuevo de preguntas.

Juego hace meses con el título de este libro para tratar de encontrar lo que esconde; pensaba juegos como vida y obra, u obra y vida, más obra que vida, o al revés, hasta que quedé enredado en porcentajes tontos, al punto de no saber separar ambas cosas. ¿Cuánto de vida si nunca fui otra cosa? ¿Cuánto de obra? Escribo desde siempre, pocas veces en papel, la mayoría en algún lugar de mi memoria que gracias a Dios se ordena solo. Este es, entonces, un libro de vida y vida, ya que la obra sólo puede observarse a la distancia y es precisamente eso de lo que carezco.

Acabo de contarles que lo que tenía más cerca, yo mismo, no era tal.

Liliana llamó a Sara y se encontraron en un bar. Eso solo era extraño: Liliana, mi prima de Mendoza, viene poco a Buenos Aires y cuando lo hace nos vemos en mi casa. Sara y yo llevábamos unos meses de haber realizado un trasplante cruzado; quizá el sobrevuelo de la muerte había llevado a Liliana a romper el secreto. Al día siguiente nos vimos los tres en casa, y Liliana repitió la historia: ella era chica y había escuchado, de casualidad, a su padre Emilio hablando con un tercero. Hablaban de mi adopción. No sabía más, y lo había callado durante toda su vida. La única que podía saber, la única Lanata que quedaba viva en verdad, era mi tía Negra. Carmen Billy Lanata, le habían puesto Billy por Billy the Kid. Perdió un hijo de veinte años hace mil y vive en un viejo edificio de la calle Montes de Oca. La Negra se resistió a dar los pocos detalles que dio: mamá había tenido un parto fallido de mellizos y, por amigos de Mar del Plata, tomaron contacto con una partera: mi madre era una chica rica del interior de la provincia, madre soltera. La Negra no recordaba el apellido, cree que mi fecha de nacimiento era la verdadera, mamá venía fingiendo un embarazo y pasó una temporada en Mar del Plata hasta que volvió conmigo. Me hizo jurar que nunca iba a contarlo. Y después me dijo que todos lo sabían.

No sé si creo en el Destino, a veces creo que soy un ángel y otras compruebo que soy un idiota. Pero si buscara un argumento para creer en el Destino, me sobra este: a mis cuatro años mi madre tuvo un tumor cerebral que dejó paralizada la mitad derecha de su cuerpo, no podía formar palabras, aunque las comprendía, y vivió así toda mi vida. Pero no era mi madre, aunque fue mi destino. Ahora sé que entonces volví a ser adoptado y crecí con mi tía y mi abuela. En el pequeño y oscuro comedor de Chenault 117 había algunos libros: parte de mis primeros años me la pasé leyendo al azar cuatro tomos de la *Enciclopedia Espasa-Calpe*. Mi interés por Tutankamón surgió de casualidad: uno de aquellos tomos correspondía a la letra T. Una vez —no puedo saber la edad— dibujé en una hoja de cuaderno sobre la mesa del comedor dos tumbas. Una ruta que terminaba en dos tumbas. Mis padres, escribí, y rompí el papel. Ahora me pregunto si eran ellos, o los que no conocí nunca.

Otra vez, en el garaje de Luis María Campos, en el pequeño pasillo que quedaba entre el Chevrolet 51 y la pared, discutí con mi papá a los gritos:

—¡Parece que no fueras...! —me dijo.

—¿Parece que no fuera qué? —pregunté.

Y dio un portazo. Ojalá me lo hubiera dicho.

Soy periodista porque tengo preguntas. Si tuviera respuestas sería político, religioso o crítico. Por eso el periodismo militante es la antítesis de lo que soy: ellos están llenos de respuestas y están dispuestos a aplicarlas. Soy periodista porque no sé. Preguntar es un modo de desobedecer, de cuestionar. Al objeto o al sujeto que está ahí se le pregunta: ¿sos lo que decís?, ¿sos lo que mostrás?, ¿qué sos? Preguntar es cuestionar y cuestionar es conocer. Cuando el periodista actual se dispone a salir de la redacción —un hecho poco común en tiempos del periodismo telefónico—, lo hace para ratificar una hipótesis propia: sus notas son una especie de teorema. Por eso la mayoría escribe las preguntas que formulará: esa es la mejor manera de eliminar el diálogo. Las preguntas previstas se proponen ratificar una tesis: lo que el periodista cree que el entrevistado es, o quiere. Escribir y ordenar las preguntas es un antidiálogo; una entrevista es un juego de seducción en el que espero —y, de algún modo, propicio— que el entrevistado se equivoque y diga lo que no tenía previsto decir. El objetivo de la entrevista es conocer al entrevistado, no ratificar una tesis propia.

El pluralismo berreta de los medios propone desde hace años una visión demasiado simple de los hechos: uno a favor, uno en contra. Las columnas se publican juntas pero quienes las escriben no debaten entre sí. En los medios electrónicos el mismo esquema se vuelve una mueca: uno a favor, uno en contra, uno independiente y, por favor, todos cortos. Dos monólogos unidos no hacen un diálogo. Tampoco dos diagnósticos comienzan un tratamiento. Repito hace años que no hay malas notas sino malos periodistas; tenemos que poder hacer una buena nota con el portero de la casa. El portero oculta a Shakespeare: amó, huyó, soñó, desesperó. Tenemos que poder sentirlo, y contarlo luego.

Música porque sí, música vana
como la vana música del grillo;
mi corazón eglógico y sencillo
se ha despertado grillo esta mañana.
¿Es este cielo azul de porcelana?
¿Es una copa de oro el espinillo?
¿O es que en mi nueva condición de grillo
veo todo a lo grillo esta mañana? [...]

Conrado Nalé Roxlo, "El grillo"

Hice mi primera nota a los diez años aunque, en realidad, era parte de los "deberes" del colegio, y recién ahora puedo verla así.

—Tienen que traer para mañana una biografía breve de Conrado Nalé Roxlo.

Roxlo era un simpático poeta menor, de esos que en la escuela nos enseñaron a odiar bajo la obligación de ser leídos. Su vida no aparecía en ningún lado, hasta que se me ocurrió mirar la mesita vencida por los tres tomos de la guía de teléfonos. "Roxlo, Conrado N.", busqué. Estaba.

—¿El señor Conrado Nalé Roxlo?

—Sí...

—Me llamo Jorge Ernesto Lanata y soy alumno del colegio San Martín de Avellaneda. La maestra nos pidió que averiguáramos algo sobre su vida y no lo encuentro en ningún lado, ¿usted me podría contar su vida?

El viejo largó una especie de carcajada y tosió mientras asentía...

—Sí, sí... cómo no. Puede poner que escribí el *Martín Fierro*... No, no, eso no lo pongas...

Y me dio varios detalles de sus obras con la paciencia de quien espera que un niño anote.

Al poco tiempo yo escribía en *Colmena*, la revista del colegio. Vi entonces, por primera vez, mi nombre impreso. La revista era mensual y los temas, azarosos: entrevisté a René Favaloro, al embajador de Ecuador en el Instituto Antártico, cubrí un rodaje de la película *Rolando Rivas, taxista*, hice entrevistas en Alcohólicos Anónimos; tenía doce o trece años. Vivía desde los siete en la calle Chenault con mi tía Nélida, hermana soltera de mi madre, y mi abuela, doña Carmen. La enfermedad de mi mamá me había alejado de mi casa, a la que iba un par de veces al día, a almorzar y cenar, al mismo tiempo que mi tía los ayudaba con la limpieza. En todos aquellos años sólo una vez comí con mi padre afuera; ahora no lo recuerdo pero es obvio que algo había pasado. Fuimos a una pizzería que estaba debajo del viaducto Sarandí. Nunca fuimos juntos al cine ni a casi ningún otro sitio, y casi nunca festejé mi cumpleaños. "Mi casa" —que no lo era, yo vivía a varias cuadras, cruzando la avenida Mitre— permanecía en estado de suspenso. "Cuando tu mamá se cure"; hasta tanto eso sucediera, nada era oportuno. Y mamá nunca se curó.

Mi tío Dionisio era el dueño de la primera biblioteca que vi en mi vida: la había heredado de un escritor colombiano que pasó su exilio en Buenos Aires, José Antonio Osorio Lizarazo. Aquella fue mi única puerta al mundo mientras daba vueltas en círculo entre Avellaneda y Sarandí. La otra hendija fueron las librerías de viejo; en el fondo de Chenault había piezas desvencijadas que una década antes albergaban inquilinos. Condenadas después al abandono, se transformaron en un depósito de libros y revistas viejas, diarios, repuestos de automotor, dos limoneros, un gallinero y algunas ruinas. Lo que se dice un tesoro cuando se trata de vender cañerías, pedazos de plomo, metales, botellas, placas de bronce y cambiarlas por libros usados. Vendía el plomo y el bronce cerca del arroyo Sarandí y compraba los libros en diagonal a la esquina de la fábrica de Duperial.

Aprendí rápido que nadie es dueño de lo que se publica: de algún modo, mis notas de *Colmena* llegaron a un periódico local: *La Ciudad*, de Avellaneda. Y empezaron a publicarlas. Allí, en *La Ciudad*, vi por primera vez una imprenta y descubrí que los tipos de plomo se implantan al revés, como si se leyera en un espejo. Descubrí que leía al revés casi de corrido, lo que por supuesto no tiene ninguna utilidad. Treinta años más tarde, en una entrevista en la Universidad del Salvador, aquel dato fue el título de la nota: "El hombre que leía al revés".

—Deje, ni llame porque a lo mejor se olvidan. Por ahora, aproveche. Hay oportunidades que se dan una sola vez —me dijo, grave y cómplice, Emilio Carlés, el jefe de informativo de Radio Belgrano.

Yo había hecho una semana de suplencias para las elecciones del 30 de octubre de 1983 que ganó Alfonsín.

Móviles y notas en la calle de aquella Argentina que, como siempre, era otra. Y mi felicidad era perfecta hasta que alguien me cruzó en un pasillo de la radio con un mensaje:

—Dicen de la Administración que tenés que presentar el carnet de locutor. Que vayas antes del viernes sí o sí.

Yo no era locutor, y nunca lo fui. La radio empleaba redactores-locutores, periodistas con carnet habilitante para salir al aire. Fui a buscar a Carlés para despedirme, y lo escuché aconsejarme que "mejor ni llame". Pasó aquel viernes y la Administración nunca llamó.

Si a cierta altura hubiese girado para la
izquierda en vez de para la derecha;
si en cierto momento hubiese dicho sí en vez
de no, o no en vez de sí;
si en cierta conversación hubiese tenido las frases
que sólo ahora, en la somnolencia elaboro,
si todo eso hubiese sido así, sería otro hoy,
y tal vez el universo, el universo entero sería
insensiblemente llevado a ser otro también.

FERNANDO PESSOA, "En la noche terrible"

Toda esta perorata para contar que diez años antes, en 1974, una tarde el chico de Sarandí que se cambiaba para ir al centro pasó por la esquina de Ayacucho y Las Heras. No recuerdo adónde iba y no había motivo para que estuviera allí, descifrando la placa de bronce en los portones del 1556. A los pocos minutos estaba en la oficina de Alberto Suárez Castro, gerente de Radio Nacional, pidiéndole trabajo. Tenía catorce años. Suárez Castro era un porteño amable, que me escuchaba con una sonrisa condescendiente, y finalmente aceptó. Yo aprendería a escribir informativos, de esos boletines que las radios emiten cada media hora. Era menor de dieciséis, por lo que mi padre debía firmar el contrato por mí. Y en efecto el doctor Lanata fue a Radio Nacional y un día firmó. No recuerdo muchos detalles del asunto pero sí un detalle típico de la Argentina: la radio dependía de la Secretaría de Comunicaciones y no había vacantes en la planta; me contrataron como "violinista de la Orquesta Juvenil", en la que había lugar, afectado al informativo. Trabajaba en una oficina del tercer piso, al que se accedía por un ascensor con turbulencias. En aquel entonces las noticias llegaban mediante cables por las teletipos y los redactores reescribían esos cables o simplemente los marcaban acentuando lo importante. El jefe de noticias era Juan Mentesana, un salteño que dos años después se convirtió en la voz de la dictadura para la cadena nacional y tenía, a la vez, el buffet de Radio Rivadavia. La radio es siempre una pelea contra la imposibilidad: Nacional grababa los programas en máquinas del año cincuenta y usábamos las cintas de difusión de Radio Hilversum, de Holanda, para regrabar programas propios, los móviles consistían en una pequeña bolsita de cospeles que usábamos en los teléfonos públicos y a pesar del diluvio cada uno mantenía, intacto, el sueño del programa propio en una radio que no escuchaba nadie. En Nacional aprendí a escribir en mi Lexicon 80 con dos dedos y casi sin mirar el teclado y esa, la de la Lexicon, fue mi letra durante décadas. En paralelo, intenté armar radioteatros que nunca salieron, escribí canciones, produje un programa de folklore y colaboré con mis primeras revistas: *Siete Días* y *Antena*. También escribí poemas horribles y una novela inconclusa que contaba la historia del director de un diario hasta que sufre un accidente aéreo. El programa se llamaba *Los caminos del folklore* y era conducido por uno de Los Arroyeños, Chany Inchausti.

—Lanata, hay un problema —me detuvo en un pasillo del tercero el gerente artístico de la radio.

—Sí.

—Usted pautó para el programa de esta semana un tema de Mercedes Sosa.

Era 1976, el primer año de Videla.

—Sí.

—Dice la palabra "pobre".

—¿Perdón?

—Dice la palabra "pobre". Hay que levantarlo.

No podía creer lo que escuchaba: el grado de estupidez de la censura. Al poco tiempo me fui de Radio Nacional y no volví al periodismo hasta 1982.

No quiero convertir este libro en una autobiografía: los datos personales aparecen cuando se vuelven necesarios para entender el contexto periodístico. No cuento que cambiaba caños por libros usados para hablar de la pobreza sino para que se entienda cómo, desde ahí, se puede ver el mundo. Me formé con los restos de un naufragio: revistas viejas, libros insólitos, diarios de viaje, seguí la lógica de bibliotecas ajenas. Durante muchos, muchos años, siempre que vi una ventana con la luz encendida pensé que aquella podía ser mi casa. Nunca tuve un cuarto, y mi referencia a la ausencia de cumpleaños no busca conmiseración, sino que se entienda que no puedo sacarme la idea de que, frente a la alegría, todos fingen. Detesto la alegría con horarios. Yo no quise ser periodista para ver el mundo sino para entrar en él. La mayoría de las casas que hoy me acogen o me envidian no me abrirían en otras circunstancias las puertas de servicio. Todas las viejas que me abrazan en la calle bien podrían haber sido señoras de Sarandí sentadas en la vereda, viendo cómo la vida se les va entre las manos. Las abrazo porque yo estuve ahí.

Nunca hay que responder

En 1972 Jean-Paul Sartre visitó los kibutz, las comunas agrícolas israelíes inspiradas por el socialismo. Allí la propiedad de la tierra era compartida y, en las primeras décadas del Estado, hasta se compartía la ropa interior. Como el objetivo primordial era la agricultura, todos los miembros debían turnarse y colaborar para su desarrollo, sin importar la profesión que tuvieran. Los salarios de todos eran los mismos y todos rotaban en los puestos de dirección. Los niños vivían solos, separados de sus padres, en la Casa de los Niños, y cualquier iniciativa individual de los miembros debía ser discutida y eventualmente aprobada en asamblea. Dice la historia oficial que Sartre clasificó a los kibutz como "la Atalaya del socialismo" en el mar de regímenes feudales de Medio Oriente. Dicen que también dijo: "Es una lástima que tengan que hacerlo con personas".

Buscaba una fecha precisa para este libro cuando encontré en internet una tesis sobre la revista *El Porteño* escrita por un chico de la Universidad del Salvador. Gran parte de lo que leí allí nunca sucedió. Se ha escrito también una docena de libros sobre *Página/12* y sobre mí mismo; hojeé algunos de ellos donde una correctora se adjudica la secretaría de redacción o un locutor la fundación de casi todo, o algunos cuyos nombres ni siquiera recuerdo un protagonismo que jamás tuvieron. Es curiosamente fácil entrar en una historia a los codazos. Sería humillante desmentir ahora cada caso. Durante veinte años trataron de borrar mi nombre de *Página/12*, con la estalinista y oportuna ayuda del Estado: creo que no pudieron. Escuché, sobre mí mismo, las historias más increíbles; algunas me dieron rabia, otras, tristeza. Dijeron que nunca fui periodista, que es lo único que fui. Dos historias de Hemingway me sirvieron para superar aquellos altercados:

> ¿Qué se puede escribir sobre él si ya está muerto? —escribió Hemingway sobre Conrad en 1924—. Ahora está de moda entre mis amigos hablar mal de él. Cuando se sirve en un mundo de política literaria en que toda opinión inoportuna resulta fatal, uno procura escribir con cuidado. La mayoría de las personas que conozco convienen en que Conrad es un mal escritor. *Lord Jim* (1900) fue el segundo libro que leí, y no pude terminar de leerlo. Por tanto, eso es todo lo que me queda de él, pues me es imposible releer sus libros. Esa puede ser la causa de que mis amigos digan que él es un mal escritor. Pero, de todo lo que he leído, a nada le he sacado tanto provecho como los libros de Conrad.
>
> Ahora que él ha muerto, quisiera que Dios se hubiera llevado a algún experimentado y gran maestro de las letras y hubiera dejado a Conrad aquí con nosotros

> para que siguiera escribiendo sus cuentos malos. [...] Si alguien me dijera que triturando al señor Eliot hasta reducirlo a polvo fino y seco, y espolvoreando con él la tumba de Conrad, este se levantaría y volvería a escribir, correría ya mismo hacia Londres con una máquina de picar carne.

La otra voz de Hemingway surgió hace años, cuando *Noticias*, un semanario de Buenos Aires, me puso en tapa con un título angustiante: "¿Qué le pasa a Lanata?". La nota, que incluía párrafos entrecomillados y una precisa descripción de mi casa, era completamente falsa.

Llamé con asombro y cierta ingenua indignación a Fernando Moya, mi representante:

—¿Ves? —me dijo Moya—, ahora sos verdaderamente famoso. Porque no necesitás hacer nada para que hablen de vos.

Hemingway escribió: "Nunca hay que responder. La mejor manera de responder es trabajar. Y esperar a que se mueran".

Entré en *El Porteño* dando una patada a la puerta: denunciábamos una filtración en la Comisión Ítalo que implicaba al ex ministro de la dictadura Martínez de Hoz. *El Porteño* era la revista que tapaba la ciudad de afiches en el 84 con el beso entre dos mujeres, el sitio que publicó la entrevista de Oriana Fallaci a Galtieri o las mejores crónicas sobre la vida de los indígenas en Formosa. Era, a la vez, una especie de maxikiosco de Once financiado por la venta de cuadros de su propietario y director, Gabriel Levinas.

El canciller de la India me dijo hace unos años: "Todo lo bueno y todo lo malo que pueda decirse de la India es cierto". Con Levinas sucede lo mismo. Ahora, al final del camino, lo que queda es que Gabriel es uno de los pocos pensadores liberales que conocí en mi vida: trabajó décadas por los derechos humanos pero también por la libertad propia y ajena. *El Porteño* era el espíritu de Levinas y el talento desparejo y suicida de Miguel Briante y de Enrique Symns. Escribí, décadas después, a la muerte de Briante:

> Miguel Briante tenía sed. Tenía sed, y nariz de boxeador amateur, y un aire lejanamente sobrador de porteño del cine argentino del cuarenta, y vivaces ojos de chico que acaba de romper una vidriera.
> Pero, más que nada, sed. Sed de vivir de un sorbo, de escribir, de observar, de dormir, de dejarse llevar, de volver, de estar del todo.
> En 1987 yo era un chico de veintiséis años que acababa de fundar un diario. Pero lo peor no era eso: lo peor era que yo no lo sabía. Había conocido a Briante algunos años atrás, en *El Porteño*, y había escuchado su anécdota de *Tiempo Argentino* aquel día que, después de saciar su sed, cayó rodando por la escalera de la redacción. Pero todo aquello era lo de menos: yo, para ese entonces, ya había leído a Briante, y aquel tipo con sed, y sonrisa socarrona, que quería ser Borges, escribía muy bien.
> Decidí contratarlo en *Página* porque eso era justamente lo que más necesitábamos: notas con valor agregado, frutilla sobre el helado, historias, contar lo que pasaba sin caer en el lenguaje burocrático de los cronistas. En los primeros tiempos del diario,

Briante no estuvo en una sección determinada: estuvo en todas; así como una nota de actualidad política se cubría con un redactor y un fotógrafo, a otra podían ir un redactor, un fotógrafo y Briante, que iba a "fotografiar" su propia versión de la misma historia. Más adelante se hizo cargo del suplemento de Cultura y fracasó, como todos los que intentaron manejarlo: aquel fue el suplemento que cambió mayor cantidad de jefes en toda la existencia de *Página/12*. Después escribió columnas, y contratapas.
Como todos nosotros, Briante escribió grandes notas y notas olvidables, aunque debería decir que sus grandes notas fueron muchas. A veces venía a la redacción, y otras —las más— uno se la pasaba buscándolo a Briante. Hubo una época en que debí buscarlo tantas veces que él mismo se convenció de que íbamos a echarlo. Entonces, durante un par de meses, se la pasó llamándome por teléfono, completamente borracho, diciendo, como un chico:
—Vos me vas a echar.
Ninguna respuesta lo convencía de lo contrario.
Al otro día aparecía como si nada hubiera pasado, y así hasta la próxima llamada:
—Me vas a echar.
—No, Miguel. No me jodas. No te voy a echar.
Lo de las llamadas llegó a convertirse en una especie de chiste interno. Toda la redacción sabía que nunca íbamos a echar a Briante, pero Briante se negaba a darse por enterado. Decían en el diario que Briante tenía "la beca Lanata". Y nadie con la "beca Lanata" había sido echado jamás.
Otra vez el teléfono volvió a sonar. Yo estaba en medio de una insoportablemente aburrida reunión con el embajador de no sé dónde.

—Bueno, pasalo —le dije a Adriana.
Era Briante con su eterno discurso.
—Estoy en una reunión, Miguel —le avisé—. Te escucho, decime...
Insistía con aquello de que lo íbamos a echar.
—Mirá, Miguel —se me ocurrió decirle—, ¿sabés cuándo yo te voy a echar? —El embajador, que hasta ese momento disimulaba, miró con interés—. Yo te voy a echar si vos entrás a esta oficina y me meás y me cagás el escritorio. Si hacés eso, yo te voy a echar. ¿Me entendés?
—Sssí —dijo Miguel, sorprendido.
—Si me lo meás y lo cagás, ¿okay? Si, por ejemplo, sólo me lo meás, no. ¿Vos vas a entrar acá a mearme y a cagarme el escritorio?
—No —dijo Miguel, sonriendo.
Y nunca más volvió a llamar para hablarme sobre aquel asunto. Ocho años más tarde renuncié a mi cargo como director periodístico de *Página/12*, y Miguel todavía estaba ahí.
Al tiempo, una tarde, alguien me llamó para decirme que Briante había muerto de una muerte idiota. Pero qué muerte no lo es.

Hay personas que escriben con palabras y otras escriben con su vida: Symns es de estos últimos, como Macedonio Fernández lo fue. Symns se escribe: lo que queda después son anécdotas confusas, historias que poco importa si fueron verdaderas, miserias fenomenales, poesía, vida en estado bruto. Bukowski quiso ser Miller, Symns quiso ser Bukowski. No pudo, o no quiso, o no le salió y decidió que en el fondo no importaba hacerlo.

La otra persona de *El Porteño* que importa a efectos de esta historia es Ernesto Tiffenberg, entonces jefe de redacción. Ya irán viendo por qué, pero mi juicio sobre él está teñido de rencillas personales que deberán tomarse en cuenta a medida que lo lean. En este país donde los diarios se heredan de los padres, hay pocos editores. Llamo "editor" a aquella persona capaz de pensar un medio desde la nada y sacarlo a la calle. Ernesto es "casi" un editor; le falta valentía. Julio Ramos, el "Gallego" García, Jacobo Timerman, Jorge Fontevecchia —aunque muy desparejo— y yo somos editores. He escuchado en los bares miles de diarios mejores que *Página/12* o *Crítica*, miles de revistas mejores que *Veintitrés*, *Ego* o *Página/30*, pero nadie estuvo en medio de la mierda haciéndolas. Lo importante no es tener ideas sino llevarlas a cabo.

El proceso de materialización de una idea es fantástico: la idea está ahí, sola y temblorosa como un pollito, y se la ve crecer hasta que aparece en la calle. *Página/12* era, en un momento, unas cuantas hojas de un cuaderno Gloria y algunos dibujitos. Más tarde debe lograrse que otros crean que ese cuadernito es posible, que construyan la idea en ellos. Ese proceso quizá sea el más complicado en la Argentina, donde al contar una idea todo el mundo tiene una mejor para oponerle. Un día, casi sin advertirlo, uno levanta la vista y ahí está la redacción y al poco tiempo un canillita vocea la idea en la calle. Aquellos dibujitos del cuaderno terminan en Salta, o en Alemania, o en Beirut, a la mañana siguiente.

La "idea" de comprar *El Porteño* y transformarlo en una cooperativa fue un error. Pero un error necesario a la luz de todo lo que sucedió después.

En *El Porteño* nunca fuimos más de cinco o seis personas. Levinas se desembarazó de la revista a un precio bajo pero que era, para nosotros, imposible. Llegamos entonces a la conclusión de que lo mejor era organizarnos en una cooperativa en la que todos aportaran una cuota de inscripción que permitiera comprar la empresa. La "empresa" era un mensuario con oficinas alquiladas, ningún activo y unos ocho mil ejemplares de venta al mes. Ah, y un "plazo fijo", los únicos ahorros de la revista que servirían para pasar un breve contratiempo. El concepto de cooperativa terminó sovietizado: éramos más un koljoz que una cooperativa de trabajo: todos ganábamos lo mismo —el cadete y el jefe de redacción— y la discusión de los sumarios se hacía en asambleas.

Los primeros meses fueron caóticos: nos encontrábamos con Tiffenberg para ver cómo "ganar" la asamblea y, en lugar de periodismo, discutíamos los votos a favor. Décadas después, en la "tesis" ya citada, asambleístas que aparecían una vez al mes se adjudican la fundación de la revista. La asamblea estaba compuesta por: Álvaro Abós, Eduardo Aliverti, Osvaldo Bayer, Eduardo Blaustein, Marcelo Cofán, Ariel Delgado, Alberto Ferrari, Andrea Ferrari, Eva Giberti, Marcelo Helfgot, Hernán Invernizzi, Jorge Lanata,

Miguel Martelotti, Tomás Eloy Martínez, Daniel Molina, Ricardo Piglia, Ricardo Ragendorfer, Eduardo Rey, Juan José Salinas, Osvaldo Soriano, Herman Schiller, Enrique Symns, Ernesto Tiffenberg, Carlos Ulanovsky, Jorge Warley, Gerardo Yomal y Marcelo Zlotogwiazda.

Una estrategia de la imposibilidad

Quizá *Página/12* —en cuanto a la idea de editar un diario— haya nacido de aquel caos. Como jefe de redacción de la revista empecé una sección editada y diagramada como diario, con la lógica de la prensa tradicional pero con un contenido novedoso: se llamó *The Posta Post* y el acápite decía: "Todo lo que los demás diarios saben pero no se animan a publicar". Allí editaba lo que escribían Gustavo Ferrari y Marcelo Helfgot, ambos periodistas de agencia, con información dura y propia. Aquel eco se sostuvo hasta el año siguiente, cuando presentaba el proyecto de *Página* como "un diario de contrainformación". También el hecho de que *Página* tratara de encontrar un mérito en la brevedad; *The Posta Post* tenía cuatro páginas, el proyecto inicial de *Página* tenía ocho.

—Un diario de ocho páginas de contrainformación —eso les decía a quienes citaba en La Ópera, el bar de Corrientes y Callao. Me miraban pensando que era una broma, en cualquier caso una situación molesta: les decía, serio y compuesto, a periodistas con años en *La Nación* o *Clarín* que renunciaran y vinieran a trabajar conmigo en un diario que aún ni había empezado.

Tiffenberg y los pocos que se fueron de *El Porteño* a *Página* tardaron unos meses en llegar, poco antes de los ceros. Ernesto, que en esa época sobrevivía con un salario de la FLACSO más otro de la revista, temía no poder pagar sus expensas. Otros del ahora denominado "grupo fundador" eran despedidos seriales, activistas o desocupados, e incluso nos tocó un psicótico que —Argentina, Argentina— con los años se transformó en un escritor de culto.

El otro vínculo entre *El Porteño* y *Página* se dio por casualidad: durante casi un año entrevisté en mi oficina de *El Porteño* a varios ex presos políticos, quería contar en un libro sus historias de vida.

La mayoría de ellos habían sido del PRT-ERP. Con Hugo Soriani, Alberto Elizalde Leal y Eduardo Anguita nos encontramos una o dos veces por semana frente a un grabador, durante casi un año. En paralelo, muchos de sus viejos compañeros y otros nuevos —el sindicalista Alberto Piccinini, el abogado Jorge Baños, el sacerdote Puigjané, por ejemplo— armaban una organización política llamada Movimiento Todos por la Patria (MTP), con un discurso pluralista cercano al alfonsinismo. Tenían, también, vínculos con el gobierno nicaragüense de los sandinistas. Yo llevaba mi borrador de diario de contrainformación a quien quisiera leerlo. Un día uno de ellos me llamó y me preguntó cuáles eran mis límites para el financiamiento del diario:

—Mientras no sea Camps, no me importa nada —respondí.

Ahora, años después, me entero de que discutieron mi procedencia: yo no venía del setenta —en ese entonces, tenía diez años— y era demasiado "liberal" para algunas de sus posiciones, pero pensaron que era mejor así, querían que el movimiento que propiciaban fuera lo más abierto posible. Es en ese momento cuando aparece Fernando Sokolowicz, un joven empresario maderero de trayectoria en los derechos humanos a través del Movimiento Judío.

La mejor manera de armar un diario es no haberlo hecho antes; no sólo todo es nuevo sino que puede volver a ser definido: ingenuo y original a veces van de la mano. Yo tenía veintiséis años, esa edad en la que uno cree que sabe y se anima a patear las puertas. Una imagen interior me acompañó durante aquellos años... sentía que sacaba, literalmente, la cabeza del agua: gotas corriéndome por la frente, viento fresco en la boca. Alquilamos una vieja oficina de ochenta metros cuadrados en Lavalle y Montevideo. Sokolowicz, Soriani y Elizalde se ocupaban de la administración. Tiffenberg y yo recorríamos aquellos ambientes pensando que era posible poner sólo un escritorio por área.

—Acá va Internacional, allá Economía...

El "Sordo" Iglesias era el diagramador; estaba indignado: decía que yo lo obligaba a hacer "la escalerita".

—Esto es la escalerita —se lamentaba—, se nos van a cagar de risa.

El esquema básico de las páginas era muy simple: una noticia grande, una mediana y una chica, y "pirulos" en el borde (los pirulos eran breves de esa misma sección). En nuestro argot las llamábamos notas A, B y C según su importancia. En ocho páginas no entraba nada, subimos la cantidad a dieciséis. *El diario de*

Buenos Aires, *Reporter*, *La Página*... buscar la marca era imposible: casi todo estaba registrado, hasta una revista del mercado agrícola que se llamaba *Girasol Reporter. Página/12* surgió de esa confusión. Pero, claro, ya teníamos dieciséis páginas al salir. Decidimos entonces publicar, en la página 12 de cada día, una entrevista central. Doce de septiembre, creo, es el día de mi cumpleaños. Doce es un lindo número, el logo iría con letra de Lexicon 80 (mi letra) y agregamos por último una barra de separación: *Página/12*.

Cuando alguno planteaba que era muy largo, mi argumento fue: en las marcas prepondera la primera palabra. Van a llamarlo *Página*. *Página*. Coca. *Ámbito*. *Cronista*, y así. El *layout* tomó dos características de otros diarios: la apuesta a un solo título, de *Libération*, y las notas destacadas como números en la tapa, de *Il Manifesto*. Al título coloquial de *Libé* le dimos una vuelta más: sentido del humor. Y, por supuesto, salió de casualidad: en abril de 1987 Juan Pablo II visitaba por segunda vez la Argentina, la ciudad era un caos intransitable. En esos días, por donde uno pasaba, estaba por pasar el papa. Hacíamos un número cero el día que el papa volvió al Vaticano: Miguel Martelotti, el jefe de fotografía, dejó en mi escritorio una típica foto de agencia con Juan Pablo II saludando desde la escalerita del avión.

—El título es "Al fin solos" —dije. Fue el primer título de *Página/12*.

Aquellos caóticos días de los "ceros" ocultaron una maniobra: Elizalde registró la marca a nombre personal. Años más tarde lo haría valer cobrando un juicio de trescientos mil dólares a su favor. Éramos una estrategia de la imposibilidad: pocas páginas, el mismo precio que *Clarín*, saliendo sólo de martes a domingo. No salir los lunes nos evitaba "inventar" una tapa deportiva: a mi desinterés absoluto por el fútbol se sumaba el ahorro de salarios por los francos. Así salimos: de martes a domingo. Lo llamamos "el diario sin desperdicio" buscando que la oferta escasa fuera una virtud.

Página/12 salió a la calle el 26 de mayo de 1987, en el piso 12 de Perú 367, casi Belgrano: un piso de cien metros en el que nos apiñábamos ciento veinte personas. Siendo el director periodístico del diario tenía una oficina compartida. El baño de mujeres fue clausurado y funcionó durante el primer año como laboratorio de fotografía; el de hombres, claro, fue declarado mixto. El diario dependía entonces de un circuito de motociclistas que hacían equilibrio por toda la ciudad: la sección "Domingo" funcionaba a media cuadra, sobre la calle Perú; la fotocomposición, en la calle Venezuela, y el taller de impresión, en Pompeya. En el primer número informamos sobre la salida del diario en "Sociedad", nuestra sección de información general. La nota decía:

> "Yo sabía que algún día iban a volver periodistas al edificio", lo comentó José Galeano, uno de los porteros de Perú 367, acuciado por esa nueva jugada del destino. En el mismo piso donde se encuentra la redacción del matutino *Página/12*, funcionó hace veinte años la revista *Primera Plana*, y desde esa época no se registraban entradas y salidas a la madrugada y actividades de fines de semana que despertaran al edificio de su letargo administrativo. Aunque se trabaja en el proyecto desde mediados de enero, la redacción —según comentaron pe-

riodistas vinculados al diario— comenzó a funcionar en la elaboración de números "cero" hace treinta días.
"La idea central sobre la que funciona el proyecto —explicó su director, Jorge Lanata— es una obviedad; queremos hacer un diario que informe. Y que lo haga con independencia y sin responder a ningún aparato, ni político ni empresario." "Desinformar es también una posición política —dijo Lanata— y es nuestra idea lograr un diario moderno, bien escrito pero fundamentalmente informado." Se dejó trascender que *Página/12* evitará el bombardeo informativo, tomando en cuenta siete u ocho hechos centrales a desarrollar y consignando el resto. En su primer número —y aseguran hacerlo a diario— se cuenta también con una noticia de cultura en tapa, lo que aparece como otra característica del matutino, junto al hecho de desplegar diariamente una página de cultura —"entendida desde el hecho social y no sólo desde las bibliotecas", según explicaron— y no condenar a esa sección al área atemporal de los suplementos. "Algo similar ocurre con las noticias internacionales —dijo Ernesto Tiffenberg, jefe de redacción—, siempre se las toma como hechos aislados, que comienzan el día en que apareció el diario; nuestra idea es contextualizar esos hechos." Tiffenberg agregó que el nuevo diario cuenta, en ese campo, con los servicios exclusivos de varios medios del exterior: *El País* de Madrid, *La Jornada* de México, *The New York Times Magazine* y la revista *Interview*, de Nueva York.
Hubo, durante los últimos dos meses, distintas versiones sobre el origen y del aporte financiero en *Página/12*. En este caso, los servicios de inteligencia, a través de *Prensa Confidencial*, no dudaron en calificar de "marxistas vernáculos" a los integrantes del staff del diario.

El *Informador Público* definió semanas atrás al periódico como de "centroizquierda", y versiones que circularon por toda la ciudad a medida que se acercaba la fecha de salida aseguraban que sería el diario del Partido Comunista, o el del empresario Jorge Sivak, o el de un grupo radical disidente, pero filoalfonsinista, y también el de un grupo empresario vinculado al cafierismo. Finalmente pudo saberse que el empresario Fernando Sokolowicz era quien respaldaba económicamente el proyecto. Sokolowicz es uno de los fundadores del Movimiento Judío por los Derechos Humanos y empresario maderero. Posee dos empresas de construcción de viviendas en la Capital, INDUVI y Macha S. A., y varios aserraderos y forestaciones en el interior del país.
"El diario no tendrá una tendencia político-partidaria —dijo Sokolowicz— sino que tratará de expresar el pluralismo y el debate, necesarios en una sociedad democrática de transición. De allí la idea de que la opinión de *Página/12* no sea unilateral —agregó—, por eso el diario tendrá distintos columnistas, que expresen tendencias incluso opuestas, siempre dentro del marco democrático y de la defensa de los derechos humanos."
Pudo saberse, además, que los columnistas serán: el doctor Ricardo Molinas, James Neilson (ex director del *Buenos Aires Herald*), José Ricardo Eliaschev, Horacio Méndez Carreras y Eduardo Aliverti.
La edad promedio de los trabajadores del diario se ubica en los treinta años. Según explican sus periodistas, el proyecto es "lograr un diario que pueda integrar a la nueva generación del gremio con lo mejor de la generación anterior". Bajo este concepto se integraron al staff Osvaldo Soriano (como asesor editorial), Horacio Verbitsky, Juan Gelman, Miguel Bonasso,

José María Pasquini Durán, Enrique Medina, Osvaldo Bayer, Alberto Szpunberg, Miguel Briante, Antonio Dal Masetto, junto con Aliverti, Sergio Joselovsky, Martín Caparrós, Jorge Dorio, Rep, Daniel Paz, Rudy, Sendra y una treintena de periodistas.
La edición habitual del matutino, de dieciséis páginas, se verá aumentada los sábados con dos suplementos, uno de ellos de información general, llamado "Etc.", y otro de cultura. El diario contará también con páginas de deportes, salud y ciencia, sociedad, educación y mujer, que rotarán durante la semana.
La distribución de *Página/12* tendrá, a su vez, dos etapas: durante los primeros tres meses, en Capital Federal, Gran Buenos Aires y La Plata; y luego se iniciarán ediciones locales en Rosario y Córdoba, junto con distribución general en el interior del país. Sokolowicz aseguró además que, antes de completar la primera etapa, el diario irá aumentando sus páginas en función de la incorporación de avisos, a fin de que el espacio publicitario no perjudique la cantidad de información. Dato con el que evidentemente no contaban los eventuales lectores que hoy por la mañana se acercaron a los kioscos con una duda nada casual:
—Digamé: se llama *Página/12*, tiene dieciséis páginas y me dijeron que los sábados trae veinticuatro. ¿Usted sabe por qué?

Aquellas palabras casuales, "una treintena de periodistas", desataron un reclamo general, encabezado por Rubén Furman, un oscuro periodista de gremiales que venía de *La Razón* —y luego terminó como jefe de prensa de Felisa Miceli—. ¿Así que nosotros somos la treintena? El periodismo, siempre lo sostuve, tiene mayor grado de puterío por metro cuadrado que un teatro de revistas. Al día siguiente, a pedido de la treintena, se publicó en el diario el staff completo, incluyendo a los administrativos.

Habíamos hecho un diario que les gustaba a los periodistas y eso nos permitió insertarnos mucho antes en el circuito de opinión pública. A la semana *Libération* nos dedicaba su página de medios y antes de fin de año *Time* hizo lo propio. El "estilo Página" se fue construyendo sobre la marcha: hacíamos un puente mientras cruzábamos por él. La primera tesis universitaria sobre el diario fue impulsada por la cátedra de Bernardo Kucinsky en la Universidad de San Pablo, y pude escucharla como profesor invitado. Luego vinieron decenas y la impronta del diario aún hoy se ve en el periodismo argentino. El interés de la Academia sobre el diario hizo que tuviera que inventar definiciones de conceptos que ya llevábamos a cabo en la práctica: en lugar de acostarme con la chica, me pedían que leyera un tratado de Masters y Johnson.

Algunas de las propuestas de *Página/12*:

- La apuesta de *Libé* de título y foto grandes y únicos podía mejorarse; al agregarle sentido del humor al tono coloquial, el título en *Página* "horizontalizó" la comunicación con el lector volviéndola más humana. No éramos una autoridad hablándoles desde arriba del ropero, los llamábamos, de igual a igual, a un juego. Por eso, frente a lo eventualmente críptico del título, la volanta o la bajada eran siempre explicativas. Titular con frases hechas, con discos o películas también planteó una idea de complicidad en el vínculo con el lector. Era muy común, en los primeros años, que los lectores —enterados de la noticia del día— llamaran personalmente a la redacción para sugerirnos el título del día siguiente.

- El uso del fotomontaje, el cambio de marca, las bromas ostensibles fueron parte de un ejercicio constante que demostró que forma y contenido pueden potenciarse y diferenciarse sin que el producto pierda credibilidad. Podíamos, a la vez, tirar un ministro con una información propia e ilustrarlo con una broma.
- La "nota ideal" de *Página* modificaba la estructura piramidal: debía tener, sí o sí, color o un diálogo en la cabeza, color a lo largo de la trama tal como se dosifica el suspenso en un cuento, y remate de nota de revista, entendiendo como remate no una conclusión sino un dato paradójico con la cabeza de la nota.
- La idea era revalorizar un periodismo más "literario", más cuidado, en la convicción de que una nota debe estar bien escrita para que se entienda. Cada noche durante diez años Ernesto Tiffenberg y yo —y esporádicamente Osvaldo Soriano— nos reuníamos a "hacer la tapa". Se tiraban cuarenta o cincuenta títulos para elegir uno.
- Respecto de la imagen, se impulsó en el diario que cada foto fuera una nota en sí misma y no una ilustración del texto. "No quiero una foto de Storani, quiero una foto de Storani con el dedo en la nariz", era una de mis frases de la época. Quería-

mos usar las fotos que el resto de los diarios desechaba. Nunca creí en los "directores de arte", creo que el arte no tiene directores, de modo que el jefe de fotografía dejaba diez o veinte fotos del tema cada noche. Quienes pretenden "dirigir" el arte me recuerdan a los que se autotitulan "creativo" en su tarjeta de visita. También los humoristas —Daniel Paz y Rudy, que nunca antes habían trabajado juntos— escribían tres o cuatro chistes hasta que elegíamos el mejor.

Incorporar a Horacio Verbitsky fue nuestra apuesta fuerte e inicial a la investigación. Verbitsky venía de hacer unas cien tapas del semanario *El Periodista* —con el riesgo de calidad que eso implica— y había adquirido cierto nombre en el microclima periodístico. Nunca tuvo un escritorio en la redacción, y venía al diario los viernes a la noche a "plantar" su extensa nota del domingo. Fue, durante esos años, uno de nuestros redactores estrella. Tomás Eloy Martínez, Juan Gelman, Miguel Bonasso, Susana Viau, Julio Nudler, Miguel Briante, Osvaldo Bayer y Osvaldo Soriano fueron algunas de las firmas que se incorporaron al diario desde el llamado "setentismo".

Gatos

Conocí a Osvaldo Soriano en una de las peores tardes de mi vida. En diciembre del 84 Julio Cortázar hizo su último viaje a Buenos Aires. El entonces presidente Alfonsín armaba su gabinete en el Hotel Panamericano y yo era —a mi pesar— un demasiado esporádico colaborador del suplemento de Cultura de *Clarín*. Pero aquella tarde el azar jugó a mi favor: era una de las pocas personas que sabían de la presencia de Cortázar en la ciudad y tenía bajo la manga el as de la dirección de su madre en Villa Urquiza. Fue la primera vez que, como colaborador más que ignoto, pedí un auto al diario. Aterrizó un Renault 12 con Motorola, chofer y fotógrafo. Cuando llegamos al lugar, un portero barría con dedicación las mismas baldosas por cuarta o quinta vez.

—Sí, Cortázar está parando acá, pero salió —dijo.

Esperamos más de una hora hasta que el tipo más alto del mundo, el de los ojos separados como los de un novillo, dio un pequeño salto de la calle a la vereda y se topó con nuestra guardia en la puerta.

Cortázar había aceptado la entrevista cuando comenzó a vibrar, latosa, la radio del auto. El chofer me miró como un condenado a muerte:

—Che, nos dicen que nos volvamos...

Cortázar cruzó la puerta y le pedí cinco minutos para encontrarnos arriba. Había un error, eso era todo.

—¿Quién dice que nos volvamos?

—No sé, del diario.

Tomé el micrófono del equipo y empecé a pulsar el botón de llamada:

—Eh, viejo, ¿qué pasa?

Expliqué que nadie tenía esa nota, y que Cortázar nos esperaba arriba.

La radio no se conmovió.

Intenté un balbuceante argumento de autoridad:

—Tengo orden de Fernando Alonso, jefe del suplemento de Cultura, de hacer la nota.

—Y yo tengo orden del secretario general del diario para que se vuelvan —dijo la lata.

El chofer cerró la puerta del auto. El fotógrafo acomodaba sus equipos en el asiento de atrás.

—¿Volvés? —me preguntó.

—Ni en pedo. Hago la nota.

Arriba Julio Cortázar, de setenta años, guayabera, mate y Gitanes, preguntó dulcemente hacia la puerta de la cocina:

—Mamita, el señor viene a hacerme una nota, ¿puedo hacerlo pasar?

—Sí, Julio, cómo no —respondió su madre de noventa y tantos.

Aquella nota salió por Radio Nacional y fue publicada por una ignota revista literaria llamada *América en Letras*. En la misma semana, *Clarín* publicó su reportaje a Cortázar en una doble página central.

—Vos no la hiciste porque el Gordo Soriano ya había arreglado la nota más arriba.

—¿Soriano? ¿Y quién es ese hijo de mil putas de Soriano?

Yo sabía de memoria quién era Soriano: era el tipo que me había contado, en *Artistas, locos y criminales*, la historia del diario *La Opinión*, el autor de un par de grandes novelas para mí desconocidas en aquel entonces, y el cronista que mejor había narrado la carrera con la muerte del enrulado Robledo Puch. Ese era Soriano.

Trabajamos, cenamos, fumamos y tomamos cincuenta o sesenta veces hasta que me animé a contarle esta historia. Yo seguía siendo su lector, pero ahora también era su teórico "jefe", como director de *Página/12*, y él nuestro asesor editorial.

—Con Cortázar, ¿te das cuenta? Yo me moría por hacer esa nota.

El Gordo sonrió algo avergonzado, masticó su cigarro apagado y dijo alguna trivialidad como:

—Ah, sí... mirá vos.

No se acordaba.

—Nos va a ir bien. Nos va a ir muy bien, mirá... michi, michu... mirá, mirá...

Un gato blanco y gris bajó de golpe una persiana para remolonear en los tobillos de Soriano.

—¿Ves? Los gatos están con nosotros... es buena suerte.

Era una medianoche de mediados de mayo de 1987, y caminábamos solos, por Sarmiento, hasta un restaurante vecino al teatro San Martín. Estábamos cansados y ansiosos. Cada uno llevaba un par de números "cero" de *Página/12*: eran un desastre.

—Son una mierda, nunca vamos a hacer un diario.

—Vamos a comer, y paremos un poco.

—Están los carteles en la calle.

El número uno fue un poco menos espantoso y el cincuenta algo correcto, y quizá pudimos, en esos años, hacer cinco o seis ediciones realmente buenas.

El Gordo tenía razón: los gatos iban a darnos suerte.

Soriano vivía de noche, en su casa de La Boca. Me contagió su amor por Scott Fitzgerald, su interés por las figuras de Moreno y Belgrano, sus historias de Timerman (Jacobo sólo saludaba a los de determinado sueldo para arriba, contaba Osvaldo, que había sufrido en *La Opinión* la marca hombre a hombre de un escribano que "vigilaba" su trabajo para poder despedirlo con causa. Soriano miraba la Olivetti y cuando el escribano le preguntaba: "¿Usted qué está haciendo?", el Gordo le decía, impávido: "Estoy pensando una nota").

Gracias a Soriano conocí la historia de *Le Canard Enchainé*, el semanario anarquista francés en el que los redactores que reciben un premio —voluntaria o involuntariamente— son despedidos de inmediato.

Soriano fue "popular", lo que le valió el desprecio de mínimos y masturbatorios círculos académicos, y una constante pelea contra la pequeñez.

Ganó demasiado tarde, y por puntos, contra el cigarrillo, y no dejó nunca de mascar unos cigarros gruesos y espantosos, que terminaban deshilachados en el cenicero.

—Volví a fumar.

—¿Por?

—Anteayer casi le doy una piña al dentista, y hoy cuando salía le pegué una patada a un chico por la calle.

La última vez que nos encontramos fue otro gato el que metió la cola.

Fue en el bar de un hotel en Rosario, en los últimos años de Menem, cuando cubrimos para la televisión aquella historia de familias que, acorraladas por el hambre, se comían los gatos.

Había mucha gente alrededor, y eran las cuatro de la tarde, y el Gordo acababa de despertarse, y hablábamos ambos a la vez, alegres del encuentro, dándonos abrazos.

Soriano era talentoso, pero también resentido por un respeto que había ganado en Italia o Francia pero le daban a regañadientes en la Argentina. *No habrá más penas ni olvido* no ha sido superado aún como metáfora del peronismo. Soriano era el amante de los gatos y vecino de La Boca, y era también el que me pedía por el despido de Caparrós y Dorio en los primeros meses del diario: habían cometido el pecado de criticar alguno de sus libros.

La utilidad de la poesía en medio de una conversación

Un porteño del cine del cuarenta. Eso parecía Juan Gelman; un personaje de Amadori o de Moglia Barth, de esos que se vestían con corbata para ir al trabajo: pelo engominado, camisa blanca demasiado usada, corbata oscura. Era bastante alto, de modales suaves y su voz no tenía relación alguna con su cuerpo; su tono de voz, en verdad: hablaba muy despacio y con cierta ternura. Era difícil adivinar en él al oficial montonero que, en plena dictadura, aún usaba el uniforme para reunirse en París con un igual. Ya era, cuando lo conocí, el poeta vivo más importante de la Argentina a la que no podía volver. Ahora se discute, como si fuera una cucarda revolucionaria un poco trasnochada, quién lo trajo al país. Un profesor de la Facultad de Periodismo de La Plata, Alberto Moya —que en su blog se define como "el mejor de Berazategui" y reproduce una serie de notas en las que aparece citado—, planteó una polémica con respecto a si Gelman había vuelto al país gracias a Verbitsky o a mí, y que Horacio le había dado trabajo a Juan en el diario. Es difícil de creer que Horacio, un columnista, haya tenido el poder de tomar esa decisión, o que hubiera autorizado las decenas de solicitadas gratuitas que el diario publicó durante años en pos de la vuelta de Gelman, o que hubiera tenido la representación para adherir en nombre de *Página/12*. En cualquier caso, el diario hizo todo lo posible por el retorno de Gelman. Gelman volvió, se le cubrieron sus necesidades económicas poniéndolo a cargo del suplemento de Cultura y se lo apoyó activamente en el reclamo por la aparición con vida de su hijo Marcelo, detenido y trasladado durante la dictadura a Automotores Orletti. En 1989 el cuerpo de Marcelo fue encontrado dentro de un tambor de doscientos litros relleno de cemento y de arena, exhumado por el Equipo Argentino de Antropología Forense. La noticia había trascendido a mitad de la semana pero aún no era oficial. Llamé a Juan para confirmarla y pedirle, a la vez, un texto para la contratapa de aquel domingo, cuando el cuerpo sería enterrado. Sin mucha explicación, me dijo que no quería escribir. Llamé entonces a Verbitsky, su amigo, para que lo convenciera. Fue en vano. Era inverosímil que, después de toda nuestra historia común, Juan se negara. A la vez, el diario no podía ocultar la noticia ni dejar de darle despliegue. Volví a rogarle que lo hiciera y entonces me contó la verdad: iba a dar, el lunes, una conferencia de prensa para corresponsales extranjeros.

—No quiero quemar la primicia —me dijo.

Yo no podía creer lo que escuchaba. Escribí entonces la contratapa de aquel domingo 7 de enero de 1990. Mi enojo era tal que en ningún momento de la nota menciono a Juan. Algo difícil, porque era su hijo al que enterraban. En un párrafo me refiero al "padre de Marcelo", sin nombrarlo.

Marcelo Gelman murió dos veces. Su primera muerte, en la madrugada del 13 de octubre de 1976, con un disparo a quemarropa en la nuca, con cemento envolviéndole el cuerpo, sumergido en un tambor de doscientos litros, se convirtió en un insomnio: trece años de bocas secas, lenguas cuarteadas, vueltas incómodas en ninguna cama. Su segunda muerte, hace algunas semanas, después de la identificación del cadáver, después del lenguaje lejano de un informe forense que no dice nuca sino región occipital y posterior del cuello, podrá ser, por paradoja, un nacimiento.
Alguien dirá este domingo a la mañana, en el cementerio de La Tablada, Marcelo Gelman descansa en paz. No conocí a Marcelo Gelman y me parece poco digno que ahora la muerte mejore su capacidad, su talento o su memoria. Siento ahora, mientras peleo contra una Olivetti que se niega a correr la cinta, que me hubiera gustado verlo ocupando un sitio en esta redacción. Tal vez fuera tan malo o tan bueno como cualquiera de nosotros, pero definitivamente estaría bien pelearnos por un sumario, sorprendernos, estar vivos. Marcelo Gelman es el primer periodista NN identificado. El primero de casi un centenar. Cargué en mis bolsillos durante años una vieja agenda de mi madre, con tapas rojas y la inscripción "1949". En aquella agenda copiaba, en letra de imprenta, los poemas que no quería olvidar. Allí copié un poema que, supe mucho más tarde, Marcelo Gelman había escrito en el mantel de un restaurante.

La oveja negra
pace en el campo negro
sobre la nieve negra
bajo la noche negra
junto a la ciudad negra
donde lloro vestido de rojo.

El sentido de la libreta de mi madre era casi farmacéutico; cualquiera conoce la utilidad de una poesía en medio de una conversación, y también la urgencia de su necesidad. Había en la libreta poemas de Blas de Otero, Dylan Thomas, W. H. Auden, Borges, Gloria Fuertes, y también algunos del padre de Marcelo Gelman, ese del león perdido en el Bois de Boulogne y aquel otro de esa mujer que se parecía a la palabra "Nunca".
Nunca hubiera pensado que alguien quería escribir la palabra "indulto" en mi libreta. "Es cierto —dijo en este diario Simon Wiesenthal— que no podemos vivir permanentemente pendientes de los muertos en el Holocausto. Pero tampoco podemos actuar como si nunca hubieran existido."
Esta mañana un silencioso grupo de personas asiste al entierro de Marcelo Gelman. Del país que rodea ese silencio depende que esta no sea también una mañana negra. Tal vez los hombres puedan morir dos veces, pero los pueblos se suicidan sólo una. Que esta mañana dejemos a un lado el cinismo y podamos volver a copiar poemas en una libreta. Y que Marcelo Gelman descanse en paz.

Boxear

Siempre cuento, en las entrevistas, que me hubiera gustado ser boxeador. En verdad lo soy. Alguna vez, en mi primer ciclo de televisión de cable, que resultó interrumpido por el éxito de mi primer programa político en la televisión abierta, grabé "Torito", aquel cuento de Julio Cortázar, en el ring de la Federación de Box. Bien podría haber sido cualquiera de esos pibes del interior que llegaban a jugarse el destino en una sola noche, con su familia explotando entre la hinchada y el público pidiendo sangre. Siempre uso ese ejemplo para hablar de los críticos: "Yo estoy ahí, en el medio del ring, peleando, y abajo hay un tipo recién bañado y con la camisa nueva que anota los golpes que doy". En aquellos tiempos de *Página* la pelea era permanente: contra mí mismo, contra los demás, contra el gobierno de turno, contra los avisadores, contra los otros diarios, contra todos los que suponían que no era yo quien debía estar ahí. Iba a decir que en *Página* aprendí a conocer a las personas, pero en verdad todavía no termino de hacerlo. Supe, sí, que la mejor manera de perder a un amigo es darle trabajo. Y resulté, quizá, la primera víctima de un relato kirchnerista que aún no existía como tal: cuando el diario cambió de manos y se vendió al Grupo Clarín, vi cómo las mismas personas que yo había puesto ahí me censuraron durante más de quince años. Mi nombre desapareció del diario, y esto fue aún más contrastante porque coincidió con mi aparición masiva en la televisión y en la radio. Podían hablar mal de mí, pero no podían evitar hacerlo. A los diez años, pocos meses después de mi salida, un número especial me arrinconó entre lo que empezó a llamarse "el grupo fundador". Desmentirlo era tan fácil que no hice nada: sólo había que ver la contratapa de los 3.650 ejemplares anteriores, en todos yo aparecía como "Director periodístico".

—Usted es *Página/12* —me había dicho, nerviosa, la florista del supermercado.

—No, yo soy Jorge Lanata.

Había que salir a la calle a preguntar. Pero el estalinismo local persevera: reescribieron y reescribieron la historia hasta que, en el trigésimo aniversario, la presidente argentina ratificó mi desaparición.

Realmente no sé cómo es Horacio Verbitsky, y lo conozco hace más de treinta años. Siempre lo vi más como un político que como un periodista. En nombre de la concordia, era Ernesto quien mantenía el diálogo cotidiano con él para su nota del fin de semana. Pequeño truco de director: no ser nunca la única y última instancia, siempre es mejor que otro actúe como colchón ante una dificultad. Mis diálogos con

Verbitsky siempre fueron ásperos y calculados; una vez —en nombre del Lector, lo juro— le planteé que la extensión de sus notas conspiraba contra la lectura del común:

—¿Por qué no agregás un par de recuadros? Lo haría más llevadero.

—Porque yo no escribo para la gente —soltó, de golpe.

—No te entiendo.

—Claro, yo escribo para un grupo de gente que me sigue, serán doscientas o mil personas, no sé.

—Ah.

Horacio seguía escribiendo para la "orga", para sus militantes. Una lástima: sus crónicas del Juicio a las Juntas publicadas en *El Periodista* fueron de lo mejor que leí en mi vida. Nunca las publicó. Prefirió hacer best sellers olvidables como *Robo para la Corona*. "Ese es un libro que ilustra el sobaco", me dijeron una vez. "Nadie lo leyó, pero todo el mundo lo compró porque queda bien tenerlo." Como era de esperarse, Horacio no tenía en el diario compañeros sino "acólitos", un pequeño grupo —que en la redacción llamaban "Los chicos Diez"— lo rodeaba adulándolo y se encontraban, semanalmente, para ver, grabadas, las participaciones de Horacio en la televisión. La pantalla lo revelaba: Horacio aparecía increíblemente calculador, estudiaba cada palabra antes de que saliera de su boca, con la frialdad de alguien que todos los viernes podría ir a cenar con su amante y el esposo, y divertirse con ambos.

¿Trabajó para la Fuerza Aérea? Sé que sí, tengo el libro dedicado al brigadier Güiraldes y él mismo lo reconoce. He visto algunos recibos de sueldo publicados por Levinas en *Doble agente*. Recuerdo artículos suyos y de Soriano en la campaña Menem-Angeloz elogiando al riojano (acudan, por favor, al archivo) y en la pantalla de *Día D* admirando a Rodríguez Saá. Su conversión al kirchnerismo no fue nueva; hizo equilibrio por toda la cuerda floja del peronismo. Era lógico que frente a un resonante hecho de censura en *Página/12* reaccionara como lo hizo.

A fines de 2004 *Página/12* decidió censurar el panorama económico de los sábados firmado por Julio Nudler durante más de diez años. La nota de referencia denunciaba la designación de Claudio Moroni al frente de la Sindicatura General de la Nación (SIGEN) y sus vínculos irregulares con el entonces jefe de Gabinete de Néstor Kirchner, Alberto Fernández. El escándalo se potenció porque varios miembros del diario lo eran a la vez de la Asociación Periodistas por la Libertad de Expresión. Tiffenberg, Verbitsky y Martín Granovsky (luego presidente de Télam denunciado por corrupción), por ejemplo, estaban en esos dos lados del mostrador. El propio Nudler publicó entonces en las redes (en 2004, a un año de la asunción del kirchnerismo): "Personalmente apoyo diversos aspectos de la política de este gobierno, pero veo que su corrupción va en aumento (la designación de Martín Pérez Redrado y Miguel Pesce al frente del Banco Central ha sido otro hecho muy preocupante, además de las exacciones que cometen a diario los ministerios de Roberto Lavagna y Julio de Vido, con total impunidad) [...] Los fraudes cometidos por Fernández y Moroni son alevosos, y ya pueden imaginarse para qué se designa a un delincuente al frente de la SIGEN, donde por otro lado permanece la mujer de De Vido, carente de toda idoneidad [...] Así como no quiero perjudicar a este gobierno sino evitar, con mi modesto aporte, que se suicide, tampoco quiero afectar al diario, que también se está suicidando. No le adjudico al director ni a nadie el derecho a censurar mis notas, aunque él lo haga cada tanto y yo no pueda evitarlo y no pienso negociar nada al respecto". La timorata reacción de Tiffenberg fue previsible: se consideró —escribió— que "las afirmaciones de Nudler merecían mayores explicaciones antes de ser publicadas", y lo acusó de haber iniciado negociaciones laborales con Szpolski, que en ese momento adquiría la revista *Veintitrés*, y de "haber entregado la nota tarde". Verbitsky y Granovsky apoyaron la censura basándose en argumentos alambicados, desde falta de confirmación de fuentes hasta necesidad de pagar los salarios en el diario, ergo necesidad de recursos publicitarios estatales. La polémica fue vergonzosa. "La extensa nota del comisario político Horacio Verbitsky en la edición dominical de *Página/12* confirma, lamentablemente, su degradación moral, ya tal vez sin redención posible —escribió Nudler—. ¡Demasiados años de enjuagar ropa sucia y publicar aguas servidas!" Aquel escándalo implotó en Periodistas. Julio murió al poco tiempo.

Destruir el pasado

María Eugenia Duffard forma parte hace ya un tiempo del equipo de *Periodismo para todos*. Tiene unos treinta años; es buena y va a ser mejor. Se me ocurrió preguntarle:

—¿Vos viste la tapa en blanco?

—¿La qué?

—¿Y la edición amarilla?

Nunca había visto ninguna de las ediciones "históricas" de *Página/12* y las llamo con esa exageración porque, en su momento, recorrieron el mundo. El tiempo es atroz: el alma y el cuerpo envejecen a ritmos distintos y mi cuerpo todavía cree que aquellos años están mucho más cerca. En el pliego de fotos de este libro se reproducen aquellas ediciones: la tapa en blanco fue la del día del indulto de Menem, el domingo 8 de octubre de 1989. Quería decir que nada podía quedar en blanco, ni siquiera ese papel lleno de imperfecciones, pelitos, pequeñas manchas, así como tampoco la memoria de un país podía borrarse. Eso escribí en el texto de tapa:

INDULTO

Nada puede quedar totalmente en blanco. Ni siquiera esta hoja de papel destinada a la tapa de *Página/12*, ahora seguramente surcada por pliegues, imperfecciones, pequeñas manchas, sombras. La historia de un país tampoco puede quedar en blanco. Este país, patético y confuso, a veces tierno y otras gris fue construido sin memorias en blanco. La memoria no puede quedar en blanco por decreto. Desde la base aérea de El Chamical, el presidente Menem anunció, trágico y lejano:
—Estamos construyendo el futuro del país.
Y comenzó a destruir el pasado. Atrozmente sincero, Menem aseguró:
—El costo político no es alto.
Antes había vuelto a enredarse en la madeja del anuncio, y —al salir del aeroparque de La Rioja— había insistido ante la agencia Télam:
—Hoy no se dará a conocer el decreto del indulto. Será antes de fin de mes. Aún no elegí el día ni la oportunidad.
Una hora más tarde, la misma agencia oficial informaba que la copia de los decretos sería distribuida al periodismo a las 14.30 en la Casa de Gobierno.
La retórica gastada de los considerandos sólo puede arrancar del lector una mueca triste, la mala copia de una sonrisa: en ellos se habla del país como una "comunidad jurídicamente organizada", y se insta a "superar los profundos desencuentros, cuya responsabilidad debe ser asumida por todos". Alguien mezcló todas las definiciones de este diccionario en el que la

Historia y el futuro se miden con la peligrosa e ingenua vara del costo político, y la Justicia —y su ejercicio, sólido, constitucional, democrático— termina arrinconada como sinónimo de rencor. La idea de una reconciliación áspera y rápida como el café instantáneo no alcanza para explicar por qué el general Galtieri no podrá —desde esta mañana— diseñar un nuevo plan alcohólico para las Malvinas, por qué los civiles y militares de Aeroparque no volverán a tomar la estación, por qué Vaca Narvaja y Perdía no buscarán nuevas inversiones para Montoneros S. A., o por qué alguno de los 39 militares restantes no acondicionará —con dedicación y amor a la Patria— su viejo campo de concentración. A menos de veinticuatro horas de cumplir los primeros tres meses en el gobierno, Carlos Menem ha firmado la hipoteca más seria sobre el futuro democrático de este país. Sólo el tiempo podrá dar una idea de la magnitud del error; los rostros de los indultados han sido pintados de olvido y de blanco por decreto. Ellos creen que es posible. Aunque sólo podrán verse peligrosos payasos con la cara corrida de cal.

Intenté buscar este texto pero el buscador del diario tiene ejemplares atrasados hasta 1998. Es gracioso; también en la red toda mi época fue borrada: faltan diez años en los cuales buscar.

Lo de *Pelota/12* fue insólito: durante toda su gestión Menem mezclaba la política con el espectáculo y el deporte, consciente de que aquello aumentaba su popularidad. La quinta presidencial era, en la prensa, "el polideportivo" de Olivos. Se nos ocurrió, entonces, "deportivizar" la tapa: todos los títulos políticos estaban tratados como en algún deporte distinto: fútbol, básquet, boxeo, etcétera, la foto central era del presidente pateando una pelota. "Oferta del Napoli" fue el título del sábado 22 de julio de 1989. Lo insólito sucedió el lunes a la mañana, con una llamada del distribuidor:

—Bien el fin de semana, ¿no? —le dije al atender el teléfono. Sabía que la edición del sábado se había agotado.

—Sí, bien —consintió—. Pero tenemos un problemita: la edición del sábado ¿a quién se la liquidamos? —y estalló en una carcajada.

Era cierto: en ningún lugar del diario decía la marca *Página/12* y *Pelota/12*, por supuesto, no tenía registro alguno. Aquella fue la primera vez que un producto periodístico cambió su marca estando en la calle.

El *Amarillo/12* del martes 19 de marzo de 1991 quizá sea el mejor ejemplo de cómo puede responderse a la crítica política con imaginación. En el marco de nuestra eterna pelea con Menem, el presidente nos llamó "periodistas amarillos". Le respondimos comprándole papel a la guía de teléfonos y haciendo, completa, una edición amarilla. A regañadientes, y para congraciarse con el público, Menem salió a felicitar a "estos muchachos ingeniosos".

La tapa de *Página/12* se convirtió en un asunto a esperar y parte fundamental de nuestra relación con el lector. En los primeros años de mi salida del diario fue lo que más extrañé: no hay nada peor que una mala copia y —hasta hoy— la tapa de *Página* se convirtió en una mueca de lo que el diario fue.

Hecho de viajes

Tenía veintiséis años y estaba en el tope de la carrera gráfica: no había heredado el diario de ninguna familia patricia y tenía que darle órdenes a una redacción que, en promedio, era mayor de edad que yo. Pero soy periodista y traté de seguir escribiendo en el diario como una especie de redactor especial. En Editora/12, una editorial cautiva que sacó sólo tres títulos, publiqué mi primer libro: *La guerra de las piedras*. Estuve en Gaza, en la Intifada, a pocos días de comenzar la guerra entre el ejército más moderno del mundo contra mujeres y niños con piedras. Aquí algunos fragmentos de esa crónica que fue el libro:

LA ANTIGÜEDAD DE UNA PIEDRA

El hombre que maneja la niveladora de terreno mira el banderín azul con ansiedad. Tiene las manos al volante y un cigarrillo apagado en la boca. El sol brilla con desenfado y entonces el hombre se seca una gota que le baila en la frente, y vuelve a mirar al banderín. Ahora está a quinientos metros. Hace seis meses que, junto a una cuadrilla, el hombre trabaja para ensanchar la ruta

a Gaza. Ha visto pasar camiones de soldados, móviles de la televisión, micros con colonos.
Sin embargo, todas las mañanas desde las cinco, con la exactitud del destino, el hombre se sube a su niveladora de terreno, espera que la cuadrilla baldee la banquina de pavimento caliente y luego descuenta los metros hasta el banderín. A veces lleva consigo una pequeña radio japonesa que hace equilibrio cerca de la caja de cambios. Hoy el hombre escuchó que suman más de dos mil los detenidos. Se han expulsado a diecisiete personas, y se han destruido y bloqueado trescientas casas.
—En comparación a las veinte por año de la última década.
El hombre escucha al locutor y cae en la cuenta de que está escuchando La Voz de la Paz. Entonces cambia la estación y prende el cigarrillo, que le lleva a la boca un gusto a pasto seco. Sólo cuando vuelve la vista al banderín azul recompone su sonrisa.
A la mañana, mientras desayuna con la cuadrilla al costado de las obras, ve pasar los taxímetros de Gaza repletos de palestinos que viajan hasta Tel Aviv. Hace ya más de un mes que el ejército ha cerrado el tránsito a los ómnibus locales. Los taxistas adhieren a la huelga de los territorios, pero llevan a los trabajadores como contribución. Se apiñan de a ocho en cada automóvil. Todos tienen permiso del gobierno militar para salir a trabajar, de otro modo no podrían hacerlo. Pero son tan sólo unos miles, contra los ciento cuarenta mil que trabajaban antes de la revuelta. A las siete, los choferes los aguardan en las afueras de la capital y retornan a

Gaza, la ciudad más superpoblada de la región. Desde 1967, a pocos kilómetros del banderín azul, se ha expulsado de sus tierras a 650 mil árabes para permitir la instalación de 2.700 israelíes en los asentamientos. Camino a la Franja de Gaza, puede verse a los colonos prisioneros de su propia trampa: casas de construcción sólida, rodeadas de alambre de púas, vecinas del destacamento militar.

El hombre de la niveladora es uno de esos colonos. Cada mañana emprende su conquista machacando brea caliente sobre esta ruta que conduce al infierno.

El auto se zambulle en una estación de servicio a dos kilómetros del puesto militar. Este lugar es el límite. Hay que llenar el tanque y telefonear a los lugares necesarios. Veinte cuadras más adelante no habrá nafta ni comunicación. La maniobra de cerco sobre Gaza se va cerrando hace semanas, en la ciudad no se despacha combustible y las líneas telefónicas están bloqueadas.

Al lado de la estación hay un pequeño autoservicio. El ambiente que se vive adentro es similar al de un día de campo. Algunos jóvenes de fajina, familias, niños que vuelcan una y otra vez su vaso de Coca-Cola sobre la mesa...

—Los periodistas ya se fueron —informa en inglés la cajera—. Ahora van todos juntos y temprano, desde que pasó aquello con los alemanes, a la tarde va a salir otra tanda.

Hace diez días, dos corresponsales de la TV alemana fueron apedreados en el centro de Gaza. El Volvo que los transportaba quedó hecho pedazos. Ya casi no hay reporteros en los territorios; a mediados de marzo la noticia de la revuelta se ha ido diluyendo hacia las páginas de clasificados y avisos de remates. Sólo insisten la NBC y la CBS —dos cadenas de televisión norteamericanas— y algunos cronistas de la prensa francesa y la española. Desde que salimos del kibutz, Celso monologa tratando de convencerse:

—¿Por qué no ir, eh? ¿Por qué tenemos que tener miedo, eh? Si no vamos a atacar a nadie, ¿no? Yo acredito que tenemos que entrar.

La mujer nos escucha discutir refugiada detrás de la calculadora. Creo que no entiende castellano, y menos el curioso portuñol que ambos ensayamos. Sólo agrega cuando salimos del local:

—Si todos los días matamos cuatro o cinco árabes, dentro de poco vamos a terminar con el problema. Ponga eso en su diario. Ponga que no se puede vivir acá sin tomar posición.

El soldado ve el cartel de prensa y hace señas para que sigamos. Un campamento militar se levanta a la izquierda de la ruta, o mejor se hunde, bajo terraplenes de dos metros que sólo dejan ver los techos de algunas carpas. La entrada a la ciudad está colmada de silencio. Racimos de chicos juegan en las veredas de tierra, en esta ciudad donde el setenta por ciento tiene menos de diecisiete años. Algunas mujeres lavan la ropa en las terrazas. Aquí también, como en la mayoría de las aldeas árabes, las casas son verdes o celestes. Es su color de suerte. Celso maneja como si atravesara una cristalería. A las pocas cuadras nos hemos convertido en el espectáculo de la entrada a la ciudad. Nadie nos saca la vista de encima.

Un grupo de niños corre detrás del auto, hasta que uno se acerca a mi ventanilla y pone los dedos en V. Hago lo mismo y el chico sonríe y corre a contarlo a sus amigos. Doy un largo soplido y pienso que el idioma es una barrera menor. Sin embargo, por razones explicables o inexplicables, tengo miedo.
Un camión del ACNUR (Comité de la ONU para Refugiados, los únicos, fuera de los periodistas, que permanecen en la ciudad junto a los árabes) se nos adelanta y le preguntamos el camino al centro. Nos advierten que no vayamos por las calles laterales. Dejamos el auto en la calle principal, un boulevard que llega hasta el mar, y caminamos hasta la plaza.
Toda la ciudad escucha una sola radio, cada casa se ha convertido en un pequeño eco. La radio se llama "Voz de Jerusalén para la liberación de la tierra y del hombre". Hace una semana cambió de frecuencia: de 630 kilohertz a 702, perseguida por las interferencias. Hace una semana, toda la ciudad barrió el dial para volver a encontrarla. La radio da instrucciones sobre la revuelta. Hoy los comercios abrieron de ocho a once. En pocos minutos comenzará su sección más popular: la de los mensajes personales. Aldeas olvidadas, barrios de Jerusalén y Cisjordania pasan sus noticias cotidianas a través de los llamados a la radio. Hussein Wahidi, nuestro contacto en Gaza, salió temprano hacia Jerusalén. Volverá a la noche, antes del toque de queda. Su mujer nos invita un café espeso y lleno de borra. La conversación se quiebra cuando pregunto por el Jihad.
—Ahora... —dice la mujer apartando la taza— estamos todos juntos, cruzando el mismo río.

Sé que Wahidi es un hombre cercano a la OLP, y que el Jihad islámico está a kilómetros de su posición. Sin embargo, el remolino de la revuelta ha forzado a todos a subir al mismo barco. La fuerza de los fundamentalistas de Irán —vinculados al ultraderechista Ayatollah Jomeini— ha crecido desmesuradamente en Gaza, al amparo del aislamiento y la pobreza. En 1978, el gobierno militar israelí favoreció la instalación del Colegio Islámico, como parte de una estrategia de doble filo: si aumentaba la influencia de los fanáticos religiosos, disminuiría la de la OLP. Ahora el colegio tiene 4.600 alumnos y se ha convertido en el centro de la cólera de Alá.

Hace diez años, había en Gaza setenta mezquitas, ahora hay ciento ochenta. Las tiendas que venden licor o casetes con música moderna son invadidas por los jóvenes militantes del Jihad, y también las fiestas de casamiento al "estilo occidental". Los grupos de manifestantes irrumpen entonando cánticos religiosos y obligan a los novios a suspender el festejo. Desde el 9 de diciembre, día de comienzo de la guerra de las piedras, fuerzas contradictorias entre los palestinos luchan por su espacio de poder. Los treinta días que antecedieron a la formación del Comité Unificado de la Revuelta desbordaron cualquier control sectorial. Nadie manejó durante el primer mes el estallido de los territorios. Después los cuatro sectores en pugna (pro jordanos, en general las autoridades administrativas, golpistas moderados y ultras, y fundamentalistas) coincidieron en un rumbo común: huelga general sin uso de armas.

La mujer vuelve del escritorio con un volante, que lee en voz alta: "Toma las armas y golpea al enemigo sionista. No importa cómo y cuándo mueras. Lo importante es la causa por la que sacrificas tu vida. Ahora es el momento de liberar a nuestra tierra". Hace tres días el Jihad tiró este volante en la ciudad. Hussein pasó la noche sin dormir. Daba vueltas y vueltas en la cama, estaba indignado. Hemos insistido en todas las reuniones del comité en el error político que significa usar la violencia armada en los territorios. Pero hay tierra fértil para eso. En la última reunión me dijeron... ¿saben qué me dijeron? Cuando el enemigo golpea y mata a nuestras mujeres, no hace diferencias.
Ya es mediodía, y el sol es una inmensa moneda dorada. En el patio de Wahidi escucho por primera vez un moazín. No había visto los altoparlantes en la ciudad, pero sin duda están y ahora suenan todos a la vez. Alguien pega un grito descarnado y musical. Parece un largo lamento:
—Alá acwa —me dicen que dice.
—Alá es el más grande.
El lamento se extiende en una oración. Las mezquitas convocan al rezo. Este grito que se enhebra en todas las calles de Gaza tiene la antigüedad de una piedra.
—Alá es el más grande —dice la letanía.
Hombres y mujeres salen de sus casas a rezar. Hay un jeep del ejército en el boulevard. Uno de los soldados juega con el seguro de su metralleta. Lo destraba una y otra vez. Quizá quiera perderle miedo a la muerte. Otro limpia con cuidado el borde de sus lentes. El conductor se reclina con la espalda pegada al asiento, y está nervioso.

Al pasar los saludamos, y los tres nos responden a coro. Ahora miran el desfile callejero: decenas de árabes arrastran los pies por el boulevard a la salida de la mezquita. En una casa vecina vuelve a encenderse la radio. El chofer enciende la del jeep y busca una sintonía: se detiene en un tema de los Rolling Stones. El otro soldado ya no juega con el seguro. Lo ha quitado. Un chico de cinco o seis años pasa dando un grito y pega tres manotazos en el jeep. Después se pierde en una esquina cercana. El otro soldado se calza los lentes, y mira el reloj.

Una ventana se abre en un primer piso cercano.

—¡Vamos a tirarlos al mar! —grita en hebreo.

Otro niño rasca un manotón de tierra con la mano y lo incrusta en el parabrisas. El soldado de lentes toma al chico de la camisa y lo arrastra hacia el coche. Una mujer interviene. Comienza una discusión a la que se suman otras mujeres y algunos jóvenes. El niño ya tiene las manos contra el capot, mientras lo palpan de armas mecánicamente. Alguien tira la primera piedra. A la primera le sucede otra, y otra, y otra más. El chofer pide auxilio por la radio del auto, y en segundos aparece un camión con más de veinte soldados.

A esa altura el revuelo es general. Mujeres y soldados se disputan a los detenidos. El grupo se transforma en un gran nudo. Una ráfaga de ametralladora lo desata. Los gritos se multiplican, y algunas mujeres se apartan hasta la vereda. Hay por lo menos tres heridos. Parte de la patrulla sube al jeep a perseguir a tres jóvenes que corren por una calle lateral. Otros apalean a los detenidos hasta que los suben al camión. El soldado de lentes camina tenso hacia el cordón del boulevard. Un chico de unos quince años yace de espaldas, con la camisa fuera del pantalón. El soldado pega un grito y le ordena que se levante. La cara del chico sigue contra la zanja. Un nuevo grito. Después acerca el caño de la Uzi y presiona sobre la espalda. Un grito más. Entonces mueve el cuerpo con el pie. El chico está muerto. El camión ya volvió por más detenidos. Tres soldados se acercan a la fila de diez árabes que apoyan las manos sobre la persiana de un comercio cerrado. En media hora estarán en Ansar 2 o en la Base de Investigaciones Fara. Una mujer se acerca llorando y pide por su hijo. Pocos minutos después la calle estará desierta. [...]

Son las ocho de la noche y Gaza es ahora tierra de nadie. En un rato los jeeps del ejército comenzarán a turnarse para recorrer una y otra vez, como sonámbulos, la extensión del boulevard. Quizá el ejército allane algunas casas antes de la madrugada pero todavía la noche es una tregua confusa. Hussein Wahidi no ha vuelto, tal vez pase la noche en Jerusalén. Las casas de las afueras son las más verdes bajo la luna llena. Al costado de la ruta, el regimiento de infantería protegida por el terraplén parece un enorme cráter iluminado. Por la mañana un soldado me explicó orgulloso el sentido de esta pared de tierra de dos metros.

—Es para evitar los coches bomba —me dijo—. Ya nos pasó en el Líbano —agregó.

De seguro a esta hora el soldado engulle su cena con fruición. A esta hora el odio parece clausurado. La

muerte, sin embargo, salta en esta tierra con la destreza de un gato: un seguro mal puesto, un grupo de colonos dispuesto a provocar, una y mil piedras, un grito, y esta paz será solamente un entreacto.
Celso recorre en silencio el camino de vuelta a Tel Aviv. Hemos hablado durante todo el día hasta por los codos: entre nosotros, con otros, por separado. Tal vez sea mejor callarse. Parece tener la vista pegada al camino. Un camión nos encandila y rompe el encanto trágico de este silencio. Entonces Celso dice, sin mirarme, a sí mismo, a nadie:
—¿Cómo se puede convivir con esto?
Abro la ventanilla y dejo que el viento de la noche me pegue en la cara.

Cubrí varias veces Medio Oriente, estuve en la primera y en la segunda Guerra del Golfo, en Pakistán durante la detención de Bin Laden, en Líbano y Siria, lo suficiente como para pensar que aquel problema no tiene solución. Con el correr de los años lo que empezó como un conflicto territorial se transformó mundialmente en una batalla religiosa. Aprendí en Qiryat Shemona que los misiles se escuchan cuando ya es tarde: el silbido empieza cuando faltan menos de diez segundos para el impacto y es imposible saber hacia dónde correr. Estuve en los refugios, y en ciudades vacías defendiéndonos sólo con la ayuda de un cartel en la luneta del auto que gritaba "Prensa" en árabe y en inglés.

LA LLUVIA DE LOS MISILES

Desde Israel

—¿Está lloviendo o ya paró? —le preguntó a alguien, desde su celular, Marcos Lyon.

El celular le dijo que no paró, que seguía lloviendo.

—Qué cagada... —se quejó Marcos—. Bueno... nosotros estamos yendo para allá. Nos vemos en el miklat.

La lluvia que preocupaba a Marcos era la de misiles Katiusha. Esta mañana llovieron unos quince, y poco antes de terminar el shabat, otros diez. El lugar hacia el que vamos es Naharía, a veinte kilómetros de la frontera con el Líbano. La ruta está casi vacía, y es inevitable cruzarse con animales muertos: perros y gatos. Nadie supo explicarme por qué hay tantos animales muertos, entre quince y veinte en los cien kilómetros que separan Tel Aviv de Haifa.

—Acá la gente maneja mal.

—Y a los pedos, nadie se fija.

—Deben ser perros abandonados.

Los muertos que nos preocupan, de todos modos, son otros. El teléfono de Marcos sonó a poco de salir de Haifa. Allí el puerto está cerrado y la ciudad semivacía. También en Haifa llovió, pero no esta mañana de sábado. En Haifa cayó un temporal de Katiushas el jueves y el viernes, y hace unas horas, en el almuerzo, sonó cuatro veces la sirena llamando a los refugios. Comíamos en uno de los dos o tres bares abiertos en toda la ciudad, atendido por un árabe y su empleado. Las llamadas de las dos primeras sirenas nos dejaron la comida a mitad de camino, entre la garganta y el miedo, pero ya en las otras dos hacíamos bromas sobre los bombardeos. Iba a decir que los periodistas bla, bla, bla, pero creo que los seres humanos en general estamos locos. También a las sirenas se acostumbra uno. Escuché a una señora, en Naharía, quejándose porque allá, antes de la caída de un misil, nadie les da aviso, en el mejor de los casos pasa algún patrullero advirtiendo que la lluvia está por caerles encima.

—Y no te dan tiempo —se quejaba la señora, alisándose la falda arrugada como un mapa—. A lo sumo tenés treinta segundos, o un minuto, antes de encerrarte en el refugio.

Un adolescente chileno, en otro refugio (una inmensa caja de concreto oculta unos quince metros bajo tierra), me dijo que a uno de los misiles lo vio pasar. En general nadie los ve: diez o quince segundos antes del impacto escuchan un intenso silbido. Después llueven gotas heladas de metal y esquirlas. Los Katiushas, misiles estrella de la batalla de Stalingrado, se fabrican en la Unión Soviética desde 1941. Son pequeños, pesan unos veinte kilos y se lanzan desde camiones. Los que llegaron a Haifa buscaban impactar en dos zonas estratégicas: una inmensa destilería de petróleo y la fábrica de misiles israelíes Rafael, proveedora del Pentágono. Allí encañonó sus misiles Patriot el Ejército norteamericano, preparado para interceptar los Katiushas y eliminarlos en vuelo.

Llegamos a Naharía a primera hora de la tarde. Gran parte de la ciudad fue evacuada, y los veinte o treinta automóviles que todavía circulan se detienen prolijamente en los semáforos. El aseo parece una preocupación central de las autoridades: el intendente, Jacky Sabag, obligó a los trabajadores de la basura a seguir con la limpieza de las calles, lluevan o no misiles. Y ahí puede verse a ese grupo de desahuciados (en general árabes israelíes o inmigrantes rusos) limpiando la calle con chaleco antibalas y casco para evitar las esquirlas. Nahariá es una ciudad pintoresca, a orillas del mar, que fue hace algunas décadas un atractivo balneario construido por judíos alemanes y ahora se convirtió en una especie de Miami subdesarrollada: los hoteles fueron reemplazados por geriátricos y se ha transformado en una especie de paraíso para el público de tercera edad. Viven en Nahariá, donde Marcos maneja la radio local, varios cientos de argentinos llegados después de la crisis de 2001. Liliana, Felisa y Mirtha Smith improvisaron su miklat (refugio) entre las columnas del garaje abierto de su edificio. Cada una tiene, además, su propio miklat en casa: desde la Guerra del Golfo es obligatorio que cada departamento a construirse tenga un cuarto de hormigón con ventanas blindadas. La mayoría de las casas tiene uno, y existen, además, los refugios antibombas de uso público, donde pueden dormir y comer unas treinta o cuarenta personas. Las tres reconocen, entre risas nerviosas, que este fue su "bautismo de fuego".

—Ahora somos realmente israelíes —dice Mirtha, mirándome a los ojos—. Hasta aquí éramos israelíes porque tenemos la ciudadanía, ¿no es cierto? Pero ahora... Bueno, supimos que veníamos a un país en guerra, y que esto en cualquier momento podía ser...

—La verdad es que yo no me imaginaba —interrumpe Felisa, con un extenso monólogo sobre su paraíso—; no sabés lo que era esto, al lado del mar, las fiestas de los fines de semana, las risas... Y ahora es una tristeza —dice ella, que llegó hasta aquí buscando "alguna ciudad como San Juan", desde donde vino "pero con mar, algo tranquilo, también por los chicos, el hecho de saber que ellos salen a la calle y juegan y pueden volver a la hora que quieren, y vas al cajero automático a sacar plata sin estar mirando hacia atrás a ver quién te roba, y acá ves a las mujeres con unos anillos...
—La gente deja los autos sin llave —agrega Mirtha.
—Como tendría que ser en cualquier parte del mundo —dicen las dos, claro, pensando en la Argentina.
La comparación con lo que dejaron atrás es inevitable:
—¿Vos te pensás que esto es más peligroso que Rafael Calzada? —bromeó Marcos cuando sonó la cuarta sirena.
La familia Smith está sentada frente a un televisor que transmite noticias de Nahariía. Un locutor relata lo que acaba de pasarles. Ellos lo miran y hacen comentarios, como si les estuviera pasando a otros. Cuando la pantalla muestra algunas de sus calles, señalan:
—¿Ves? ¡Mirá, mirá! Eso es acá a la vuelta.
—¡Y ese misil estalló acá en la esquina!
Un perro diminuto de carácter espantoso empieza a ladrar y las expulsa del hechizo televisivo.
—¿Hay alguien en la ruta? —pregunta Mirtha.
—Y servicio público, nada, ¿no?
—Es que acá quedamos aislados hace una semana —dice Liliana.

A eso de las nueve de la noche sonó mi celular: era Ariel Jerozolimski, el fotógrafo, para contarme que diez Katiushas más habían caído sobre Naharía. Y que había cinco heridos graves.

Última hora

El Ejército israelí ya parece haber tomado posiciones en una aldea libanesa vecina a la frontera, Maroun al-Ras, y al menos dos fuentes afirmaron que se ha instalado allí un destacamento de comandos de elite. El hecho contrasta con las declaraciones del ministro de Defensa, Amir Péretz, que aseguró esta tarde que "no tenemos intenciones de conquistar el Líbano, y no estamos en guerra con el pueblo libanés", aunque el propio Péretz aclaró que se intensificarán "las incursiones en puntos específicos del sur". A las bombas de Hezbollah en Naharía se sumaron otras en Carmiel y Kiryat Shmona, localidades vecinas en la zona de Galilea, dejando siete heridos.
El gobierno libanés, por su parte, volvió a denunciar el uso de bombas de fósforo blanco por parte de los israelíes. Ya el Ejército norteamericano las había usado en Faluya, Irak, eliminando a casi 2.4000 iraquíes y 800 civiles, y el Pentágono se excusó diciendo que las necesitaban para iluminar el campo de batalla. Hace ya algún tiempo una denuncia del diario *Haaretz* hizo público que el Tzáhal (Ejército israelí) usaba bombas de fósforo en los ejercicios de entrenamientos pero no en el frente. El fósforo blanco estalla en el aire y no deja nada en un radio de 150 metros. De caer sobre

una persona, el fósforo se pega en la piel y sólo deja restos óseos.
Voceros del Ejército de Israel aseguraron a la prensa local que "las operaciones durarán semanas, pero no meses". Condoleezza Rice, secretaria de Estado de los Estados Unidos, llega aquí este domingo, y tiene previsto luego viajar a Palestina e Italia, proponiendo la instalación en el sur del Líbano de una fuerza multinacional de paz de entre diez y veinte mil soldados que, según el *Washington Post*, no incluiría a los norteamericanos. La propuesta de Rice, sin embargo, no aclara qué sucederá con Hezbollah, razón por la cual las tropas israelíes volvieron a bombardear Beirut, como lo hicieron en 1982 combatiendo a los militantes de la OLP (Organización para la Liberación de Palestina) en la operación llamada "Paz para Galilea". La idea entonces fue empujar unos cuarenta kilómetros hacia el norte del límite libanés-israelí, hasta las ciudades de Tiro y Sidón, a las milicias de Arafat. Fue en aquel momento cuando el entonces ministro de defensa Ariel Sharon denunció la existencia de guerrilleros palestinos en los enclaves de Sabra y Shatila, donde los falangistas libaneses asesinaron una cantidad nunca determinada de palestinos, entre 700 y 3.000, bajo la mirada aprobadora de las fueras israelíes. La invasión de 1982 terminó recién en junio de 1990, cuando el Ejército israelí se retiró completamente. Pero para entonces ya había crecido el huevo de la serpiente: la milicia shiíta de Hezbollah, hoy instalada en el sur del Líbano y que cuenta con miles de seguidores y una representación

parlamentaria de 14 legisladores, junto a un par de ministros del actual gabinete del país. Hezbollah no es el Ejército libanés, y es, en la visión norteamericana e israelí, un grupo terrorista. De hecho ha cometido decenas de actos terroristas, pero también otros que los sitúan como protagonistas de una guerra de guerrillas. Hassan Nasrallah, su líder, ha repetido en varias ocasiones que "nuestra consigna era, es y seguirá siendo: Muerte a Estados Unidos", y por su parte, Richard Armitage, subsecretario de Estado, ha caracterizado a Hezbollah como "el equipo A de los terroristas, mientras Al Qaeda es en realidad el equipo B". Hezbollah ha alternado los ataques a la marina de Estados Unidos en Beirut en 1983 y a la embajada de Washington en esa ciudad, con el secuestro del vuelo 847 de TWA y una serie de ataques letales sobre blancos israelíes en el Líbano. A la vez Hezbollah ha creado el Frente para la Sinceridad en la Resistencia, un grupo parlamentario y político que ha hecho una intensa actividad social y benéfica, especialmente en los suburbios de Beirut, consiguiendo viviendas, asistencia sanitaria y escolarización para muchos residentes.

Hay aquí quienes piensan, luego de las primeras semanas de conflicto, que Israel subestimó la fuerza de Hezbollah, aunque a nivel oficial se sigue sosteniendo que el Tzáhal pudo destruir la mitad de la capacidad operativa del grupo guerrillero, la realidad pone cada vez más en duda esta afirmación. Por eso más allá de Condoleezza es necesario preguntarse respecto a las intenciones israelíes con Hezbollah: ¿intenta desarmarlo por completo? ¿Quiere Israel sacarlo del sur del Líbano y reemplazarlo por el Ejército de Beirut? Eso llevaría algo más que "unas semanas". Aunque no se han olvidado del asunto, el secuestro de los tres soldados israelíes que inició este conflicto ya parece haber pasado a un segundo plano. La mayor parte de los consultados cree que los soldados están muertos (al menos los dos últimos, secuestrados por Hezbollah en la frontera norte luego de dispararle al jeep que los transportaba). Sobre la suerte del cabo israelí secuestrado por los palestinos de Hamas el 25 de junio tampoco se sabe nada. Sin embargo, los tres secuestros están presentes en cada análisis crítico que se realiza fuera de Israel: ¿es esta una represalia desmedida?

Semitas y antisemitas

Aunque al principio se levantaron algunas tibias críticas desde la izquierda, nadie cree aquí que el gobierno israelí esté sobreactuando su respuesta. Cuando se les pregunta a los israelíes sobre lo "desmedido" de la acción, no las vinculan a los secuestros en sí, sino a "toda una vida de bombas del Hezbollah, lo de los secuestros fue la gota que rebalsó el vaso". Todos sostienen que el Líbano debe cumplir con la Resolución 1559 de la ONU con arreglo a la cual Israel se retiró del país en 2000, y que las tropas libanesas patrullen la frontera. Tampoco están dispuestos a discutir por qué Israel no cumple, desde 1967, con la Resolución 242 de las mismas Naciones Unidas, retirándose por completo de los territorios ocupados. Hoy los muertos en el Líbano suman ya unos 500 y 27 los caídos en Israel, sólo durante estas semanas de conflicto.

—¿Y a nuestros civiles no les tiran bombas? —me decía esta tarde un anciano que entrevisté en su refugio—. ¿Sólo importan los civiles de ellos? ¿Las bombas de ellos no matan?

Entre los israelíes de origen argentino, las críticas de Pérez Esquivel y de Vargas Llosa cayeron del peor modo.

—¿Cómo van a decir que Israel les da vergüenza?

Y todos, sin excepción, se unen para denostar a los españoles, desde la prensa hasta el presidente Zapatero, que en el Paraninfo de la Universidad de Alicante dijo ante tres mil jóvenes socialistas de todo el mundo: "Tenemos que condenar cualquier tipo de violencia y rechazamos los secuestros [de los soldados israelíes] aunque tenemos que exigir que nadie se defienda con una fuerza abusiva que no permite defenderse a seres humanos inocentes". Zapatero fue acusado de "antisemita" por dirigentes de la comunidad judía española, y el matutino *El País* salió en su defensa en un reciente editorial, afirmando que "nadie puede protegerse detrás de la condición de víctima propiciatoria universal para rechazar el cuestionamiento de su política. Criticar la política del gobierno de Israel no es antisemitismo. La actuación de Israel, en un entorno claramente hostil, puede entrar perfectamente dentro del principio de la legítima defensa. Pero la legítima defensa exige una respuesta proporcionada al ataque del que ha sido víctima. ¿Lo es la que está dando el gobierno israelí?".

Negaciones

Termina el shabat y se abre la bandera de largada: las calles de Tel Aviv se embotellan y los pubs y restaurantes funcionan a pleno. La gente pasó el día en la playa. El agua tiene más de veinte grados, es amable, y el sol que en Naharía volvía más pesados los ocho o diez kilos del chaleco antibalas aquí tuvo un destino más cercano a la Belleza que a la Muerte. Sólo la televisión, cada tanto, pasa alguna noticia del frente. El problema es que el frente está a poco más de cien kilómetros. Como si en Buenos Aires estuvieran bombardeando Chascomús. Después del segundo día la programación televisiva ha vuelto a la normalidad: novelas argentinas, series yanquis y programas israelíes. Hasta volvieron, anoche, los programas cómicos, cáusticos, bromeando con sus muñecos de políticos. La propaganda de guerra se limita a prolijos afiches oficiales dispuestos en portacarteles vidriados.
Israel es fuerte, dicen.
Israel: fuerza y valor.
Israel Jazaká.
Esa es la única referencia a una guerra que, si evoluciona, bien podría borrar al mundo del mapa.
Mañana al mediodía seguiremos viaje a Jerusalén. Quiero saber si Dios está enterado.

Una pantalla llena de puntos

Día 13. Desde Tel Aviv
Nos encontramos en uno de esos pubs ingleses que abusan del uso del verde y de los posavasos en la pared.

Mi fuente es un alto oficial del Ejército israelí, tiene unos cincuenta años y aspecto ligeramente deportivo. Cuando se acerca, me da la mano y sonríe; parece un próspero dentista norteamericano o un ejecutivo planeando su retiro. Tiene, sin embargo, algo *hip*: no lleva un arito en la oreja, pero bien podría tenerlo. Conozco su nombre, pero no estoy demasiado seguro de que sea real. Estamos hablando de los bombardeos, y de la oficina del Ejército donde se monitorean. Mi fuente me cuenta que generalmente alguien, en tierra, puede redirigir el misil mediante el uso de un láser. Tienen unos cuarenta segundos para desviarlo.

—Después la pantalla se llena de puntos —dice, y da un sorbo a la limonada—. La bomba es de un lado bomba y del otro video game. El cursor persigue y la pantalla se llena de puntos.

Hay un silencio y la fuente me insiste en que esta conversación nunca existió.

—¿Qué conversación? —le pregunto.

La fuente sonríe. Le pregunto por el muro.

—¿Qué muro? —me pregunta él. Ahora el que sonríe soy yo.

—La cerca.

—Bueno, la cerca.

—Gadr abitajon —dice la fuente. Le pido que me lo deletree y, como buen alumno, lo anoto en mi cuaderno: Gadr abitajon, cerca de seguridad.

Le cuento que al día siguiente combiné con un vocero de su fuerza para mostrarme la "cerca" en los alrededores de Kalkiria, una ciudad árabe de los territorios ocupados.

—La efectividad de la cerca es increíble —me dice, orgulloso y provocador—. Los atentados en Jerusalén bajaron un 90%. Igual, no te lo imagines como un "muro", el 95% es reja.
Le pregunto por los soldados secuestrados: por Shalib, el chico de Gaza, y los dos que se llevaron en el norte.
—Nunca volvió alguien con vida —me dice la fuente—. Yo mismo he visto volver soldados muertos, pero descuartizados. Si a un soldado se lo llevan, está muerto. Está muerto desde ese mismo momento. Yo le advertí a mi gente que si ven que están secuestrando a un compañero, lo mejor es dispararle.
—¿Al compañero?
—Si ya no puede hacerse nada, sí. El tipo ya está muerto. Si dejás que lo secuestren, te estás olvidando del Pueblo. El Pueblo es el Ejército también.

Día 13
En el lobby del hotel. La escena transcurre a tres o cuatro metros de mi mesa: tres chicos de unos 18 años y una chica tal vez un poco menor. Uno de los chicos lleva el uniforme del Tzáhal; están en semicírculo y toda la situación da los indicios de una despedida. Los chicos rodean a una anciana de la que sólo puedo ver la espalda, su traje sastre de media estación y un bolso chocolate. No puedo escuchar ni una sola palabra de las que dicen y, aunque pudiera, no entendería absolutamente nada. Uno de los chicos hace una broma, y el grupo estalla con sonrisas contenidas. El chico de uniforme le da a la anciana un abrazo torpe y masculino:

no sabe dónde poner los brazos y el encuentro es breve y confuso. La anciana, de estatura pequeña al lado del militar, le besa el brazo. El chico le acaricia lentamente la espalda, como si con eso la calmara. Los otros miran, divertidos y molestos: saben que esa será algún día, también, su escena. La vieja pellizca un cachete del chico y le dice alguna cosa. El bar del lobby está repleto pero nadie los mira. El chico baja la vista y la anciana insiste en pellizcarle dulcemente la cara. Después toman caminos separados: el chico de uniforme sale hacia la calle y los tres adolescentes y la anciana caminan hacia los ascensores.

Día 14. Desde Jerusalén

Viajo a Jerusalén, donde —como escribió alguna vez Manuel Vicent— "vive envasada la locura de la inmortalidad". Aunque el país es chico —tiene a lo largo unos 500 kilómetros— el paisaje de la ruta 1 es del todo distinto al que nos llevó, días atrás, a los bombardeos del norte, en Haifa y Naharía. El camino a Jerusalén es arbolado y está lleno de pinos chilenos que sobrevivieron al desierto.

—Allá está el Museo de Tanques —señala Michael—. ¿Y ves esa cruz enfrente?

—Sí.

—Es un convento de monjes benedictinos que hablan sólo de noche.

Me pregunto si Dios estará más cerca por la noche o por la mañana, y realmente no lo sé. Al rato el camino parece una cama desecha, llena de curvas y planicies. Detrás de esas colinas, en otras siete colinas, está Jerusalén. Jerusalén es una ciudad a la que todos llegan, como Nueva York, aunque en este caso lo que buscan no es el éxito inmediato en esta vida, sino asegurarse una tranquila existencia en la próxima, a menos que hayan sido víctimas de una estafa. Enloquecidos por la inmortalidad conviven allí los judíos más ortodoxos, los cristianos más fanáticos y los musulmanes más conservadores. Hezbollah no bombardeó Jerusalén, y nadie cree que vaya a hacerlo. El problema aquí es muy distinto: los hombres, y mujeres, bomba. La semana pasada fueron detenidos dos terroristas suicidas, y la anterior, otro más. Todos los bares —por pequeños que sean— tienen personal de seguridad que revisa los bolsos en la entrada, en este país de seis millones de habitantes donde más de 100 mil personas se dedican a la seguridad privada. El problema de la seguridad es frívolo comparado al interrogante que la existencia de los hombres bomba plantea: ¿cómo pelear contra un enemigo que está dispuesto a morirse para ganar? ¿Hasta qué límite debe llegarse para elegir la inmolación y enfrentar a la Muerte con una sonrisa?

La paz secular de Jerusalén se altera casi todas las semanas: el Shin Bet (equivalente israelí del FBI) o la policía dan el alerta de un suicida y una compleja maquinaria se pone en marcha. En general saben el nombre falso y conocen el aspecto del intruso: el Shin Bet lleva años armando una red de colaboradores árabes que funcionan como agentes encubiertos.

—Cuando veas dos tipos de negro, cada uno en su moto, están buscando un suicida —me dice Ariel Jerozolimski, el fotógrafo, editor gráfico del *Jerusalem*

Post y vecino de la ciudad. Ariel tomó decenas de fotos de restos de suicidas, pero no pudo borrar de su memoria la imagen de la cabeza, limpia como si la hubieran cercenado de un tajo, de una chica que decidió explotar a pocas cuadras de su casa, cerca de un retén militar.

Si las sirenas de Haifa durante el almuerzo cortaban la respiración, convivir con la idea del suicida resulta mucho más perverso y paranoico: cualquiera puede serlo; el joven que cruza la calle con una mochila demasiado pesada, la chica que lleva un carrito de bebé vacío, el chico de piel cetrina que se acerca a toda velocidad en su motito. La sospecha, así, se ha transformado en la actividad más popular.

Día 15. Cruce de Somet Peerot, entre Kalkiria y Kfar Saba.

Hernán Geberovich es argentino, tiene veintiséis años y lleva el uniforme del Ejército israelí: es el vocero para América Latina y Asia.

—¿Iban por orden alfabético? —le pregunto.

—No, lo juntaron así. De todos modos los únicos asiáticos son los chinos y los japoneses. Ah, y un hindú, pero que vive acá. Y después me ocupo de España, Portugal y América Latina.

Hernán trabajaba en informática y estudiaba Ciencias Económicas en Buenos Aires, y lleva acá unos pocos años, aunque los suficientes para haber logrado en la Universidad de Jerusalén un máster de Literatura inglesa y otro de española y latinoamericana. Ahora hace sus tres años de servicio militar. A veces se entusiasma como un adolescente y otras, ensaya una cínica mirada de vocero militar pero, bueno, debe ser la edad. Quiere darnos todos los detalles de la "cerca".

—La cerca va a tener 760 kilómetros cuando esté terminada, ahora hay construidos poco más de 200. Cada kilómetro cuesta entre dos y tres millones de dólares.

La cerca no es sólo una cerca, como cualquiera podría imaginarse. No se trata, solamente, de un muro de ocho metros que ningún atleta olímpico podría saltar. Para imaginarse la cerca hay que pensar en las capas de una cebolla: cada "cerca" tiene entre 30 y 50 metros de ancho, con siete niveles progresivos de seguridad hasta llegar a la pared propiamente dicha. Hay sensores de calor y de tacto, cinco o seis alambrados, una franja de dos o tres metros de arena en la que pueden descubrirse huellas, una ruta interna de patrullaje, nuevamente arena, un alambrado con sensores, otra ruta interna, un foso de unos tres metros y finalmente la "cerca".

—No es una pared ideológica —me dice, convencido, Hernán—, es práctica.

Los datos son asombrosos: en la ruta 65 el número de atentados post "cerca" bajó de 68 a 3.

—Pero donde más efectividad tuvo fue en Gaza —me dice Hernán—, allá sólo hubo, después, tres atentados.

—Lo que Israel no dice —me comentará al día siguiente el vicecanciller palestino, en Ramallah— es que el muro duplicó la pobreza y subió como nunca antes la desocupación. No hay que hacer muros, sino puentes —me dirá.

Hernán sigue con las cifras: 40 puertas con tarjeta electrónica, 11 cruces para coches, 5 cruces de mercancía.
La "cerca" no sólo debe imaginarse a lo ancho. A lo largo hay que pensar en por lo menos dos cosas, la frontera no es regular, y la "cerca" serpentea, entra y sale, los territorios se mezclan pero ahí están las curvas de la cerca para separarlos. Las curvas del muro, quiero decir.

Día 16. Ramallah, Palestina
Los datos —como siempre sucede en una guerra, y esta es la segunda guerra del siglo XXI— son contradictorios: se puede entrar a Ramallah, no se puede, podría entrar yo solo como periodista extranjero, los dos israelíes que me acompañan no pueden entrar, no quieren, tienen prevenciones para hacerlo, el seguro de la camioneta no cubre los territorios ocupados. Ariel tiene pasaporte uruguayo y decide acompañarme; en el camino me cuenta que en otra ocasión, dentro de los territorios, llegó a sacarle a su ropa las etiquetas israelíes. Entramos a Ramallah rodeando el muro, que alarga unos diez o veinte kilómetros el trayecto normal. Michael y la camioneta quedan en el retén del Ejército israelí, custodiados por los soldados. Ramallah está atestado de policía palestina: en poco menos de dos horas llegará Condoleezza Rice en una típica camioneta polarizada modelo CIA, con otra camioneta gemela de custodia.
—Queremos resolver el problema de Gaza —me dice Ahmed Sobeh, el vicecanciller de Palestina—. Israel salió de Gaza pero cerró las puertas y se quedó con la

llave. No queremos que Gaza se convierta en una prisión destruida.

—¿Cómo caracterizan ustedes a Hezbollah?

—Sabemos y apoyamos todo lo que hace el Líbano para la reconciliación nacional. En las últimas semanas hubo una mesa de integración nacional en la que intervino Hezbollah. Nosotros tenemos cuatrocientos mil palestinos refugiados en ese país. De ninguna manera intervenimos para decir quién es el bueno y quién es el malo. Todos ellos han sido solidarios con Palestina. Lo que los libaneses quieren para el Líbano es bueno para nosotros.

—¿Cómo ven la intervención de Condoleezza, que llegará aquí en un par de horas?

—No queremos ningún Nuevo Medio Oriente que proponga Estados Unidos. No puede haber un Nuevo Oriente Medio con la ocupación de nuestros territorios, porque sería el Viejo Oriente Medio. No podemos crear un Nuevo Oriente Medio sin resolver el Viejo.

—Hay quienes creen que esto nunca va a terminar...

—Sí tiene que terminar. Le doy un ejemplo: cuando Arafat y Rabin se reconocieron mutuamente en 1993, habían concluido que no hay solución militar a ningún conflicto en esta parte del mundo. Esos dos años fueron los mejores en la vida de esta región. Nadie tenía problemas para moverse, de Tel Aviv a Jericho. La gente venía a invertir dinero aquí. No hubo un solo acto suicida contra Israel. Cuando, lamentablemente, israelíes asesinaron a Rabin, todo terminó. Debe haber algunos "Rabines" por ahí, debe haber quienes piensen que la mejor seguridad para Israel es reconocer los derechos palestinos.

—¿Cómo se ve el muro desde este lado?
—No hay muros buenos y muros malos. Israel, al construir el muro, se coloca en un cantón grande y nos coloca a nosotros en muchos cantones pequeños. El que quiere la paz extiende puentes, y no crea muros. Al construir un muro uno cierra la puerta y no quiere ver a su vecino, no quiere intercambiar nada con él. Y si no quiere nada, tampoco quiere hacer la paz con él. Hasta el Supremo Tribunal de La Haya y la Asamblea General de la ONU votaron que este muro es contrario a la paz.
—¿Y qué piensa sobre la reducción del número de atentados post muro?
—Mire, nada en este mundo puede girar solamente en torno a la seguridad de los israelíes. El mundo también está creado para otros. ¿Qué me importa esta cifra? Me importa que se elevó la pobreza de Palestina del 20% al 65% después de la construcción del muro, las familias que quedaron divididas son cientos de miles, la gente que perdió su tierra, su casa, su instrumento de trabajo empeoró la tragedia de Palestina. ¿Por qué todo tiene que ser enfocado desde un solo lado?

Día 17
Cifras. Hay 11 palestinos muertos en Gaza. Hay 22 bajas del Ejército israelí en el Líbano. La IDF (Ejército israelí) informó 41 muertos y 338 heridos. El Líbano registra 400 muertos y 1.570 heridos.

Día 17
En casa. Mi hija menor, Lola, de un año y nueve meses, después de haber visto mi foto con casco y chaleco an-

tibalas en la tapa del diario *Perfil*, entró al escritorio de mi mujer con una "cajita feliz" vacía puesta en la cabeza y gritando: "¡Lola, casco, papá!".

Día 18

Error. Israel atacó un puesto de la Fuerza Militar de las Naciones Unidas en Jiam, en el sur del Líbano. Las tropas de la ONU estuvieron seis horas bajo fuego y luego fueron eliminadas con un misil teledirigido. Tres de las cuatro víctimas eran padres con hijos pequeños. Las víctimas habían nacido en China, Austria, Finlandia y Canadá. Kofi Annan, titular de la Asamblea General de la ONU, aseguró que el organismo se contactó diez veces con Israel antes del ataque, solicitándole que no bombardearan la zona. Annan pidió que se investigue el ataque "aparentemente deliberado". Olmert, primer ministro israelí, pidió disculpas y aseguró que se había tratado de "un error".

Día 19. Aeropuerto Ben Gurión, Tel Aviv

El vuelo hacia Lárnaca, Chipre, sale a las 7.05. Michael insistió en que pasaría a buscarme por el hotel a las cuatro de la madrugada. Chipre es una de las dos puertas posibles para entrar a Beirut: el general argentino Barnice me dijo anoche por teléfono que las posibilidades de subirme a un barco canadiense que cruzará a Beirut en busca de refugiados son bastante remotas: no se sabe si podré ni tampoco si el barco sale, o cuándo lo hará. El mar del Líbano está custodiado por la Marina israelí, y los canadienses dependen, también, de su autorización para cruzar. La otra posibilidad para llegar a

Beirut, de donde todos escapan, es por tierra, desde Damasco, pero se trata de una hora en auto bajo posibles bombardeos.

El aeropuerto está atestado de gente, y parecen las cuatro de la tarde. En el sector de Cyprus Airways hay un inmenso rectángulo de unos veinte metros por treinta, con otros rectángulos adentro, como si se tratara de muñecas rusas. Dentro del gran rectángulo hay una inmensa y cansada fila de pasajeros que arrastran las valijas y los pies hacia una máquina de rayos. Antes de que la máquina devore la valija, cada pasajero mantiene un diálogo de unos diez o quince minutos con un empleado de seguridad. Da la sensación de que preguntan algo más que aquello de "¿quién le armó la valija?", "¿tiene familiares en el terrorismo?". Una chica de menos de veinte años y uniforme militar aparece de pronto y me dice que van a interrogarme, "por razones de seguridad". Luego se va y desaparece por un largo rato. De pronto vuelve a pasar y me ignora. No sé si está distraída o se trata de alguna "táctica". Pienso en llamarla pero no lo hago. Sigo en la fila. Luego aparece un joven alto como un basquetbolista, también uniformado, y me anuncia lo mismo: seré interrogado. OK. También desaparece. Al rato vuelve la primera chica. Me dice que no hace falta que abra las valijas, que aún no pasaron por la máquina. Luego empieza a preguntar:

—¿Por qué vino?

—¿A qué se dedica?

—¿Estuvo antes en Israel?

—¿Cómo se llama su diario?

—¿Por qué decidieron enviarlo a usted y no a otro?
—¿Cuánta gente trabaja ahí?
—¿Tiene otro trabajo?
—¿Por qué lugares estuvo en Israel?
—¿Qué fue a hacer a esa ciudad?
—¿Conoce a alguien ahí?
—¿Quién se lo presentó?
A esa altura me había cansado de responder.
—I'm tired —le dije, en mi mejor inglés "Yo Tarzán, tú Jane—. Estoy cansado.
La chica se miró con los ojos en blanco. Nunca le había pasado.
—What? —preguntó, con cierta desesperación.
—I'm tired —insistí—. Too many questions. —"Demasiadas preguntas".
De haber sido un video game, la chica hubiera comenzado a registrar "tilt-tilt-tilt" en su pantalla. Se dio la vuelta y fue a buscar a su jefe. El jefe era el basquetbolista, que llegó canchero y con una sonrisa.
—¿Algún problema? —preguntó. Le repetí lo mismo.
—Vas a perder el vuelo —me dijo, entre cómplice y conciliador.
—I lost the flight, OK —aceptamos Tarzán y yo.
Luego doblé la apuesta:
—Call the police, call the Army, no problem. I wait here. —"Llamá a la policía, llamá al Ejército, no hay problema. Yo espero acá".
—¿Pero qué te pasa? ¿Por qué no querés contestar?
Le dije lo primero que me salió:
—I'm a person. I have rights.
El chico se fue rascándose la cabeza.

♦

LA MÁS ANTIGUA CAPITAL DEL MUNDO

Desde Siria

Al entrar en la medianoche del viernes a Damasco, nadie diría que esta es la más antigua capital del mundo. Para el Nuevo Testamento, San Pablo tuvo una visión de Jesús en el camino a Damasco, y por eso Dimashq (así se dice en árabe) es una ciudad sagrada para los cristianos y los miembros del Islam. Islam significa "sumisión a Dios" pero en la medianoche del viernes todos parecen más bien desobedientes. Lo poco que se ve de la ciudad, mal iluminada en las autopistas, no tiene un aire secular sino de algo terminado a mano. Los accesos están atestados de automóviles y —como siempre pasa en las ciudades árabes— en cada coche van seis, siete o más pasajeros: mujeres con su shador en la cabeza, jóvenes de bigotito, y niños, niños y más niños con los ojos redondos y muy abiertos que miran devorándose el alrededor. Hay veinticinco grados, lo que significa que por la mañana podrá freírse un huevo con sólo tirarlo en el asfalto.

Dimashq estuvo en manos de Estambul en el siglo VII, y fue la sede de un imperio musulmán; en el siglo XIII, cuando Jerusalén cayó en poder de los cruzados, fue la capital de la resistencia islámica y luego cayó bajo el dominio de los turcos del Imperio otomano. Siglo tras siglo mantuvo un destino invariable: era el punto obligado de reaprovisionamiento para las caravanas de veinte mil personas y diez mil camellos que iban camino a La Meca. Después de pasar por Damasco les faltaba todavía un mes en el desierto. Y antes de todo, antes casi de que comenzara el tiempo, hace diez mil años, en las costas de Siria se desarrolló la civilización fenicia, los inventores del alfabeto y los primeros en circunnavegar el África.

Una, dos, cien torres de luz verde encandilan en la entrada a Damasco. Es una luz verde flúo, parecida a la que se usa en la ruta para atraer a los mosquitos a una muerte segura. Las torres verdes señalan la localización de las mezquitas. Hay setecientas mezquitas en Damasco y todas exhiben su fe fosforescente.

Hasta hace unos meses las autoridades sirias se devanaban los sesos para atraer turistas al país: inventaron el Festival de la Ruta de la Seda, y declararon a Alepo (la segunda ciudad siria) como "Capital Mundial de la Cultura Islámica". Ahora, la guerra solucionó de golpe las reservas hoteleras. Decenas de miles de personas han estado entrando a Siria por la frontera del Líbano: Damasco y Beirut están a poco más de una hora de auto en condiciones normales. Ahora, el trayecto puede llevar tres o cuatro: han bombardeado los puentes y los taxistas no lo cubren por menos de dos o tres mil dólares, y según el caso. Antes costaba cincuenta.

El fastuoso hotel Four Seasons, por ejemplo, está lleno desde el 13 de julio, y no toma reservas hasta fin de año.

Pero los refugiados no son un tema nuevo para Siria, donde todavía quedan 400 mil palestinos, a los que se han agregado ahora 250 mil libaneses. Los sirios han participado activamente del conflicto de Medio Oriente: pelearon en las guerras árabe-israelíes de 1967 y 1973, en las que Israel ocupó parte de su territorio en la meseta del Golán, que aún no ha sido devuelto. En 1981, durante la llamada "Crisis de los Misiles" en el Líbano, Siria enfrentó a las tropas de la Falange Cristiana Libanesa y luego de vencerla instaló en el Líbano misiles soviéticos tierra-aire SAM-6, lo que provocó la reacción israelí. Un año después Israel invadió el Líbano y destruyó los misiles sirios. Entre 1991 y 2000, Siria negoció con Israel la devolución de sus territorios del Golán, sin conseguir ningún resultado. En abril de 2002 una estación siria de radares en el Líbano fue atacada desde aviones israelíes, respondiendo a un ataque de Hezbollah. En mayo el subsecretario de Estado norteamericano, John Bolton, incluyó a Siria en el denominado "Eje del Mal", acusándolo de intentar obtener armas de destrucción masiva, al igual que Irak. Desde entonces las relaciones de Siria con Estados Unidos han caído en franco deterioro, mientras mejoraron las que mantiene con algunos países de la Unión Europea, basadas centralmente en la exportación de gas y petróleo. Acercamientos más recientes entre Tony Blair y el presidente sirio, Bashar al-Assad, fracasaron cuando en la mesa fue necesario definir qué entendían ambos por terrorismo.

Como se verá más adelante, los sirios caracterizan a Hezbollah (en el sur del Líbano) y Hamas (en Palestina y los territorios ocupados) como movimientos de resistencia contra la ocupación israelí. El sheikh Hassan Nasrallah es el líder de Hezbollah desde

1992, cuando reemplazó en esa labor al sheikh Abbas Musawi, asesinado por las Fuerzas Armadas israelíes. Nasrallah es, en Damasco, una especie de rockstar: su fotografía, sonriente, se vende en casi todos los puestos ambulantes como póster y un inmenso retrato suyo decora un cruce de autopistas en el centro de la capital. El merchandising Nasrallah también llegó al Souk Al Hamidiyah (el Zoco o mercado árabe más grande del mundo, ubicado en el centro de Damasco, puerta a la Omayad Mousque (Mezquita de Omayad) y allí pueden verse pasacalles convocando en árabe, francés e inglés al apoyo de la "resistencia" en Líbano y Palestina.

Si ves al futuro, dile que no venga

Con esas palabras Juan José Castelli, el orador de la Revolución de Mayo, anunció su pesimismo respecto de la naciente organización nacional. Hoy las mismas palabras bien pueden aplicarse a la segunda guerra del siglo XXI. Sobre el futuro, el ministro de Información de Siria, Mohsen Bilal, la persona más cercana al presidente Al Assad, declaró que "si Israel invade el Líbano por tierra, Siria entrará en el conflicto".

—¿Cuál es la solución?

—Ellos deben reconocer que Oriente Medio es nuestro, que estamos aquí hace diez mil años. Pueblos de doscientos o quinientos años no pueden darnos lecciones. No pueden decir que quieren "rehacer" Oriente Medio. ¿Con qué derecho la señora Condoleezza

Rice puede sugerirlo? ¿Quién es ella para decir eso? Que vean a sus Estados Unidos, hay *homeless*, marginación, drogas, tienen bastante trabajo por hacer.

—¿Hezbollah es más fuerte que el gobierno del Líbano?

—La resistencia tiene peso moral, material y humano, y tiene su historia. La resistencia en Líbano y Palestina tiene un lugar importante dentro de las naciones árabes.

—¿Siria asiste financieramente a Hezbollah?

—Nosotros dedicamos más del 30% de nuestro presupuesto a la defensa, a gatas nos alcanza para nosotros mismos. Sin duda el pueblo y el gobierno sirios tienen simpatía y apoyo moral por la resistencia del Líbano y Palestina. Cuando fueron las elecciones en Palestina, con el apoyo de Estados Unidos, observadores de la Unión Europea y hasta la presencia de George Bush padre, ganó Hamas. Los europeos y norteamericanos no lo podían creer, y estaban indignados. Nunca vi un caso así: querían controlar las elecciones y elegir al ganador a la vez.

—¿Qué pasaría si hoy, en este contexto, las fuerzas israelíes atacaran a Siria o intentaran entrar por tierra al Líbano?

—En el caso de que Israel continúe su aventura y decida atacar Siria, le daremos una respuesta adecuada sin fijarnos en los medios. También si Israel ataca una zona cercana a Siria, por ejemplo, aquí a veinte kilómetros, el Valle de Bekaa, si llegara hasta aquí por tierra, Siria tampoco se quedaría de brazos cruzados. Si Israel invade el Líbano por tierra, Siria entrará en el conflicto. Esto no significa que Siria esté dando la bienvenida al conflicto; trabajamos con España para lograr un alto el fuego. Pero si las tropas israelíes nos provocan, Damasco no dudará en actuar.

—¿Cómo evalúa la gestión de Rice?

—Fue un fracaso. Estados Unidos nunca pidió el alto el fuego. ¿Cómo se puede destruir nuevamente un país como el Líbano y que nadie pida el alto el fuego? ¿Cuál fue el sentido de la conferencia de Roma?

—¿Hezbollah fue una consecuencia de los doce años de ocupación israelí en el Líbano?

—Cuando hay ocupación, hay resistencia. Esa es una constante desde George Washington. La ocupación israelí del sur del Líbano creó a Hezbollah, y su mala conducta en los territorios ocupados dio a luz a Hamas. ¿Qué ha hecho la ocupación norteamericana en Irak? Ha destruido el país y creado una resistencia de colores múltiples, tremenda, donde no sólo está Al Qaeda.

—¿Usted conoce a Nasrallah?

—No. Querría conocerlo. Para mí es alguien admirable. Su hijo, Hadi, murió en el frente como cualquier otro soldado. Él se llama Hassan Nasrallah o Abu Hadi o Abu Shahid (padre de Hadi o padre del mártir). Hoy en día Nasrallah representa el valor en el mundo islámico, y es un símbolo de la resistencia contra la ocupación. Y esa resistencia es legítima, es legal, incluso para las Naciones Unidas. Cuando uno pierde su territorio tiene derecho a luchar para recuperarlo.

Dios no contesta el teléfono

Dios no contesta el teléfono. Esta guerra no tiene solución. A los cuatro meses de gestión, el gobierno de Olmert se quedó sin agenda política, y su único futuro parece ser el de una ofensiva militar en terreno cenagoso: paga, desde que comenzó, el error de la inteligencia militar israelí de haber subestimado la capacidad de fuego de Hezbollah. Ariel Sharon, el patriarca, muere su muerte vegetativa con su hijo corrupto tomándole la mano; no irá preso mientras su padre agonice. Al norte y al sur, Guernica: todos me dicen que los misiles no se ven caer, a lo sumo se escucha el silbido, metálico y breve, veinte segundos antes de explotar. Para Martin Indyk, ex embajador de Estados Unidos en Israel, el Sharon que agoniza no es uno sino tres: "El primero es el general —le dijo Indyk a *El País* de Madrid— que sólo cree en la fuerza, que no acepta la teoría de los dos Estados, palestino e israelí, el de la acción militar contra el terrorismo. El segundo es el político, el más brillante de Israel, el que mejor planea coaliciones porque carece de ideología, y el tercero es el aspirante a estadista, que quiere hacer la paz aunque no crea en ella. A ese Sharon sólo le interesa la supervivencia del Estado hebreo. Estos tres personajes no son sucesivos en el tiempo, sino que conviven en él y emergen cuando los necesita". Ahora los tres se mueren, y cada día se afirma más la idea de que la retirada unilateral en Gaza fue, ante todo, una operación de propaganda: allí se repatrió solamente a 8.000 colonos. Para devolver Cisjordania habrá que evacuar a 800 mil.

Todo es historia

Con un curioso sentido de la oportunidad el Menachem Begin Heritage Center planteó en estas semanas una discusión sobre el tema de las diferencias entre los luchadores por la libertad y los terroristas. Y se hizo en el marco de los sesenta años del atentado terrorista contra el Hotel King David en Jerusalén, del que se cumplieron sesenta años. La diferencia entre este terrorismo y el de Hezbollah o Hamas, es que se trató de terrorismo "del movimiento rebelde hebreo": el 22 de julio de 1946 la organización clandestina Itzel puso una bomba en el ala sur del hotel. Begin (primer ministro israelí entre 1977 y 1983) era uno de los terroristas e insistió toda su vida en relatar que, antes del estallido, avisaron a los británicos para que evacuaran. Esto no sucedió y murieron 91 personas: 28 ingleses, 41 árabes, 17 judíos y otros de distintas nacionalidades.

El historiador israelí Tom Segev escribió en el diario *Haaretz* sobre el Congreso: "Netanyahu [primer ministro israelí, 1996-2002] pronunció unas palabras. Dijo que la diferencia entre una operación terrorista y una acción militar legítima se manifiesta en que la intención terrorista es herir a civiles, mientras que los combatientes legítimos intentamos evitarlo. De acuerdo con esa teoría, el secuestro de un soldado israelí por una organización palestina es una operación militar y el bombardeo de Dresden, Hanoi, Haifa o Beirut es un crimen de guerra. Por supuesto, eso no es lo que Netanyahu quería decir. La única conclusión que sacó del atentado contra el hotel fue esta: que los árabes son malos y nosotros buenos". "La verdad histórica es diferente —escribe Segev—. En los sesenta años transcurridos desde el atentado contra el Hotel King David, Israel ha herido a unos dos millones de civiles, incluidos los 750.000 que perdieron sus casas en 1948, otro cuarto de millón de palestinos obligados a abandonar Cisjordania en la Guerra de los Seis Días y cientos de miles de civiles egipcios expulsados de las ciudades situadas a lo largo del Canal de Suez durante la Guerra de Desgaste. Y ahora, decenas de miles de aldeanos libaneses se ven obligados a abandonar sus casas".

Begin y otro futuro premier israelí, Isaac Shamir (ocupó el cargo dos veces, entre 1983 y 1984, y de nuevo entre 1986 y 1992), tuvieron como mentor ideológico a Vladimir Jabotinsky, que reinterpretó *El Estado judío*, el libro fundacional de Theodor Herzl, pero desde el fascismo. Mussolini consideró a Jabotinsky uno de los suyos, y sus milicias juveniles del grupo Betar vestían camisas pardas y estaban organizadas al estilo de los *squadristi* fascistas. Jabotinsky admiraba a Mussolini y aspiraba a copiarlo en Palestina: "¿Qué queremos? Queremos un imperio judío, al igual que Italia", decía. Daniel Muchnik escribió en *Mundo judío* que Jabotinsky "buscaba el ideal de una sociedad monolítica, de hombres todos iguales y obedientes hasta la muerte, capaces de actuar al unísono".

El sueño de Herzl, por cierto, era otro y aparece descripto con precisión por Andy Faur en el *Boletín Informativo* del Departamento de Hagshamá de la Or-

ganización Sionista Mundial: "Cuando Herzl pensó al Judenstaat [Estado Judío] —escribe Faur— lo pensó como una solución moderna a la cuestión judía en la que veía claramente a los rabinos y a los militares alejados y separados de las esferas políticas y del gobierno". "Y aquí está el quid de la cuestión: ¿podemos seguir siendo en un futuro, cercano o lejano, un Estado judío y democrático como lo soñaron nuestros ancestros?"
Un repaso sobre la organización política y social israelí permite comenzar a responder esa pregunta.

The dream is over

> "¿Debemos crear un Estado teocrático? No. La fe nos une, la ciencia nos hace un pueblo libre. En consecuencia, no dejaremos que nos gobierne la voluntad teocrática de nuestros dirigentes religiosos. Sabremos cómo encerrarlos en sus sinagogas, como soldados en sus cuarteles. No tomarán parte en los asuntos públicos para evitar problemas internos y externos."
>
> THEODORE HERZL

En Israel viven 6.800.000 personas, de las cuales:

- Cinco millones trescientos mil son judíos (no nacidos en Israel 62%, nacidos en Europa/América/Oceanía 26%, nacidos en África 7%, nacidos en Asia 5%).

- Un millón doscientos mil son árabes, drusos, beduinos, etcétera.
- Trescientos mil son personas no reconocidas como judías, en su mayoría inmigrantes rusos.
- Doscientos cincuenta mil son trabajadores extranjeros no judíos que viven como residentes.

Para decirlo de otro modo: ya en 2004 un tercio de la población israelí no es judía. El Estado, sin embargo, sostiene algunas características típicas de un Estado confesional. Aviad Hacohen, del Centro de Investigación sobre Religión, Sociedad y Estado de la Universidad Hebrea de Jerusalén, detalla algunas de esas intromisiones:

- Las escuelas laicas incluyen la enseñanza obligatoria de textos y temas religiosos.
- Es habitual ver en las carreteras anuncios "oficiales" (?) diciendo, por ejemplo, "Prepárate para la llegada del Mesías".
- No existe el casamiento civil. Los judíos no pueden casarse con los que no lo son y no pueden contraer matrimonio civil, sino sólo religioso. También por medio del culto se tramitará, eventualmente, el divorcio.
- Hay libertad de culto y también libertad para no pertenecer a ningún culto, hecho que ha sido ratificado por el Tribunal Supremo en diversas oportunidades, pero sin embargo muchos israelíes no son libres para actuar de acuerdo con sus creencias poco o nada ortodoxas: la mayor parte observa la norma de la cir-

cuncisión (casi el 95%), los preceptos sobre alimentos, etc. No es extraño ver en los juegos deportivos a rabinos bendiciendo a los jugadores mientras rezan con ellos y sus seguidores.

- Hay prohibición legal de importar alimentos que no sean kosher, de abrir comercios durante el shabat o de usar el transporte público en esos días. Las llamadas "leyes dietéticas de Kashrut" se observan en hoteles internacionales, restaurantes y hasta casas de comida rápida.
- La radio pública comienza cada mañana su emisión con una plegaria y la televisión finaliza su programación con la lectura de textos religiosos.
- La religión influye también en el escaso número de operaciones quirúrgicas y trasplantes, y del mismo modo los arqueólogos o empresas constructoras tienen dificultades cuando, azarosamente, dan con huesos humanos en una obra. Según la ley judía, los huesos deben ser enterrados de inmediato y la excavación, prohibirse.
- En el ordenamiento judicial existen juzgados de primera y de segunda instancia, cámaras y Tribunal Supremo, y a la vez Tribunales Religiosos compuestos por entre uno y tres jueces, que tienen jurisdicción en asuntos de índole personal y sus derivaciones (lo que aquí sería derechos de familia): matrimonio, divorcio, juicios por alimentos, tutoría, adopción, herencia y juicios sucesorios, testamentos y temas relacionados con las conversiones. El tribunal rabínico tiene, entre otros, el poder de dar órdenes de embargo y de impedimentos. Las

mujeres, que no pueden ser rabinos, tampoco pueden ser jueces de los tribunales rabínicos. También existe el Badatz (iniciales de bet din tzedek). el Tribunal de Justicia de la Congregación Ortodoxa de Jerusalén. El Badatz debate sobre temas monetarios y temas relativos al matrimonio.

La fuerza de la derecha, ultraderecha y partidos ultraortodoxos es cada vez mayor, y la sociedad civil parece ceder, impávida: sobre un padrón de casi cuatro millones de electores, los comicios de 2006 arrojaron las cifras de abstención electoral más altas de la historia del país: sólo un 27% de los israelíes votó en Tel Aviv, y en el resto del país lo hizo un 42%. El total de los escaños de la Knesset (similar al Parlamento; en Israel la elección del primer ministro es indirecta) es de 120; entre la derecha religiosa y la extrema derecha lograron 79.

Los ayatollas de Israel

Con ese título Ehud Sprinzak, profesor de la Facultad de Ciencias Sociales de la Universidad Hebrea de Jerusalén, escribió el primer libro sobre la ultraderecha israelí, partiendo de una ingenua pregunta inicial: si fascistas y judíos son conceptos antitéticos o si, en algunos casos, pueden unirse. Entrevistado por el semanario uruguayo *Brecha*, el doctor en historia israelí Meir Margalit, coordinador en el Movimiento Israelí por los Derechos Humanos, afirmó sobre el punto: "Lamentablemente, y lo digo porque quiero a este país, Israel se ha convertido en un país racista. No se puede ser un país expansionista y anexionista y seguir siendo democrático, liberal y humanista. La derecha israelí deformó el espíritu de este país y en lugar de seguir el camino de los profetas nos convertimos en un país que segrega palestinos, los persigue, humilla, demuele casas y expropia territorios.

—¿Y cómo juega el actual gobierno israelí atribuyendo el estigma de antisemita a toda crítica a su política expansionista?

—El gobierno juega un papel manipulador para no asumir su responsabilidad por sus actos. Es más fácil acusar a los críticos de antisemitas que reconocer que algo muy serio está ocurriendo en los territorios conquistados. Estos son los partidos de Dios de Israel:

- Iahadut Hatorá: antisionista, en contra de los acuerdos de Oslo (de devolución de los territorios). Tiene cinco congresistas en la Knesset.
- Mafdal, o Partido Religioso Nacional: a favor de la Gran Eretz Israel, un poco más pragmático y dispuesto a "salvar lo que se pueda" de los territorios. Ocho bancas.
- Shas: partido ultraortodoxo sefardí. Diecisiete bancas en el congreso.
- Unidad Judía por la Torah (Biblia): formado por grupos ashkenazi ultraortodoxos, representa a las instituciones educativas ultraortodoxas.
- Unión Nacional: propone la "transferencia voluntaria" de los palestinos a Jordania, previo a la ocupación total de Cisjordania.

- Israel Beitenu: "Israel es nuestra casa". Tiene seguidores entre la línea dura de los inmigrantes rusos. Propone canjear partes de los territorios ocupados. Fundado por Avigdor Lieberman: ocho bancas, lidera un desprendimiento del Likud. Se opone a los acuerdos de Oslo.

Si la devolución de los territorios debe interpretarse como operación fundamental para cimentar la paz en la región, esta se encuentra cada vez más lejos.
Ya con anterioridad a la guerra no declarada que sacudió el último mes con bombardeos entre Israel y Hezbollah, hasta partidos de la derecha moderada se expresaban en términos que hacían retroceder veinte o treinta años cualquier negociación. El Likud, por ejemplo, rechazó la posibilidad de que la Explanada de las Mezquitas de Jerusalén pueda ser devuelta a los palestinos. El sitio, bautizado por los judíos ortodoxos como el Monte del Templo, se convirtió en una especie de epicentro del nacionalismo judío. El pasado enero se reunieron allí 250 mil israelíes manifestándose contra la posible devolución de la Jerusalén árabe a los palestinos. El 10 de enero el rabino Marvin Hier (uno de los fundadores del Centro Simon Wiesenthal) afirmó en *Los Angeles Times* que "la piedra angular de nuestro retorno a Sion está basada en la vuelta a nuestras raíces bíblicas históricas. El lugar donde Abraham se encontró por primera vez con su Dios, el lugar donde Moisés prometió liderar a su pueblo y la colina donde Salomón construyó su templo majestuoso... Al abandonar el

Monte del Templo estaríamos eliminando nuestro derecho a cualquier otra parte del Estado de Israel". "La paz es una opción equivocada —escribió en el *Jerusalem Post*, en la misma semana, el columnista israelí Avigdor Haselkorn—. La política favorable a negociar socava la imagen de la fuerza de disuasión de Israel." En su artículo, Haselkorn cita un documento del US Estrategic Air Command en el que se observa como "beneficioso" que "algunos elementos de la defensa nacional de Estados Unidos aparezcan como incontrolables", y que "Estados Unidos sea visto como una potencia irracional y vengativa, en el caso de que sus intereses vitales sean atacados".

Seth Lipsky, columnista del *Wall Street Journal*, escribía entonces una profecía cumplida: "Ariel Sharon considera que la guerra está ya sobre nosotros. La cuestión ahora es ver dónde se encuentra cada cual y cuánto tiempo durará".

No se equivocó.

Estoy hecho de todos mis viajes y ahora, a los 56, todos se confunden en uno: la noche blanca en Oslo, el trago en el Oak Room del Plaza a la hora en la que Nueva York se tiñe de violeta, la ventana del Copacabana Palace, la camisa ensangrentada del turista entrando al Caracas Hilton, el auto que nos lleva en Moscú a una casa clandestina, la niebla en Bombay cruzada por sombras que se acercan a pequeñas fogatas, la caja de cereales Paul Newman en un departamento en Harlem, una cama en ningún hotel en la que no sé la hora, ni el país en el que estoy.

No creo en los géneros literarios, los géneros estarán en las tiendas literarias o serán, a lo sumo, un problema de los repositorios en los blockbuster. Hay que tener algo para decir, luego el fondo dictará la forma; eso podrá ser dicho en prosa, poesía, periodismo, teatro, televisión.

¿Cómo saber cuándo una nota es buena? Cuando la recordamos, y la única manera de recordarla es que diga algo, no cómo lo diga. Este libro recopila cuarenta y dos años de periodismo gráfico, pero es público que al menos la mitad de ese lapso hice programas de televisión y de radio, documentales y películas. Lo que sigue fue escrito y luego filmado para distribuirse con el periódico *Perfil*. El documental se llamó *Malvinas, tan lejos tan cerca*. Esta fue la nota que le dio origen.

EL MAR ES DE QUIEN LO SABE AMAR

Desde Malvinas

"—Supongo, señor, que después de nuestra
toma de las Islas Malvinas su opinión sobre
la literatura inglesa se habrá modificado...
—Sí. Ahora estoy en guerra con Shakespeare
y con Sherlock Holmes, y he desafiado a
duelo al Dr. Johnson y a De Quincey."

"La Argentina e Inglaterra parecen dos
pelados peleándose por un peine,
las islas habría que regalárselas a Bolivia
para que tenga salida al mar."

Jorge Luis Borges, 1982

No hay ruidos. No hay absolutamente ningún ruido. Estoy en el salón de desayuno del Upland Goose Hotel, cuyas ventanas muestran la bahía interna y la calle principal de Puerto Argentino/Stanley, y el afuera parece una silenciosa proyección.

—No hay audio —dice alguien.

No hay ruidos. Pierdo la atención en mi taza de café y, cuando vuelvo los ojos a la ventana, veo un barco inmenso y gris fondeado a pocos metros. ¿En qué momento apareció? ¿De dónde vino? El cielo, la lengua de tierra entre las dos bahías, el agua profunda y azul siguen ahí, quietos y silenciosos. Bromeo: "Parece un chroma", refiriéndome a esos paneles azules de la televisión en los que se proyectan fondos inventados.

—Esta es una mezcla de *Truman Show* con *Gran Hermano.*

A mi alrededor los ingleses desayunan con pasión, como si fuera la última comida de un condenado a muerte: salchichas, huevos fritos, porotos con salsa de tomate y té sin azúcar.

Un barco de ese porte en la bahía indica algo que se puede adivinar y algo que averiguaré después: el agua profundamente azul, espesa, que parece gelatina sin congelar debe ser muy profunda a pocos metros. Lo otro será ese día el tema central de los corrillos en el pueblo: el barco se encuentra ahí porque está arrestado. El buque se llama *Jih Da Gan* y es un pesquero con licencia taiwanesa. Es otro de los barcos factoría que cargan mano de obra esclava: a veces llevan presos cumpliendo condena, otras navegan olvidados de la mano de Dios que soportan azotes y falta de comida para poder enviar algún billete a casa. Hace dos días, doce marineros saltaron del *Jih Da Gan* al agua buscando la libertad. Tres murieron congelados y el resto, que se salvó de milagro, será repatriado. El gobierno de las islas decidió no levantar cargos contra el capitán del barco y menos aún contra la empresa que lo contrató, debido a que "no se encontró evidencia suficiente". Pero el escándalo fue tal que no pudieron menos que detenerlo algunos días. El *Jih Da Gan* inmenso, gris y descascarado, flota en la bahía como testigo de cargo del lado oscuro de Stanley: los negocios de las pesqueras avalados por el gobierno local. Es miércoles y otros buques llegarán al puerto; desde el lunes que los *gift shops* se frotan las manos a la espera de tres cruceros. Al mediodía ya bajaron en el Jetty Centre (una especie de escollera) cerca de cinco mil personas. Cinco mil personas en una ciudad de dos mil ciento quince habitantes: matrimonios aburridos, chicas que buscan un dentista o un ingeniero, ancianos hartos de gastar dinero, sonrientes y mal dormidas parejas en luna de miel, la plaga de langosta vuela sobre las calles de una ciudad vacía. Llenan los dos restaurantes, los tres pubs y las seis o siete casas de regalos. Se sacan fotos cada diez metros y se llenan de souvenirs para llevar a casa; pingüinos de peluche, remeras con la bandera de las islas y todo tipo de merchandising que señale "Falkland Islands", las islas aquellas, ¿te acordás?, en las que hubo una guerra.

Tras un manto de neblina

En nuestra imaginación las Malvinas son dos pequeñas islas perdidas en el sur. Nada más errado. Las Malvinas son grandes: 11.410 kilómetros cuadrados, la mitad de la provincia de Tucumán. Hay varios países más pequeños que Malvinas: Puerto Rico, Líbano, Jamaica, Chipre, Gambia. En esta soledad inmensa, silenciosa y vacía no hay dos islas, sino doscientas, contando los islotes. El 60% de los habitantes aquí tiene entre 25 y 60 años y —además de los ingleses, claro— la segunda y la tercera minorías de inmigrantes están representadas por los santa helenos y los chilenos. Santa Helena es otra colonia británica, a mil kilómetros de la costa de Angola, vecina a la Isla de Ascensión, tradicional punto de reabastecimiento de combustible para los aviones durante la guerra y después. Hay 427 naturales de St. Helenian y 157 chilenos que se dedican al trabajo que los británicos rechazan. Según el censo de 2006, más de la mitad de los isleños tiene computadora y el 40% conexión rápida a internet, seis de cada diez tienen teléfono celular, siete ven películas en su DVD player y el 80% de la población tiene alarmas contra el cigarrillo. Casi nueve de cada diez vehículos son camionetas todoterreno, obviamente Land Rover, y el ingreso promedio de la población oscila entre las 12.000 y 14.000 libras al año (23.571 y 27.499 dólares o, si se prefiere, 73.052 y 85.226 pesos argentinos cada doce meses). Se calcula, por otro lado, que la cuenca de Malvinas tiene una reserva de petróleo (tema sobre el que volveremos más

adelante) de 2.400 millones de barriles, lo que significa cerca de 13 años de consumo mundial. El 46% de la tierra está en manos del logotipo más popular de Stanley: FIC (Falkland Island Company), los dueños de casi todo. FIC posee Darwin Shipping LTD (una compañía naviera que cubre servicios regulares entre Malvinas y el Reino Unido), The Capstan Gift y Fleetwing Shop (dos tiendas de souvenirs regionales), el Upland Goose Hotel (uno de los dos hoteles de la ciudad que alojó después de la guerra a Margaret Thatcher), The West Store (el más grande de los dos supermercados), Automotive (una empresa de alquiler de autos), Flight & Insurance Office (renta de taxis aéreos y aseguradora), Homecare (Servicio de Internación Domiciliaria) y Warehouse (Depósitos), algunas empresas pesqueras y Desire Petroleum, que explora en la plataforma submarina. El consejero legislativo de las islas, Mike Summers (uno de los ocho *counselors*, que ya lleva tres reelecciones y doce años en su cargo), es uno de los accionistas de la FIC.
Summers se sentó en uno de los extremos de la mesa de reuniones y su rostro quedó exactamente alineado en diagonal con el retrato de la Reina Isabel II, quien en verdad debe llamarse "Reina y Jefa de Estado del Reino Unido de Gran Bretaña e Irlanda del Norte, Antigua y Barbuda, Australia, Bahamas, Barbados, Belice, Canadá, Granada, Jamaica, Nueva Zelanda, Papúa, Nueva Guinea, Saint Kitts y Nevis, Santa Lucía, San Vicente y las Granadinas, Islas Salomón y Tuvalu", esto es, de los Reinos de la Commonwealth. La reina, desde su retrato, se ríe. Ella sabrá por qué.

Summers, exhibiendo otra comprensible sonrisa profesional, extendió su versión del "contexto histórico" de Malvinas: una especie de folleto con algunas fechas en orden cronológico.

1592: primer avistamiento.
1840: establecimiento de granjas.
1982: invasión argentina.
1986: introducción del régimen de pesca.
1996: comienzo de la exploración petrolera.
2006: nuevo régimen de pesca.
2007: descubrimiento de petróleo. ¿Boom económico?

Es evidente que Summers es un tipo optimista, aunque preocupado:
—En este momento no sentimos una amenaza militar de la Argentina sino claramente una amenaza económica. La política argentina ha decidido obstaculizar tanto los vuelos como otras cuestiones en torno a los hidrocarburos y la cooperación científica en el área. En este momento se están discutiendo las leyes de pesca. [N. del A.: precisamente, en ese momento un enviado inglés discutía la cuestión pesquera en Buenos Aires, trasladando la preocupación del gobierno de las islas por lo que será en unos días una realidad: la sanción de una ley que prohíbe a las empresas de las islas pescar dentro del Mar Argentino, bajo pena de cancelar sus permisos en nuestro país.] El tratado de cooperación firmado en 1999 retrocede cada vez más —insistió Summers— y esto traerá más falta de confianza en

el futuro. La estrategia de Kirchner es irracional: si lo que quiere es ponerse difícil pensando que por socavar la economía de las islas vamos a ir hacia ellos, debe estar soñando.

—He must be dreaming —dijo Summers—. Sería mucho mejor si la política argentina fuera más democrática. Por su modo de gobernar, Kirchner parece un dictador electo.

En Malvinas no hay oposición ni partidos políticos. Un dato inequívoco para considerar a las islas como nuestro territorio es que hay reelección indefinida y, como dijimos, la política baila al vaivén de los negocios locales. El voto no es obligatorio, aunque cerca de un 80% de la población concurre a las urnas cada cuatro años. El gobierno isleño es extremadamente susceptible a la crítica y, como se verá más adelante, una sola expresión negativa puede ser causal de despido en un empleo estatal. Los medios favorecen ese monopolio oficial del silencio: el único canal de televisión depende de la base militar (su sigla es BFBS —British Forces Broadcasting System—) y se dedica a emitir ejercicios militares, escenas de la vida cotidiana en la base de Mount Pleasant y series de la cadena Fox. Hay también una única radio militar y una pequeña FM con música de Santa Helena. Hace poco la BBC anunció la suspensión de sus servicios en la isla, que funcionaban desde 1944. *Calling the Falklands* salía al aire dos veces por semana, y el último programa del ciclo se emitió el pasado 31 de marzo luego de un comunicado de la BBC justificando el cese del envío por "motivos puramente económicos", ya que el recorte en sus emisiones servirá para ayudar a financiar su nuevo servicio en árabe. El silencio en las islas va más allá de cualquier metáfora y colabora para que nada cambie. Las noticias que importan, como siempre sucede en los pequeños pueblos, circulan de todos modos. Todos aquí saben del buque taiwanés y los muertos en el agua, y del abandono del cementerio argentino de Darwin, cuya denuncia pasó a convertirse en polémica después de nuestro envío en la edición anterior de *Perfil.* Al inexacto comunicado de Aeropuertos 2000 del que dimos cuenta en dicha nota se sumó una protesta de la Comisión de Familiares de Caídos en Malvinas en la que se habla del óptimo estado del cementerio. Para ayudar a esclarecer el asunto, publicamos en estas páginas fotografías del antes y el después: el cementerio de Darwin mientras fui cuidado por los ingleses y el actual, con las cruces despintadas, el pasto raleado y bosta de oveja entre las tumbas. Pero lo más curioso no fue la reacción de algunos familiares sino el escándalo que la nota anterior desató en los despachos de la Cancillería, donde se llegó a sostener que esta cobertura forma parte de un plan inglés para sacar las tumbas de los argentinos de las islas. Es obvio que la vida confortable de los diplomáticos argentinos favorece su imaginación febril: el estado de abandono del cementerio de Darwin ha sido denunciado por ex combatientes entrevistados por nuestro equipo en las islas, por soldados ingleses, por miembros del gobierno local, por periodistas e historiadores argentinos y por visitantes de Darwin, de modo que si todo esto se trata de un complot, es al menos bastante numeroso. Aunque, para ser sincero, debo confesar que sí, que en efecto mis vínculos con Inglaterra son tales que llegan incluso a la vida personal, a través de la familia de mi esposa, cuyos ancestros directos en el Imperio llegan a un tal Donald Oliniant, en 1242. De modo que hace unos cuantos años que venimos recibiendo un cheque de la isla.

El pasado, presente

Hay, en este sitio, una verdad que se piensa con los labios cerrados: nada pudo servirle más a Malvinas que la guerra de 1982; después del conflicto, Puerto Argentino/Stanley creció como nunca antes, acogió mayor población, duplicó sus viviendas, comenzó a distribuir cartas para el juego de la explotación pesquera, se ilusionó con el petróleo y se transformó en una corporación reluciente. Los ocho miembros del CECIM (Centro de Ex Combatientes de La Plata) que viajaron en estos días a las islas coinciden en una teoría que, a estar de los acontecimientos posteriores a 1982, causa cierto escalofrío: ¿y si fueron los mismos ingleses quienes desinformaron a Galtieri para volver a tener control total sobre las islas y hacer retroceder cualquier negociación? La hipótesis, debe entenderse, no coloca a Galtieri como agente inglés, sino como idiota útil. De hecho, nunca como en el verano de 1982 se estuvo tan cerca de recuperar las islas.

Las gestiones llevadas a cabo entonces por el subsecretario de Relaciones Exteriores, Enrique Ross, quedaron sepultadas por el conflicto bélico, y casi nadie recuerda que a fines de febrero de aquel año se había logrado incluir en las discusiones con Inglaterra, por primera vez, el tema de la soberanía. El pasado 1 de abril, en *La Nación*, el embajador Carlos Ortiz de Rosas lo dijo sin dudar: "Sin guerra, ya serían nuestras las Malvinas". Ortiz de Rosas, entrevistado por Carmen María Ramos, recuerda incluso una etapa anterior, la de la llamada "política de comunicaciones", a partir de un acuerdo bilateral firmado en 1971. Henry Hohler, subsecretario de la Foreign Office, le dijo entonces que "las islas habían dejado de tener el valor estratégico que habían tenido para la Marina británica en las dos guerras mundiales". El acuerdo de comunicaciones incluyó becas para que los hijos de los isleños estudiaran en colegios ingleses de Argentina, y la construcción de una pista de aterrizaje operada por LADE. En 1974 la embajada británica en Buenos Aires le propuso al gobierno argentino un condominio en las Malvinas, con el español e inglés como idiomas oficiales, doble nacionalidad de los isleños y supresión de los pasaportes; los gobernadores de las islas serían nombrados alternativamente por la reina y por el presidente argentino, y las dos banderas podrían flamear en las islas. "Perón, inteligentísimo —señala Ortiz de Rosas—, le dio instrucciones a Vignes, su canciller, quien me dio una fotocopia de ese acuerdo. Le dijo: 'Vignes, esto hay que aceptarlo de inmediato, una vez que pongamos el pie en las Malvinas no nos saca nadie y poco después vamos a tener la soberanía plena'. Pero el diablo metió la cola y dos semanas después murió Perón. Cuando el canciller insistió con la viuda, Isabel le dijo: 'No tengo la fuerza política del general para venderle esto a la opinión pública'."

Según recuerdan Andrés Cisneros y Carlos Escudé en su interesante *Historia General de las Relaciones Exteriores de la República Argentina*, tomo XII, capítulo 57, en un documento presentado por el secretario Owen en la primera ronda de negociaciones de Roma, en 1977, los ingleses sostenían que "las islas eran militarmente indefendibles salvo que se hiciera un costoso, enorme e inaceptable desvío de recursos". Luego del triunfo electoral de Thatcher en 1979, Nicholas Ridley fue nombrado subsecretario de la Foreign and Commonwealth Office. Entre el 22 y el 29 de noviembre de 1980 Ridley viajó a Malvinas y mantuvo una reunión con trescientos isleños en el Town Hall.

—No se puede mantener una negociación si ninguna de las partes está preparada para algunas concesiones —expresó Ridley en una conferencia de prensa posterior—. Puedes sentarte a una mesa y recorrer el terreno una y otra vez, y yo estoy preparado para eso, pero al final no se llega a un acuerdo. No se puede hacer un acuerdo a menos que ambas partes hagan concesiones. La naturaleza humana es tal que no puede hacerse esto eternamente.

Ridley presentó entonces a su auditorio una lista con cuatro alternativas:

- Fórmula de arrendamiento.
- Satisfacer la totalidad de las demandas argentinas y transferir la soberanía.

- Congelar totalmente el tema de la soberanía por un período de 25 años.
- Rechazar de plano cualquier discusión sobre la soberanía.

Al terminar su exposición, Ridley señaló que la primera opción era la preferida por el gobierno inglés. Los miembros del Falkland Island Committee, el lobby de las islas, hicieron sonar su protesta en Londres, y el 26 de noviembre el *Times* publicó un artículo de portada que señalaba: "Gran Bretaña sugiere que la soberanía de las Islas Falkland sea transferida a la Argentina".

Bennys, gays y armas de guerra

—Yo soy benny —me dice un chico de unos quince años que escupe al piso mientras masca chicle, y jamás mira a los ojos—. Y estoy orgulloso de serlo.
Entrevistamos a cuatro o cinco chicos que encontramos aburriéndose en una plaza: nos cuentan por enésima vez que es imposible que les sirvan alcohol en un pub, y las penas son tremendas. Dice, claro, que igual se consigue, pero que drogas no, a veces algo de hash, pero ninguna otra cosa. Uno del grupo anoche estuvo preso. Aquí no hay diarios —sino un periódico semanal, el *Penguin*— y la radio jamás habla de esos temas, pero por la mañana toda el pueblo lo sabía.
—¿Cómo la pasaste? —le preguntaban socarronamente quienes se lo cruzaban por la calle.

Este complejo de Gran Hermano se extiende a los únicos tres pubs: en ellos hay "listas negras" de quienes no pueden tomar cerveza. Las listas se renuevan cada semana y la prohibición se cumple a rajatabla. El único detenido de la isla está en una celda de la comisaría por haber manejado en estado de ebriedad y sin registro: cumplirá ahí adentro tres meses. En Puerto Argentino/Stanley hay dos bandas de rock: una llamada Fighting Pigs (Los Cerdos Peleadores), liderada por el jefe de policía; tipos de unos cincuenta años que tocan covers y cobran cuatro pounds la entrada en el club Trough (Bebedero) una vez al mes. La otra está formada por isleños de treinta y se llama Sluts with Nuts (Putas con Pelotas). No hay putas en el pueblo:

—Sólo un par de chicas que lo hacen con todo el mundo, pero por placer.

Se me ocurre entonces preguntarles cómo hacen los dos mil soldados de la base, y los chicos se tientan de risa:

—Ellos necesitarían taxi boys —dice uno.

Y empiezan un extenso relato que luego podré corroborar con algunos mozos y personal de mantenimiento de la MPA (Mount Pleasant Airport, así llaman a la base): tienen un alto porcentaje de gays por metro cuadrado.

—¡Se ponen tanga! —grita uno de los chicos, imitándolos mientras mueve el culo.

—¡Y bailan vestidos de mujer! —agrega otro.

Yo me imagino a un sargento con los labios pintados y un corpiño que apenas asoma entre la camisa verde oliva, bailando un lento con otro oficial.

—Prefiero ser benny —dice el primero.

Benny. Finalmente lo explican: así bautizaron los soldados a los isleños, apenas llegaron después de la guerra. Los veían idiotas, y lentos, y torpes, y les pusieron "bennys", por Benny Hill.

—A partir de este momento está prohibido, por razones de seguridad, tomar fotografías —dice la voz profesional de la azafata de Lan Chile.

El avión sobrevuela el espacio aéreo de la base militar, a unos cuarenta kilómetros de Stanley. Ese es el aeropuerto donde opera el único vuelo semanal, de sábado a sábado. Allí los militares sellan el pasaporte de los visitantes —también de los argentinos— y advierten que hay aún, en la isla, 18.000 minas antipersonales que nunca fueron desactivadas. La base es inmensa y hermética: allí funciona el único cine de las islas, al que los isleños pueden acceder si llevan su correspondiente identificación (ID). Allí hay también una pequeña disco, un supermercado, un bar y restaurante y barracas divididas escrupulosamente por cargo y nacionalidad.

—Nadie se sienta a la mesa de los chilenos —me dice una chica que atiende la barra del hotel y que trabajó en la MPA algunos meses.

Nadie brinda información alguna sobre los soldados ni sobre el armamento, y un par de isleños nos advierten que siendo argentinos lo mejor es ni tratar de ingresar ahí.

La secretísima base está manejada por el capitán N. J. Watson MSc RAF, casado con una maestra, Diane, y con tres hijos en la universidad. Watson toca el saxo y

estudia literatura española. El brigadier Nick R. Davies MBE MC es el otro oficial al mando. Davies es pelado, lleva bigotes, tiene dos hijos pequeños y se interesa por la historia y la pintura.
La MPA posee cuatro aviones Tornado F3 para ataque aéreo, un avión VC10 para reabastecimiento y transporte, un Hércules C 130K C3, dos helicópteros Sea King HAR3, el destructor *HMS Edinburgh* con capacidad antiaérea, el buque *HMS Dumbarton Castle* utilizado para protección de los pesqueros y también como patrulla, el buque cisterna *RFA Gold Rover* y un Rapier Field Standard C (FSC) preparado para disparar hasta ocho misiles de defensa antiaérea.

La quimera del oro

Phyl Rendell es igual a Glenn Close en *Atracción fatal*, pero no sale de la bañadera con un cuchillo ni mató a ningún conejo. Al menos, eso creo. Phyl es la directora del Departamento de Recursos Minerales de Malvinas y tiene en un escritorio, como un trofeo, una mínima gota de petróleo encerrada en un cubo de acrílico. Es una gota de petróleo de Malvinas.
—Con una sola gota y tan optimista —le digo en tono de broma.
—Por supuesto —responde—. Si no sos optimista, no vale la pena vivir.
Son varias las compañías que exploran la plataforma continental de la isla en busca de petróleo. FIC, como se dijo, es una de ellas. La fiebre del oro negro en Mal-

vinas se encendió a través de la prensa europea, cuando en diciembre de 2004 la revista alemana *Der Spiegel* informó que las reservas de la isla podrían elevarse a 60 mil millones de barriles. El *Times* de Londres, en otro artículo, llamó a las islas "the new Kuwait", y la oficina del British Geological Survey, con sede en Edimburgo, afirmó en un informe que las reservas de Malvinas podrían ser equivalentes a la suma de las que poseen Libia y Nigeria, esto es alrededor de la mitad del petróleo de Irak. Aunque por ahora el petróleo de la isla recuerda la historia de la isla Pepys, una vecina de las Malvinas descubierta en 1684 por el marino William Ambrose Cowley a los 47 grados de latitud Sur. La "tercera" isla de Malvinas fue registrada por todos los cartógrafos de la época, llegando a publicarse en 1839 *Apuntes históricos a la isla Pepys*, que fue sólo un truco de la niebla marina dibujando una costa rocosa, y jamás existió.

La pesca no es sólo un sueño de riqueza, sino una conflictiva realidad:

—La ambición y la corrupción en los niveles más altos del gobierno provocaron la pérdida de cinco millones de pingüinos —me dice Mike Bingham, un biólogo británico que tuvo que escapar de Malvinas luego de informar sobre tal descubrimiento.

En octubre de 1993 Bingham comenzó a trabajar en la organización gubernamental Falklands Conservation, que le propuso realizar un censo de pingüinos en toda la zona. Un estudio zoológico del gobierno británico estimaba entonces en unos seis millones la cantidad de pingüinos. Bingham descubrió en 1996 que la cifra había bajado a un millón, lo que coincidía con el indiscriminado desarrollo pesquero en las islas. El consejero Summers —ya desde entonces ocupa el cargo— y el jefe ejecutivo Gurr decidieron censurar el informe. Los pingüinos más perjudicados fueron los Rockhopper del Sur y los Magellanic, que sólo viven en Chile y el sur argentino. Entre 1996 y 1997 Bingham censó Chile y Argentina, lo que confirmó que la millonaria desaparición de esas especies sólo se había producido en Malvinas. Cuando a fines de 1996 comenzaron los planes de explotación petrolera, el gobierno local favoreció, para evitar alguna protesta de la Falklands Conservation, que el titular de Desire Petroleum ocupara la presidencia de la entidad conservacionista. Entonces comenzaron todo tipo de amenazas hacia Bingham, que obviamente perdió su empleo: encontró un revólver 9 mm debajo de su cama, entraron a su casa en varias oportunidades, quisieron arrestarlo por robo de automóvil con cargos infundados —hecho que fue investigado por la justicia inglesa y se demostró armado— y encontró más tarde flojas las ruedas de su auto y un intento final de atentado para hacerlo explotar. La prensa británica comenzó a investigar el caso y Bingham llevó la denuncia a Londres, donde el Consejero de Policía y Justicia Criminal encontró culpables al gobernador Pierce, el jefe ejecutivo Blanch y el consejero Summers. Este cargo fue después ratificado por la Corte Suprema de Justicia inglesa y el gobierno de Malvinas decidió ignorar sus consecuencias.

Odio las despedidas

Cabo Belgrano / Cape Meredith, Isla Borbón / Pebble Island, Canal Colón / Smylie Channel, Isla de Goicoechea / New Island, Puerto Groussac / Port William, Bahía 9 de Julio / King George Bay, Cerro Rivadavia / Wickham Mount, Isla San José / Weddell Island, Cabo Desengaño / Cape Disappointment.

Hace muchos años, cuando perdíamos con Luis mucho más tiempo en los bares, nos entreteníamos haciendo teorías sobre el mundo que empezábamos a conocer. Luis estaba fascinado con mi "Teoría de los Culos", que incluía dibujos y clasificaciones en latín, ya que para algo tenían que servirnos los estudios de Derecho romano. Los culos se dividían en manzaniformes y periformes, y de allí se desplegaba el árbol de subvariedades. Luis Rigou ya lleva veinte años viviendo en París, y yo recuerdo cada tanto nuestra "Teoría de la Verdad". La verdad, decíamos entonces, está formada por círculos concéntricos sobre el objeto en cuestión. Esos círculos van de menor a mayor y todos coparticipan de la verdad final; todos son ciertos. Pero algunos son más ciertos que otros. Son más ciertos en tanto más abarcadores. A medida que el punto de vista es más amplio, más generoso, más ciertos son, porque contemplan más enfoques. En aquellos años la Guerra de Malvinas sucedía por televisión: las viejas donaban sus cadenitas y los alumnos les escribían a los soldados cartas que jamás llegaron. Nuestra "Teoría de la Verdad" era, claro, sobre las islas. En el círculo más chico estaba Galtieri, y su delirio de búsqueda de prestigio personal, más arriba estaban los chicos allá peleando, los *colim-Malvinas*, los pibes abandonados en las Fuck-Lands. Fuck Lands. En otro círculo mayor estaban los tratadistas internacionales, los ancianos que desempolvaban viejos códices y mapas tratando de averiguar la historia de la región. Arriba de ellos, más amplio, más cierto, estaban los héroes de los dos bandos; nosotros pensábamos en los aviadores argentinos, capaces de atravesar el Corredor de la Muerte bajo disparos de ambas orillas. Pero la verdad sobre Malvinas había sido cantada por Milton Nascimento y Leila Diniz. Leila, la actriz carioca muerta en un accidente de aviación en 1972, la primera mujer que posó en bikini, aquella de quien el poeta Carlos Drummond de Andrade escribió "Leila, para siempre Diniz". Milton cantaba ahora y Leila desde el túnel del tiempo, y los dos hablaban de algo todavía más viejo, la invasión de Holanda a Pernambuco en 1630. Y ambos decían:

Pelean España y Holanda
por los derechos del mar.
El mar es de las gaviotas
que en él saben volar.
Pelean España y Holanda
por los derechos del mar
porque no saben que el mar
porque no saben que el mar
porque no saben que el mar
es de quien lo sabe amar.

Otro viaje transformado en documental fue *La ruta del Che en Bolivia*, difundido por History Channel. La crónica se publicó en la revista colombiana *Gatopardo*.

EL CHE GUEVARA O EL TURISMO DE AVENTURA

Desde Bolivia

El tipo pelado, con lentes y en nada parecido a Gael García Bernal entró al hotel de la Avenida 16 de Julio 1802, del Paseo El Prado, y pidió una habitación con baño privado y vista al Illimani. Que un hotel se llame aquí Copacabana parece una broma de mal gusto de la Secretaría de Turismo: tal es la melancolía del mar a 3.640 metros sobre su nivel. La ausencia del mar de nota en el aire, y toda la ciudad tiene un intenso olor a perro mojado, a lana que busca la humedad de la sombra. Copacabana existe aquí desde mucho antes que Ipanema y Leblon: Copakawana era la diosa de la fecundidad, y su corte de umantuus (hombres y mujeres mitad peces) habitaba el lago Titicaca, a ciento cincuenta kilómetros de esta ciudad. Las distancias en Bolivia no significan nada. Nada, al menos, en relación al tiempo: ciento cincuenta kilómetros desde La Paz hasta Copacabana pueden ser cuatro o cinco horas de marcha. Todo queda lejos, y el país es sorprendentemente inmenso. Aquel huésped del hotel Copacabana pudo averiguarlo tarde y mal. El tipo pelado, con lentes de armazón y corbata modesta tenía documentos de la OEA, algunos cuadernos en blanco y una cámara de fotos. Se sacó una toma frente al espejo del cuarto y luego sacó otra más del pico nevado del Illimani. Dejó firmado en el libro de la recepción su nombre: Adolfo Mena. Nadie lo reconoció. Ni sus hijos ni sus compañeros cubanos. Al segundo día alquiló un jeep y salió hacia Ñancahuazú. El 7 de noviembre de 1966 se instaló con 24 hombres, nueve de ellos bolivianos, en una finca en el límite del departamento de Santa Cruz con el de Chuquisaca. Iba a establecer allí una guerrilla de extrema retaguardia para moverse hacia los Andes, en dirección a la Argentina y Perú. La Historia le abrió la puerta y encontró a la Muerte.

Cuarenta años después Evo Morales, el presidente de Bolivia, tiene en su despacho un retrato del Che hecho con hojas de coca, en el salón más importante del Palacio de Gobierno. El rostro del Che también está como protector de pantalla en su celular privado.

En la plaza central de Montero, a cincuenta kilómetros de Santa Cruz, un artista inauguró hace unos meses un mural con diversos motivos épicos latinoamericanos, incluyendo un retrato del Che. Los vecinos, espontáneamente, apedrearon el rostro de Guevara hasta que finalmente fue cubierto y eliminado de la composición. En la denominada "Ruta del Che", donde Guevara combatió, se lo venera como a un santo, pero todos los municipios están gobernados por la derecha, y quienes le rezan al Che llegan a cobrar cien dólares a los cronistas para recordar una y otra vez las mismas anécdotas.

Until the victory, always

El 25% de la población de Bolivia vive con menos de un dólar por día y la esperanza de vida al nacer es de 63 años. El 10% de los niños menores de cinco años están desnutridos, y también lo está el 21% del total de la población, que registra un 13% de analfabetos. El 20% más rico del país gana treinta veces más que el 20% más pobre, y el 60% de la población vive bajo los niveles de pobreza. Si se toma sólo la población rural, el porcentaje aumenta a nueve de cada diez. De no haberse llamado Bolivia, claro, por Simón Bolívar, el país bien podría haber sido bautizado Babelia: hay aquí 36 idiomas oficiales además del español, el quechua, el aymara y el guaraní, que son hablados extensamente.

Y hay, además, una grieta.

Quiero decir: un abismo. El que divide a los indios de los blancos. Los indios son muy indios aunque los blancos no sean tan blancos, pero se sienten de todos modos como holandeses en Johannesburg, y el abismo separa, a la vez, a ricos de pobres.

Comencé la Ruta del Che en Santa Cruz de la Sierra, el enclave blanco en una nación cobriza.

—Este país está así por los coyas —dice Miki, el chofer, que maneja una camioneta Lincoln que pudo importar desde los Estados Unidos—. Coyas de mierda —dice, detrás de un par de lentes para sol, mientras acelera hacia el Hotel Los Tajibos.

Dice sólo "coyas" cuando quiere decir aymarás, baures, besiros, canichanas, cavineños, cayubabas, chácobos, chimanes, esee'jas, guaraníes, guarasuwes, guarayúes, itonamas, lecos, machineris, moxeños, trinitarios, moxeños ignacianos, more mostenes, movidas, pacahuaras, quechuas, reyesanos, sirionós, tacanas, tapietes, toromonas, uru-chipayas, weenhayekes, yaminahuas, aukis y yuracarés. Pero dice "coyas". Todos son coyas. Ellos son "caras".

Los coyas casi no miran a los ojos de los blancos. Son los que bajan las valijas, limpian las mesas y los platos, ordenan los cuartos.

Son los que delataron al Che Guevara: "Los campesinos fueron nuestra principal fuente de información —me dirá días después Gary Prado Salmón, el capitán de la compañía del Ejército que encontró al Che en el desfiladero de la Quebrada del Churo—. El Ejército llevaba años trabajando en esa zona con un programa de acción civil: ayudábamos a las comunidades, les construíamos una escuela, un puesto sanitario, mejorábamos los caminos. Además hubo una gran habilidad por parte del general Barrientos: pintarles esto en aquel momento como una invasión extranjera. Y eso también despertó el nacionalismo, ¿no?".

Escribió el Che en su *Diario de Bolivia*, el 7 de octubre: "Se cumplieron once meses de nuestra inauguración guerrillera sin complicaciones, bucólicamente, hasta las 12.30, hora en que una vieja, pastoreando sus chivas, entró en el cañón en el que habíamos acampado y hubo que apresarla. La mujer no ha dado ninguna noticia fidedigna de los soldados, contestando a todo que no sabe, que hace tiempo que no va por allí.

Sólo dio información sobre los caminos; del resultado del informe de la vieja se desprende que estamos aproximadamente a una legua de La Higuera y otra de Jagüey y unas dos de Pucará. A las 17.30 Inti, Aniceto y Pablito fueron a casa de la vieja que tiene una hija postrada y medio enana, se le dieron cincuenta pesos con el encargo de que no fuera a hablar ni una palabra, pero con pocas esperanzas de que cumpla a pesar de sus promesas".

"Alguien que necesita ayuda de verdad puede atacarte si lo ayudas, ayúdale de todos modos", dice un cartel en el muro de Shishu Bhavan, la Casa Infantil de Calcuta que atienden las Misioneras de la Caridad de la Madre Teresa. Pero el cartel está colgado en 2007 y el Che soborna a los campesinos cuarenta años atrás. ¿Qué sentirás ayudando al que va a condenarte?

"Nunca en la historia un número tan reducido de hombres emprendió una tarea tan gigantesca", escribió Fidel en el prólogo al *Diario del Che*. ¿Qué es gigantesco en la gigantesca Bolivia, donde los campesinos miran desde el silencio de sus gigantescos ojos?

"Fueron numerosos sus contactos con los campesinos bolivianos —sigue Fidel sobre el Che—. El carácter de estos, sumamente desconfiados y cautelosos, no podía sorprender al Che, que conocía perfectamente bien su mentalidad por haberlos tratado en otras ocasiones, y sabía que para ganarlos a su causa se requería una labor prolongada, ardua y paciente, pero no albergaba ninguna duda de que a la larga la obtendría".

En la ruta hay caimanes, jaguares y tigrinas, hay boas arcoíris y víboras de cascabel, hay laureles, palos borrachos y cedros, hay arañas inmensas que cruzan la ruta y parecen un caniche con las patas extendidas, hay tierra roja, y verde, y marrón, y negra, hay exuberancia, exageraciones de la Naturaleza, fanfarronerías de la Botánica, hay de todo y más, pero no hay dudas. En esta ruta nadie duda. Nadie dudó. Todos repiten en soliloquio un discurso construido, aquí estuvo, aquí fue, allá murió. Todos vieron al Hombre que jamás dudaba, lo tuvieron frente a frente, bajaron su mirada ante la de él, pidiéndole perdón.

El Che
Hubiera vomitado a Jesús
Por tibio

Piensa el Che:[1] "*Me miran como si les hablara en inglés. En inglés no, me miran como si les hablara en sánscrito. ¿Me miran? Sí, cuando les hablo me miran. Después no, miran para abajo. Yanquis guaros oligarcas hijos de mil putas que les bajaron la cabeza, miran siempre para abajo. Abajo no hay una mierda, no sé qué miran. Hay arena abajo. Miran y se van hundiendo. Les grito indio de mierda te estás hundiendo y miran para abajo igual. Levantá la cabeza. Levantá. Y levantan la cabeza igual que el Gringo después de la paliza del Torito, no están mirando, no están acá. Mis pies se hunden también en la arena, y uno duele. Duele como la concha de la madre puta. No se siente la bala fría, se siente frío en el pecho acá, debe haber una vena que va derecho del pecho al pie y me tira como si*

[1] Los textos destacados en itálica pertenecen a la novela *Muertos de amor*, que publiqué en Alfaguara en 2007.

fuera una tanza. Antes de que saliera el sol el pie paró de sangrar o yo paré de tener pie, porque no lo siento, siento la arena alrededor, hundiéndolo. Eso entienden estos hijos de mil putas. La sangre entiende. Sangre respetan. Sangre de los demás o sangre de ellos. Señora, doña, no, así no que duele. Y la vieja se ríe y sigue limpiándome. Un trapito, trapito, dice. Trapito. Trapito acá, en el hueco del corazón, del pie. Trapito, poné. Fuerte tenelo. Tenelo fuerte, así. Apretá. Tapón para que la sangre no corra, trapo limpito con olor a lavandina. La vieja se ríe divertida, como si se acordara de un chiste viejo. Tanta sangre vieja vio. Mira el trapito y no me mira más. Mira nada y se pasa las manos por la falda que nunca se cambió, la falda tiene manchas de aceite que parecen países en un mapa, costras, dura está, dura de la mugre y la sangre que tiene. Se ríe, la vieja, se ríe, el trapito apretá, y desaparece".

"Si se sigue con cuidado el hilo de los acontecimientos —sigue Fidel, con cuidado, el hilo de los acontecimientos— se verá que aun cuando el número de hombres con que contaba en el mes de septiembre, algunas semanas antes de su muerte, era muy reducido, todavía la guerrilla mantenía su capacidad de desarrollo y algunos cuadros bolivianos, como los hermanos Inti y Coco Peredo, se iban ya destacando con magníficas perspectivas de jefes." Coco Peredo fue el segundo jefe en la toma de Samaipata por los guerrilleros del Che y cayó en combate. Inti fue uno de los seis sobrevivientes de la Quebrada del Yuro y juró junto a otro de sus hermanos, Chato, seguir la lucha armada en un manifiesto titulado "Volveremos a la montaña". En

1969 fue rodeado por fuerzas de inteligencia militar a las que se enfrentó cayendo herido. Lo trasladaron a dependencias del Ministerio del Interior donde fue muerto a culatazos en el cráneo. La historia del Chato guarda un asombroso paralelo con la del Ejército Guerrillero del Pueblo, la avanzada del Che en la selva de las yungas de la Argentina, un grupo que jamás entró en combate pero tuvo dos bajas: los fusilaron ellos mismos por temor a que desertaran. En la llamada Guerrilla de Teoponte, el Chato Peredo fusiló a dos de sus compañeros que robaron una lata de sardinas cuando sólo quedaban ocho combatientes enfermos y famélicos. Hoy sus adversarios políticos llevan a los debates televisivos una lata de sardinas y la plantan en medio de la mesa. El Chato vive en las afueras de Santa Cruz y tiene una clínica en la que explora la transmigración del alma.

Gira mágica y misteriosa

El Hotel Los Tajibos tiene cinco estrellas y turistas norteamericanos que no se quejan por el humo ajeno. Está construido en semicírculo sobre una inmensa piscina y en el desayuno alternan viajantes, ejecutivos y cincuentones muy rubios con jovencitas muy bolivianas. Aquí llaman "tajibo" al lapacho, un árbol que crece desde México hasta la Argentina y que brinda flores rosadas entre julio y septiembre. Entre los folletos del desk puede encontrarse uno que dice:
2007: 40 years from Ernesto Che Guevara's assassination.

Che, not because you fell your light is less strong. Vallegrande Che Festival.
"El producto está todavía por hacerse", dijo hace unos meses a las agencias de noticias Ricardo Cox, viceministro de Turismo de Evo Morales. Los diarios mencionan el cuadragésimo aniversario "del fallecimiento del idealista argentino" (¿Hegel y Platón serían idealistas alemán y griego, respectivamente?) y mencionan lo complicado que es llegar a la región de Vallegrande, en la zona tropical del país. Según informó la BBC, en 2004 se puso en marcha un proyecto de 610 millones de dólares otorgados por el Departamento Británico de Desarrollo Internacional para incrementar la industria turística del país en la Ruta del Che: el camino comienza en Santa Cruz de la Sierra, pasa por el sitio inca de Samaipata y termina en las poblaciones de Vallegrande y La Higuera. La ruta ha sido también supervisada por Bolivia Care, la rama local de la ONG Care International, con el propósito de generar fuentes alternativas de ingresos para las familias pobres que viven en la zona. La hija del Che, desde Cuba, ha respaldado la iniciativa. Are International, según su página web, es una organización no gubernamental sin fines de lucro creada para auxiliar a los países europeos que sufrieron la desnutrición de la Segunda Guerra Mundial. Hoy actúa en 75 países del tercer mundo y está financiada, entre otras empresas, por Cisco, Cargill, Coca-Cola, Credit Suisse, Delta, General Electric, Gap, Bristol-Myers Squibb, Hewlett-Packard, IBM, JPMorgan Chase, Oracle, Motorola, Citigroup, Ford Motor, HSBC, McDonald's, Mary Kay y UPS.

El programa estándar de visita comprende:

- Ruta del Che Guevara Vallegrande. Paseo fotográfico en 4x4. Incluye: guía inglés-alemán-español licenciado en biología, refrigerio, lunch box.
- Salida desde Samaipata, recorrido por el circuito de los episodios finales en la guerrilla del Che Guevara: llegada a Vallegrande, almuerzo en restaurante.
- Visita a los sitios más importantes: el hospital donde se expuso su cuerpo, las fosas comunes de los guerrilleros caídos en distintas batallas y el recordatorio erigido al Che sobre su tumba recientemente encontrada en la aeropista tras años de misterio.
- Camino a La Higuera, parada en Pucará. Village tour fotográfico antes de la cena. Pernocte en Pucará.
- Desayuno y posterior visita a La Higuera, sitio de ejecución del Che y Quebrada del Churo, donde fue capturado. Almuerzo en Pucará. Retorno.

Miki cruza el camino de montaña como un kamikaze vocacional; no hay señales, la línea que divide el sentido del tránsito está gastada y detrás de cada curva puede aparecerse otra camioneta, o un micro destartalado, o la muerte segura. La ruta es eterna y angosta, como si la selva le hubiera cedido un pequeño espacio para existir, pero sólo por algunas horas. La ruta se borra mientras avanzamos por ella; quien mira hacia atrás ya no ve el camino, sólo selva otra vez, y abismo. Menos de 200 kilómetros en siete horas de marcha. Vecinos de la muerte, hacemos bromas. Miki insiste con los coyas y yo lo estimulo para que siga. Miki se suelta, y muestra una picana que guarda en un bolsillo interior de la puerta delantera. Es un electroshocker de 300 mil voltios que emite una descarga paralizante. Miki lo enciende y el aparato lanza un pequeño relámpago azul. Miki se ríe. Cuenta que él y su hermano lo usaron hace poco con un coya que les robó dinero de un negocio familiar. Unos 200 dólares, una fortuna en esta región del mundo. El electroshocker lleva dos baterías de nueve voltios, y aquella noche se quedó sin pilas.

—¿Y apareció el dinero?

—No, pero lo está devolviendo de a poquito, semana a semana.

Llegamos a Vallegrande por la noche, y el olor a perro mojado es mucho más intenso. Hay un solo restaurante y dos hoteles bastante austeros. Hay, también, el viento frío de la noche.

—La entrada dice diez pesos pero en realidad aumentó y son cincuenta pesos por persona. Lo que sucede es que no llegamos a imprimir las nuevas —dice una señora sentada en un pequeño pupitre en la entrada del Museo del Che de Vallegrande.

Diez pesos bolivianos es un dólar con veinte centavos. El museo es pequeño y bastante pobre: hay fotografías del cadáver del Che, una reproducción de las piletas del hospital donde descansó el cuerpo, facsímiles de algunas cartas y recortes de periódico. Ocupa dos habitaciones del primer piso de una casona colonial frente a la plaza. Al salir la mujer nos pide que firmemos el libro de visitas; unas cuarenta personas han hecho lo mismo, cada mes, desde enero de 2007.

La lavandería está en los fondos del hospital: allí dos enfermeras dispusieron el cuerpo del Che para lavarlo y cambiarle la ropa. Hay dos piletas en el centro exacto de un cuarto de material con el frente sin puertas. Las piletas, el piso, las paredes y las columnas están tapadas de grafitis, dibujos y mensajes. El sitio es un santuario sin flores ni velas. Pasamos allí un largo rato en silencio, entre las voces de los grafitis. Hay algo patético y también algo profundo en ese sitio vacío, que parece, en realidad, la verdadera tumba del Che. Una tumba sin cuerpo presente.

—No sabíamos quién era —repite (por enésima vez, en cuarenta años) Susana Osinaga Robles, entonces enfermera del Hospital Nuestra Señora de Malta, quien limpió el cuerpo del Che.

Susana pidió cincuenta dólares antes de repetir su historia, y uno de sus hijos nos acercó un cuaderno para que anotáramos nuestras señas.

—Acá están todos los periodistas del mundo —dijo.

Sueña el Che:[2] *"No hay un verbo que lo exprese: no puedo decir que debo revolucionar, pero eso es lo que debemos hacer, revolucionar. Revolucionar y ya. No tengo tiempo. El hambre no tiene tiempo, la vigilia no lo tiene, la desesperación de los puños crispados tampoco. ¿Por qué no se dan cuenta de que no hay más tiempo? ¿Por qué bostezan? ¿Por qué tardan? ¿Qué esperan para salir ahora, para escupir fuego en la puerta de los ingenios, para quemar la zafra, para volcar los micros sucios y despintados? ¿Por qué no son capaces de expre-*

[2] Ídem.

sar ese asco que sienten, ese asco antiguo, de mierda refregada contra la ropa? No lo hacen. Creen que vamos a vivir siempre. Comen lo poco que hay, y todavía se ríen, y se cuentan historias de aparecidos en el monte y esperan que la vida cambie. Tampoco esperan que cambie demasiado. Esperan cambiar de pantalón, poder comprar otra camisa, esperan un nuevo delantal, ni siquiera sueñan con un perfume. Alguien les quitó hasta los sueños, o jamás los han tenido. Esperan un par de zapatos nuevos; yo les ofrezco la inmortalidad. No la quieren, no la necesitan, no la entienden".

Entre el alma y las sardinas

Santa Cruz, como el Infierno, está dividido en círculos concéntricos que sus habitantes llaman "cordones". El centro histórico de la ciudad es el primer círculo y sobre él convergen los demás. El octavo círculo no tiene las diez fosas del Dante ni alberga a los fraudulentos, sino a los más pobres: allí las calles no tienen nombre y el viajero debe guiarse por referencias, "al lado de la pinturería", "a unos metros del lapacho". Osvaldo "Chato" Peredo vive en el sexto círculo, en calles de tierra llenas de perros ariscos, vendedores ambulantes y ritmo vertiginoso.
—Mira la casa que tiene el comunista —dice Miki mientras estaciona el Lincoln con el aire acondicionado a medio punto de la congelación.
A la vuelta de la avenida principal se levanta una casa que desentona con el barrio: dos plantas, puerta sólida y alambres de seguridad, garita a pocos metros de la

entrada. En 1967 Chato estudiaba medicina en Moscú, mientras sus dos hermanos, Inti y Coco, peleaban en Bolivia junto al Che. Coco, como dijimos, muere en la campaña e Inti logra escapar. En su retorno a las montañas Inti asesina a Honorato Rojas, de los campesinos que los delataron ("Sin despertar a nadie alumbré a Rojas, que dormía abrazado a sus dos hijos, y 'puqui', lo maté", relata en el libro *Teoponte*). Coco muere en la tortura luego de tirotearse con el Ejército en una casa clandestina, y Chato quedó al mando del "segundo" Ejército de Liberación Nacional.

"Chato tomó el mando —escribe Jon Lee Anderson en *Che Guevara*— y con setenta y tantos estudiantes bolivianos, en su mayoría carentes de instrucción militar, tomó la remota ciudad minera de Teoponte, al norte de La Paz, cerca de la cabecera del río Beni. Después de unos meses de campaña, desorganizado, famélico y rodeado por el Ejército, el segundo intento de foco guerrillero murió en un torbellino de sangre y vidas derrochadas. Chato sobrevivió y en la actualidad es un prestigioso psicoterapeuta en Santa Cruz; su especialidad es llevar a sus pacientes de regreso al útero".

Chato es el presidente de la Fundación Che Guevara, el hombre de Evo en Santa Cruz y, también, quien organiza junto a Cuba las conmemoraciones, búsqueda e identificación de cuerpos y actos alusivos en la Ruta del Che. Tiene una mujer pequeña y amable y su hijo, corpulento pero tímido, sueña con estudiar periodismo en Buenos Aires. "Fue una decisión muy dura", monologa Chato cuando se le pregunta por los fusilados y las sardinas. "Pero ambos terminaron por admitir su culpa. Tenían remordimientos por la forma en que habían abandonado a Francisco, que horas después murió de inanición. Ellos mismos aceptaron la sentencia de ser fusilados."

Chato conoce, claro, la historia de la novela que al día siguiente presentaré en la universidad local: los desertores de la guerrilla de Masetti ni siquiera llegaron a serlo, fue el grupo el que imaginó que lo harían y decidió curarse en salud. "Frente a la debilidad de desertar puede mostrarse aún más debilidad frente al enemigo", sentenció Chato. La palabra "debilidad" me persigue desde el libro: ¿y si fueron eliminados por débiles? ¿Qué sucede con los débiles en la Revolución? "Lo mismo sucedió en la guerrilla del Che —abunda Peredo—, los desertores lo delataron. Bueno... se sabe la historia de Ciro Bustos, quien incluso la escribió. Y se supo, finalmente, algo de la historia de Régis Debray."

Piensa Masetti, Comandante Segundo:[3] *"No saben lo que son, no saben lo que quieren, no saben cómo lograrlo. Son una manga de nenes de mamá y papá, débiles, enfermos y suavecitos. Todo sería distinto de haber traído hombres. El cubano los mira como si fueran parte de un experimento científico. Yo ya ni los miro. Todo el tiempo quieren estar vivos, no entienden que ya están muertos. Lo dijo el Che: Ya estamos muertos. Pero no lo*

---

[3] Ídem. Jorge Masetti, periodista y comandante del Ejército Guerrillero del Pueblo (EGP), constituyó la guerrilla de avanzada del Che antes de su ingreso a Bolivia.

entienden. Nadie sobrevivirá. La manera de sobrevivir es vencer y la mejor manera de vencer es disponerse a morir. Vivimos tiempo de descuento. No lo entienden. Hay momentos en los que sueño con adelantarme e ir yo solo a enfrentar a las patrullas. Siento realmente que el hecho de que alguien me acompañe no hace demasiada diferencia. Puedo enfrentarlas solo. Y si no pudiera, nadie puede matarme dos veces".

Dejo el tema del tour de las almas para el final. Es una teoría fantasiosa y atractiva, pero se choca con que siempre, todas, fueron alguna vez Cleopatra. Se lo digo a Peredo pero no le hace ninguna gracia. Peredo cita el caso de un paciente con metástasis que, descubrió entonces, tenía 19 años en la Guerra de Secesión norteamericana y se había infectado entonces. Habla de Einstein, de células endodérmicas y mesodérmicas y de la regresión.

Se me ocurre una pregunta idiota: si ahora el mundo tiene seis mil millones de habitantes, ¿dónde estaban esas almas antes? Si las almas viajan, ¿el stock es siempre el mismo? ¿Hay almas en stand by? Peredo me dice, satisfecho, que no todas las almas reencarnan en lo mismo. Podrías haber sido Cleopatra, pero también un helecho.

Los asesinos

El asesino del Che se llama Mario Terán. Su superior, el general Gary Prado Salmón, relata que la escena estuvo exenta de la menor poesía. Gary Prado habla desde su escritorio, atiborrado de objetos, en un cuarto con las paredes repletas de cuadros. En todos los cuadros el general Prado está de pie, o a caballo, o desfilando o posando una sonrisa para la cámara. En la vida real, ahora, el general habla desde su silla de ruedas.

—El coronel Centeno recibió la orden por radio —recordó—. Le dijeron: no hay prisioneros. Entonces salió, con el coronel Ayoroa, y llamó a los suboficiales y sargentos que en ese momento estaban presentes en La Higuera. Eran siete. Se formaron en hilera, él los miró y les dijo: "Tenemos la instrucción de no tener prisioneros. Así que necesito voluntarios". Los siete se ofrecieron como voluntarios. Entonces fue el coronel Centeno el que dijo: "Usted allá y usted allá". Los dos tenían sus armas en la mano. Dieron la vuelta, entraron y dispararon. No hubo ningún discurso de despedida, como señala la fábula. El suboficial Terán abrió la puerta, disparó y cerró la puerta. Nada más.

La fábula no está hoy en las últimas palabras del Che, sino en el destino de Terán: dicen que está casi ciego, que vive paranoico y temiendo un atentado, que tuvo un hijo al que bautizó Ernesto, que no sale de su casa, que nadie sabe dónde vive. Dicen, también, que hace poco tuvo una seria crisis en la vista y que terminó haciéndose atender por unos médicos cubanos que cumplen un convenio de cooperación en un hospital de Santa Cruz. Que los cubanos jamás supieron a quién le estaban devolviendo la vista.

"Cuando pudimos confirmar que en efecto se trataba del Che, hubo una reunión entre los generales Barrientos y Torres en la que se discutió qué hacer con él: si lo llevábamos a juicio va a ser un alboroto. Ya el juicio a

Debray se había vuelto una causa célebre, y Debray no era nadie. Imagínese a Guevara, no va a acabar nunca. Pero aunque el juicio se llevara a cabo, sería condenado a... mínimo, treinta años, ya que en Bolivia no hay pena de muerte. Treinta años de cárcel. ¿Dónde lo vamos a tener durante treinta años? No hay cárceles de máxima seguridad en Bolivia. En aquel momento ni siquiera existía la de Cholchocolo, que se construyó después para los narcotraficantes. No había ni eso, eran todas cárceles de juguete. También habría, día por medio, intentos de liberarlo, iba a ser un problema eterno. Mejor ejecutémoslo, con vida, acá va a ser un estorbo. Así se tomó la decisión.

Prado relata monótono y molesto, es un tema que quisiera sacarse de encima pero que sabe que va a seguirlo hasta la tumba. Después habló de los cuervos: el Che llevaba dos relojes, uno en cada muñeca. Ambos eran Rolex. Uno era de él, el otro de Tuma, un guerrillero cubano que había caído en combate. A pedido de Prado, el Che identificó el Rolex propio con una equis tallada con piedra en la caja del reloj. El diario de viaje, la ropa, los objetos personales del Che terminaron en casas de empeño o remates prestigiosos. Prado usó el Rolex por veinte años hasta que, asegura, lo devolvió al gobierno cubano, que le envió un modelo idéntico pero sin uso.

El general corre el escritorio y nos acompaña hasta la puerta. Su esposa colecciona búhos, los hay por toda la casa: de cerámica, madera y metal. Hay en una mesa ratona un par de huevos falsos de Fabergé. La casa está demasiado limpia, y pareciera que nadie vive allí.

Es la hora irreal del atardecer, cuando el cielo se vuelve malva y violeta. Miki vuelve al hotel a toda velocidad. En la puerta de Los Tajibos desembarca un matrimonio europeo con pantalones cargo y mochilas, el parabrisas de la 4x4 lleno de polvo y barro. Vienen de la Ruta del Che, le comentan al coya que los ayuda a bajar el equipaje. Se los ve inquietos y felices.

♦

EL DÍA QUE MATARON A BIN LADEN

Desde Abbottabad

Todo lo que se esconde debe estar a la vista. La sentencia sirvió para Osama Bin Laden durante seis años, hasta la noche sin luna en la que dos docenas de comandos Navy Seals atacaron Bilal Town en un operativo de 38 minutos. Bilal Town es una especie de suburbio a Abbottabad, "la ciudad de las escuelas", a 120 kilómetros de Islamabad, un Campo de Mayo pakistaní con cinco escuelas militares y hasta banda de música marcial. La casa de Bin Laden está a tres cuadras de un retén que enarbola un cartel de "Restricted Area", al final de una calle que serpentea junto a una acequia de metro y medio. El mito la convirtió en mansión, aunque está lejos de serlo: las paredes altas y las ventanas inaccesibles son características de esta zona tribal del país. Pero la Xanadu del terrorismo no estaba aislada: imagínense un barrio de la provincia de Buenos Aires con decenas de casas vecinas, terrazas indiscretas y hasta un orfanato en la medianera del patio trasero.

—Dos veces por semana les llevaban carne —recuerda Ahmed.
—Paquetes inmensos de carne —gesticula su compañero del Hogar de la Esperanza.
—Y tres veces por semana venía el lechero.
—Pero no lo dejaban entrar. Dejaba varios litros en la puerta.
Los vecinos pueden reconstruir hasta la lista del supermercado, pero juran que nunca lo vieron y que los helicópteros, aquella noche sin luna, los tomaron por sorpresa.
Ahora la zona está sellada por el ejército y es imposible acercarse a menos de doscientos metros. La captura de Osama marcó también, en el barrio, el triunfo del cuentapropismo: hay quienes alquilan sus terrazas a los fotógrafos extranjeros, y los chicos se dedicaron a rescatar partes del helicóptero caído y abandonado por los Seals y las venden como trofeos del Muro de Berlín.
Amal Ahmed Abdullfattah, la más joven de las esposas de Bin Laden, confirmó a los servicios de inteligencia de Pakistán (ISI) que vivían allí hace seis años y que nunca bajaron de los pisos superiores de la residencia. Osama era enfermo renal y se dializaba tres veces a la semana: esto fue confirmado por fuentes de inteligencia extranjera a este diario en Islamabad, y se convirtió en una de las pistas que exploraban los norteamericanos. En las fotos del interior de la casa difundidas el primer día, pueden observarse algunos frascos de medicación, y una especie de máquina con una manguera; suponen que Osama se dializaba allí mismo.

El ISIS también tiene detenidos a ocho o nueve niños, y dispuso de los cuerpos de al menos tres personas que custodiaban al líder de Al Qaeda. Amal, nacida en Yemén, vivía con otras dos esposas de Osama, también detenidas, junto con su hija —que denuncia que el padre fue detenido y ejecutado— y el propietario que entregó la casa en alquiler.

En el extremo diagonal de la escena, en la Casa Blanca, el nombre clave de Osama Bin Laden era Gerónimo, como el jefe de los apaches, y antes, para la estación de la CIA improvisada en Abbottabad, en una casa vecina que recibía datos infrarrojos de satélites y aviones espía, Gerónimo era sólo una sombra alta bautizada "the pacer" (el que da vueltas, el que marca el ritmo).

—Gerónimo EKIA [abreviatura en inglés de "enemigo muerto en combate"] —dijo finalmente Leon Panetta, el jefe de la CIA, en la transmisión monitoreada por el gabinete de crisis y el presidente Barack Obama.

El líder de Al Qaeda tuvo varias muertes: primero armado y escudándose en una de sus esposas; luego desarmado, "aunque presentó resistencia"; después sin resistencia, pero buscando un arma. Su última muerte oficial lo muestra con un fusil AK-47 y una pistola Makarov en mano a la hora de enfrentar a Jack Bauer. En la última *remake* afirman que sólo el mensajero, el hombre que reveló el escondite, usó su arma. La historia del mensajero reflotó el debate eufemístico sobre la tortura: algunos afirman que en Guantánamo, otros en una cárcel secreta de Europa del Este, pero ambas versiones coinciden en que la punta del ovillo comenzó a tirarse cuando se conoció, mediante torturas, el apodo de Abu

Ahmed al-Kuwaiti, el mensajero de confianza. Panetta (a la espera de la confirmación del Senado que lo catapulte a la Secretaría de Defensa, aun a cargo de la CIA) admitió en un primer momento que el "waterboarding" (simulación de asfixia por agua) había tenido un papel decisivo.

Las hipótesis que navegan en este mar de contradicciones no han hecho más que echar leña al fuego: la "desaparición" a la argentina del cadáver (tirándolo al mar) viola las leyes del Corán y ha despertado en el mundo árabe una humillación gratuita. Al Qaeda ha pedido a los pakistaníes levantarse contra su gobierno, y afirmó en un comunicado que "la universidad de fe, Corán y yihad en la que Bin Laden se graduó no cerrará sus puertas, los soldados del Islam continuarán unidos, organizando y planeando sin descanso".

"Osama Bin Laden es el líder de una forma de pensar, no está solo. Es el organizador del régimen más grande del mundo", dijo un portavoz del Partido Islamista de Pakistán, Jamaat-e-Islami. "La felicidad de Estados Unidos se convertirá en tristeza." Sin mayores precisiones, el gobierno estadounidense informó que, dentro del material secuestrado en Abbottabad, se encontraron planes para atentar contra la red ferroviaria en ocasión del décimo aniversario del 11 de septiembre.

Algunos grafitis en Abbottabad convocando a la venganza, una marcha de algunos cientos en Karachi y una de más de tres mil personas en Egipto han sido hasta ahora las únicas reacciones visibles de la muerte de Bin Laden. Hace diez años, a poco del atentado contra las Torres Gemelas, estuve en esta ciudad y la foto del enemigo público número uno se exhibía con orgullo en los bares y los mercados. Hoy ya no es así, y el miedo parece haberse apoderado del país donde siempre reinó.

—Una parte de este país habla inglés, y la otra habla urdu. Son dos países distintos —comentaba un diplomático extranjero, lamentándose de lo intrincado del idioma local—. Yo no hablo urdu, y siempre sentís que te estás perdiendo algo.

Los 120 millones que hablan urdu saben de qué se trata. Algo está por pasar aquí, cuando no pasa nada. Anteayer, el viernes, se esperaban disturbios en un momento clave: la salida de la mezquita. Pero nada sucedió: ruido de cañerías, agua subterránea. El gobierno pakistaní habla inglés pero entiende urdu: sabe que sus únicas opciones son las de aparecer como incompetentes o como cómplices.

Y saben que, en urdu, no hay acusación peor que la de ser cómplices de los Estados Unidos. El asesinato de Bin Laden fue la frutilla de una escalada en el deterioro bilateral: un UAV (Unmanned Aerial Vehicle, vehículo aéreo no tripulado) norteamericano, tripulado por control remoto (también llamados "drones") mató por error a tres militares pakistaníes cerca de Peshawar, en la zona norte del país. Los UAV entraron 200 kilómetros en línea recta desde Afganistán, y en protesta Pakistán cerró por quince días su frontera. Distintas fuentes locales aseguraron a este diario que la presencia de aviones no tripulados o de "stealths" (stealth aircrafts, aviones furtivos: *stealth* significa "cautela") es constante en la zona de la frontera norte. Los stealth son aviones con superficies angulosas, invisibles para los radares. Invisible también trató de pasar Raymond Davis, agente de la CIA en Islamabad, hasta que asesinó a dos informantes del ISIS en Lahore: uno a quemarropa y otro por la espalda. Para colmo de males, la 4×4 de la embajada que acudió a su rescate en la escena del crimen, atropelló y mató a un ciclista en su camino: Davis fue detenido y los vertiginosos 4×4 escaparon. Todo se complicó cuando Davis exhibió su visa de turista, aunque la embajada norteamericana lo declaraba como miembro de su staff. El escándalo le costó el cargo al canciller pakistaní y Davis salió finalmente en libertad luego de pagar una indemnización a los familiares de los muertos. Entre la espada y la pared, el gobierno pakistaní también enfrenta las acusaciones de su vecino, la India, por los atentados en Bombay en noviembre de 2008, con 173 muertos y 327 heridos, cuando varios grupos comando desembarcaron en el malecón y comenzaron a disparar ráfagas de ametralladoras en los hoteles cinco estrellas de la costa. India identificó a los responsables como miembros del Lashkar-e-Toiba, un grupo islámico militante de Pakistán.

Hasta ahí, la espada. Del lado de la pared, los grupos religiosos no dan tregua: no es casualidad que Bin Laden encontrara refugio seguro en el norte del país, vecino a la zona tribal donde gobierna el MMA (Muttahida Majlis-e-Amal), una coalición extremista de partidos religiosos que acabó con la música, el cine, el alcohol y ha hecho aún más restrictivo el rol de la mujer. Víctimas de la Ley contra la

Blasfemia, fueron asesinados el gobernador de Punjab y el ministro de Minorías (católico), junto con su padre, enfermo cardíaco que no resistió las amenazas. Pakistán es el país musulmán más severo respecto a la blasfemia, y en el artículo 295 A de su Código Penal prohíbe los "sentimientos religiosos ultrajantes", el 295 B castiga la profanación del Corán con prisión perpetua y el 295 C prescribe la pena de muerte por "comentarios despectivos hacia el Profeta". El gobernador fue asesinado por un miembro de la policía de elite de Islamabad, que se convirtió luego en una especie de héroe nacional.

Salman Taseer, la víctima, había calificado de "ley negra" a la norma contra la blasfemia. Shahbaz Bhatti, el único ministro católico del país, fue asesinado en su auto, camino al trabajo, tras sus intentos de derogar la misma ley. La muerte aquí es cualquier cosa, pero nunca una sorpresa. "Siempre estaba esperando misiles crucero —escribió Robert Fisk, uno de los pocos periodistas que entrevistaron a Bin Laden, en *The Independent*—, también cuando yo me reuní con él. Había esperado la muerte antes, en las cuevas de Tora Bora en 2001, cuando sus guardaespaldas se negaron a dejarlo que se pusiera de pie y luchara, y lo obligaron a caminar sobre las montañas a Pakistán." Fisk recuerda que conoció a uno de los hijos de Osama, Omar: "Era un muchacho buen mozo y le pregunté si era feliz. Me respondió 'yes', en inglés. Pero el año pasado publicó un libro llamado *Viviendo con Bin Laden* y —recordando cómo su padre mató a sus amados perros en un experimento químico de guerra— lo describió como 'un hombre malvado'. En su libro, él también recuerda nuestro encuentro. Concluye que debería haberme dicho que no, que no fue un niño feliz".

El cielo del sábado se desploma y hasta los cuervos se han ido de Islamabad. Hay silencio y tensión. Los retenes se multiplican en las avenidas y la seguridad de los hoteles se duplicó: barreras, vigilancia de espejos en el motor del auto, baúl y capot abiertos, detector de metales. Cada tanto cae una lluvia caprichosa y breve. Odio este silencio. Siempre me imagino que algo está por suceder.

Persona no grata

Yo vivía en esa época en un primer piso de la calle Cerviño, con un árbol inmenso que tapaba casi toda la ventana del living. Lo que recuerdo de aquel día es el viento, y el ruido del árbol. El viento, el ruido del árbol y después la radio, que hablaba de un ataque terrorista al regimiento de La Tablada.

"Hay mujeres", dijo alguien en la radio. Tomaban ese dato como la confirmación de que no era una de las tantas crisis militares de Alfonsín. Después comenzaron a aparecer nombres conocidos: un grupo del MTP había intentado tomar el cuartel. Entre los atacantes había un cadete del diario. Hasta ese momento la relación del MTP y el diario era básicamente financiera; cada tanto el abogado Jorge Baños o el sacerdote Puigjané escribían alguna columna. Nunca, en aquel año, discutí periodismo o política con ellos. Varios ex integrantes del ERP estaban en la empresa: Hugo Soriani, un ex vendedor de camisas Chemea que manejaba la administración con Alberto Elizalde —aquel que se apropió de la marca—, Julio Mogordoy, en la distribución. Un abogado de trayectoria mediocre que con los años se creyó William Randolph Hearst, Jorge

Prim, había entrado al directorio por amistad con Francisco Pancho Provenzano y luego el propio Sokolowicz, entre todos —básicamente Soriani y Prim— manejaban los aportes. Nadie pensó que algo así podía pasar. Escribí el 24 de enero, al día siguiente, lo que aún sigue siendo mi hipótesis de lo que en realidad pasó: o locura autónoma del grupo o una operación de inteligencia del Ejército, al que le servía reavivar viejos fantasmas. *El Informador Público* y otros medios vinculados a los servicios comenzaron a publicar notas en las que se nos adjudicaba la "autoría ideológica" del hecho. Aquellas noches fueron una sola: Sokolowicz y yo nos mudábamos de hotel en hotel. Alberto Dearriba, nuestro cronista en el Congreso, me citó entonces en La Biela con un mensaje: el Ejército nos quería ver.

—Mañana, en La Plata —dijo.

A Fernando y a mí.

—Pero me dicen que si tienen una sola mancha no vengan, porque no salen.

A la mañana siguiente Juan Carlos "El Chueco" Mazzón, un operador político de Manzano, nos llevó hasta una base de inteligencia militar. Nos atendió un coronel de apellido italiano. Sokolowicz y yo frente al escritorio del coronel, Mazzón detrás de nosotros. En esos momentos de tensión, por increíble que parezca, mantengo la tranquilidad: era como un juego de inteligencia. El coronel bromeaba:

—Debe ser un amigo torturador que tengo —decía, antes de atender una llamada.

Tenía un sobre con decenas de fotos de La Tablada, me las exhibía preguntándome a quiénes conocía. La mayoría eran fotos de cadáveres irreconocibles. Cuando reconocía a alguien, el diálogo seguía:

—¿Y cómo se conocieron?

Y así.

Sokolowicz estaba enmudecido.

Estuvimos allí poco más de una hora. En un momento el coronel se levantó y nos acompañó hasta la puerta del despacho:

—Esta no es una confesión en la que yo soy un cura que los absuelve —me dijo, estirando la mano para saludar—. Por otro lado, Lanata, usted sabe que la institución le ha hecho la cruz.

Con un año y medio de vida, el diario se quedó sin financiación. A esa altura la circulación oscilaba los treinta mil ejemplares —habíamos vendido un promedio de veinticinco mil el primer año— y recién en el quinto llegó al punto de equilibrio. Pero manejar un proyecto "progresista" en la Argentina no era fácil: los mismos que no se animaban a ir a las asambleas en otros medios, en *Página* se sentían a diez minutos de la llegada al socialismo. Un día frente a un paro de toda la redacción sacamos el diario entre cuatro o cinco personas. Quiero decir: escribimos el diario, y me preocupé particularmente en no pegar cables de las agencias de noticias, sino en escribir las notas. La reacción de la redacción al día siguiente fue inolvidable: no podían creer que el diario saliera igual. *Página* fue, creo, el primer diario en el que se publicó, en una página doble, una columna de la Comisión Interna llamando a un paro y una mía explicando por qué no estaba de acuerdo. En medio de otro conflicto estuve a punto de publicar el staff completo con los sueldos de cada uno: ellos ganaban bastante más que los lectores, y quería mostrarlo. Finalmente alguien me convenció de no hacerlo. Todos los estereotipos enfermos de la izquierda fueron aplicados: asamblea durante el cierre por las persecuciones en Albania, paro de un par de horas en solidaridad con los compañeros de la zafra, etc. Incluso un paro de varios días porque una empresa que tercerizaba la fotocopiadora había despedido a una empleada. En el periodismo —donde después del día 28 el empleado es efectivo y, si se lo despide, cobra trece sueldos— la discusión gremial generalmente está entre tomar rehenes o fusilarlos. Mi experiencia en el área empezó años antes: ya me había declarado "persona no grata" la Comisión Interna de *Tiempo Argentino* por cubrir, para *El Porteño*, la toma del diario vinculado, en esos años, a la Coordinadora radical:

TIEMPO ARGENTINO. LO QUE EL DIARIO SE LLEVÓ

Noviembre de 1986

Fueron días que transcurrieron entre la bruma de la confusión, la derrota y la utopía. Los distintos grupos empresarios y políticos que manejaron el diario simplemente transcurrieron. Los trabajadores —a contramano de los tiempos— pusieron en discusión la posibilidad de la autogestión de los grandes medios.

El general Galtieri miraba la habitación con cara de niño tonto y extrañado. Sobre la media tarde, las cosas comenzaban a moverse: los muebles perdían las definiciones del contorno y él mismo se elevaba hasta el olvido de la noche. Se sirvió otro whisky y recordó de inmediato que debía firmar unos papeles. Esa mañana acababan de destituirlo y el despacho contiguo había sido discretamente vaciado.

—Bignone, Bignone —se repitió en voz baja mientras trataba de dibujar su firma. Bignone había estado en el directorio de Bridas. Bueno, él también era amigo de Bulgheroni, qué joder. Por algo ahora le pedían que firmara el traspaso del diario. El escritorio se movía casi imperceptiblemente y Galtieri se preguntó si todavía su firma serviría para algo. Uno de los papeles se deslizó hasta su bota izquierda:

—¡Papeles de mierda! —lo pateó.

—Todos quieren tener un diario, ¿se da cuenta? —preguntó desde atrás un joven trajeado y con voz condescendiente. No lo había visto entrar. Galtieri asintió con un gesto de desdén.

—Y este ya tiene su historia —seguía el joven mientras cerraba un maletín—. Usted sabe que el Negro Massera no lo quería largar por nada. Y antes lo de los Graiver... Mire... —Galtieri, sin escuchar, posaba su mirada sobre un pisapapeles—, lo mejor que podemos hacer es dejárselo a esta gente. Ya bastante costó. No sé si miró que hubo dos rechazos anteriores: el de la mina esa del Chaco y el del dueño del diario *El Sol*, de Santiago del Estero. Firmó los rechazos, ¿no? Perdón: general, ¿ya firmó todo?

—Sí, sí.

—Nos vamos, entonces.

Dos días más tarde Alejandro Bulgheroni, presidente de la petrolera Bridas, miembro del directorio de Texaco, propietario de Papel del Tucumán y una de serie de empresas medianas (químicas, helicópteros y navegación), subía a su oficina con la licitación adjudicada: se había ganado pagando un millón de dólares, el 10% del valor del diario.

—Páseme con los alemanes y con Burzaco —le dijo a su secretaria echándose sobre el sillón.

Los días más felices

El hombre que conduce ahora por Libertador no puede explicarse por qué los domingos se convierten en días tristes para casi todo el mundo. El sol ocupa los asientos y Raúl Burzaco piensa que los domingos se siente más cerca de Dios. Como si pudiera respirarlo, vivirlo. Y más ahora, cuando detiene el auto en Salguero y se dispone a subir en un edificio colonial. Todo marcha bien. Supo en la semana que fue aprobado el presupuesto en Alemania y que el diario comienza a tomar cuerpo.

—¿*Tiempo Argentino*? —pregunta Thomas Leonhardt, ex oficial de las SS y representante en el país de capitales alemanes: Bayer, Siemens, Osram.

—*Tiempo Argentino* —repite Burzaco, confiado.

—No está mal —dice Carlos, el hermano de Thomas Leonhardt.

—La idea —recomienza Burzaco, con voz alta y tomando dominio sobre la reunión— es lograr un diario empresario, por supuesto con buena información política. Sería algo parecido... —mira hacia la biblioteca y luego hacia el grupo— al diario *Ya*, de Madrid. En un par de semanas podemos tener el... arte, el diseño del arte.

—¿Pensó algo con respecto a las elecciones? —interviene Bulgheroni.

Burzaco sonríe.

—¿Alguien cree que pueda perder el peronismo?

Los meses siguientes fueron devorados por el proyecto. Burzaco convocó a Ricardo Cámara, hombre del peronismo de derecha, antes en *Siete Días*, y luego a los que serían los principales jefes de sección: Ernesto Schoo en Cultura, Claudio Lozano en Política. Fue luego Cámara quien decidió el resto de las incorporaciones: sus contactos con Guardia de Hierro fueron acercando varios periodistas.

Todo cerraba perfectamente: Bridas evitaba el cobro del papel a través de Papel del Tucumán, una de sus empresas, y los alemanes aportaban al funcionamiento periodístico. *Tiempo Argentino* se disponía a ganarle mercado a *La Nación* y *Clarín*. El diario tiraba unos 100 mil ejemplares, y la prosperidad parecía acompañarlo al punto de que algunos negocios "personales" se desarrollaban sin demasiadas trabas. Bridas "vendía" el papel a 580 dólares la tonelada, al doble del precio del mercado. Los rezagos de papel de bobina (que en los demás diarios se rebobinan para su uso posterior) eran en este caso vendidos a una empresa vinculada con uno de los "sectores" del diario: así, el administrador, Sergio Macera, podía mes a mes venderle a su padre el papel de rezago. Algo similar ocurría con los insumos gráficos y la papelería comercial: las hojas de papel pautado se encargaban a proveedores externos. Otros proveedores, no tan externos, proveían coches, remises, intermediaban en la distribución. Sergio Núñez, abogado de los Leonhardt, vendía paralelamente al diario un sistema de fotocomposición con nombre acorde: "Cometa". Los días más felices serían peronistas y luego de la elección seguramente se podrían conseguir subsidios.

Ahora, qué hacemos

La noticia de la derrota electoral de Luder cayó sobre Burzaco como una amenaza divina. Las semanas siguientes el diario fue ofrecido a peronistas de cualquier sector: Cafiero, Lorenzo Miguel, Guardia de Hierro. Todos se negaron a comprarlo. Los alemanes, en tanto, no se mostraban demasiado preocupados por la prosperidad de la empresa, y no iban a ser los hermanos Leonhardt quienes los llamaran para preocuparlos. Bulgheroni, redundante, olvidaba *Tiempo* temporariamente ante un nuevo caramelo: la posibilidad de convertirse en uno de los empresarios de Alfonsín.
A kilómetros del diario, el futuro parecía más próspero. Lo era, al menos, para Luis María Cetrá, quien en su frigorífico de pollos en General Rodríguez festejaba el triunfo de los radicales. Contrario a la costumbre empresarial de apostar a las dos campañas, Cetrá se había jugado en la interna con De la Rúa. Lo atraía ese porte serio, casi farmacéutico del candidato. "Un hombre así no puede hacer un mal gobierno", pensaba antes de las

internas. Después, con el triunfo de Alfonsín, Cetrá prefirió ampliar la mira. Sin embargo jamás habría pensado que sobre mediados del 85 cambiaría los pollos por el periodismo. Y no pensaba que fuera cierto hasta que traspuso las puertas de Lafayette 1910 con su abogado, García Laredo, para interesarse en la compra de *Tiempo Argentino*.

—Usted comprenderá que nosotros necesitamos un diario —Cetrá asentía complacido mientras le hablaba Enrique "Coti" Nosiglia, líder de la Coordinadora Capital— y que necesitamos también gente de confianza que lo administre. Yo, le voy a ser sincero, Cetrá, no leo el diario ni miro televisión —agregaba Nosiglia desajustándose la corbata— pero hay gente de confianza y de vocación democrática que me dice que usted parece ser el hombre indicado para manejar esto.

Para manejar esto. Las palabras le rebotaban mientras subía con Burzaco al primer piso del diario. Había que arreglar detalles, lograr que a la brevedad la auditoría norteamericana tuviera en claro todas las cuentas. Y discutir los términos del acuerdo: la Coordinadora tendría un 15% del paquete, y el resto seguiría repartiéndose entre Bulgheroni y los alemanes. Pero no se pondría dinero hasta que el diario fuera racionalizado. Los norteamericanos decían que el diario tenía exceso de personal, había que reducirlo a 250 personas y había 570. "Hay que lograr un equilibrio de personal similar al de *La Opinión* en la última época", recomendaban los auditores. Cetrá subía las escaleras hacia el primer piso tratando de memorizar los términos del acuerdo.

Llegó algo agitado pero sonriente: si todo marchaba bien, se podría controlar el diario sin invertir un peso. Era cierto, la Coordinadora estaba dispuesta a autorizar créditos. Pero eso tiene que ver con la política. Interregno. Se preguntaba dónde había aprendido esa palabra; quizá en el colegio secundario. Quería decir... quería decir el tiempo entre un reinado y otro. Claro, interregno. Pensó que era una lástima que en el colegio no le hubieran enseñado lo más importante de los interregnos: los juegos de presión y las movidas difíciles. Los cambios en un diario eran parciales y lentos. Cada nueva persona era una batalla ganada. Tuco y Tico, así habían bautizado en el diario a los Leonhardt. Cetrá sabía desde su llegada que Nosiglia quería sacárselo de encima. Y también a Burzaco, lo que en aquel momento parecía más difícil. Por lo menos desde la Nochebuena del 85 le habían prohibido escribir editoriales. Y también se había podido echar 50 colaboradores. Las movidas del interregno. Sobre comienzos del año comenzaban a ser más favorables. El radicalismo comenzaba a mover su gente en la estructura del diario: Jorge Palacios (ex gerente periodístico de Radio Belgrano durante la gestión Divinsky, alguna vez cercano al MID), Fernández Canedo (ex asesor de Jesús Rodríguez), Claudio Polosecki (antes miembro del PC, ahora ligado a la Coordinadora, quien ingresaba al diario para hacerse cargo de un proyecto informativo de Canal 11, manejado por Moreau), Eliseo Álvarez (ex jefe de prensa del ministro Aldo Neri). Los avances podían justificarse: a esa altura la Coordina-

dora había logrado un crédito del BID para la compra de nuevas rotativas.
Luego se logrará una moratoria en las deudas previsionales del diario, y otros créditos no tan importantes en los bancos Provincia, Shaw y en mesas de dinero. Con el pasar de los meses, y movida la pieza más importante del interregno (la salida de Burzaco, a quien se le pagaron tres millones de dólares por la marca *Tiempo Argentino*) la única preocupación de Cetrá pasa a ser la racionalización. Paralelamente, sin embargo, autoriza la contratación de Maradona para comentar el Mundial: 60 mil dólares y un periodista para que le escribiera los artículos. Ganado el campeonato, Maradona no cumple una parte del contrato: prefiere ir a festejar a *Clarín*. Semanas más tarde *Tiempo* se "vengaría" con la crotoxina. Son los primeros en tener la noticia y en montar el show. Cetrá se despreocupa de los asuntos periodísticos: necesita 100 despidos. Lo plantea y sale de vacaciones a Las Leñas.

Casa tomada

La noche del jueves 25 de septiembre Julio Torres Cabanillas, jefe de información general, salía del diario con destino a algún café del centro. En la vereda cruzó un par de palabras con uno de los gráficos. El tema era necesariamente el de las elecciones en el gremio, que habían terminado esa noche. "¿Habrá ganado Subiza?" Uno de los integrantes de la comisión interna del diario presidía una de las listas: Roberto Gasparini, hombre del peronismo de derecha. La tercera lista había sido fruto de una división: Eduardo Jozami, junto a sectores del peronismo renovador y la izquierda, enfrentaba a Carlos Subiza, hombre del PI a cargo de una lista pluralista. "Subiza está presionado por la Coordinadora." "Jozami está enganchado con las 62." "Gasparini había entregado el conflicto" en el diario *La Época*. Durante toda la semana el tema de la elección había sido excluyente. La cuarta lista estaba compuesta también por gente de *Tiempo*: Nelson Marinelli y el pelado De la Fuente, del Partido Obrero.

"Cuando se dividen, gana la derecha o la gente no vota." Algo de eso estaban comentando cuando Torres levantó la vista hacia el primer piso del diario. A contraluz se amontonaban cajas con expedientes. O cajas, al menos, ya que la luz no era demasiada y era insólito aquello de que en la administración alguien estuviera trabajando hasta la madrugada. Miró la hora y era tarde incluso para extrañarse. Subió a su auto y se perdió por Vélez Sarsfield rumbo al Congreso.

—Buen día, señor —dijo entre irónico y respetuoso uno de los empleados de limpieza el viernes 26 por la mañana, saludando a Carlos Leonhardt. Después siguió frotando con el escobillón y preguntándose qué harían los jefes desde tan temprano.

Jorge Palacios, jefe de redacción, llamaba al sindicato para averiguar el resultado de las elecciones. Leonhardt se había encerrado en su despacho desde la media mañana. El diario estaba desierto. Después de aquella frase comenzó la avalancha. Los delegados subieron al despacho de Leonhardt ante la boca abierta de la secretaria. Alguien había dicho: "Se llevaron los legajos". Leonhardt guardaba la compostura y anunciaba el cierre.

—No se puede seguir.

—¿Qué dijeron?

—Que cerramos, que no se puede seguir.

Con el correr de la tarde se les fue perdiendo confianza a los relojes. Nadie sabía muy bien cuándo había comenzado todo, y la realidad se iba cayendo encima de los que llegaban. El diario cerraba. Junto al tiempo desapareció la geografía: los límites de secciones y oficinas fueron desapareciendo tras los grupos que conformaban corrillos en toda la redacción. Algunos se sentaron a la máquina y trataban de actuar el periodismo como si nada sucediera. Había que sacar el diario de mañana. Entrando a la cuadra, Julio Torres entendió qué contenían las cajas del primer piso.

—Expedientes, son expedientes de todo el personal. ¿Para qué les sirven? Con una computadora mandan quinientos telegramas en veinte minutos.

Los alemanes querían que la Cordi pusiera su parte. Son alemanes pero no boludos, viejo. Se llevaron varias bobinas de papel. Los datos se cruzaban, se anulaban, aparecían. Alguien arrancó de una pared el afiche del Superconcurso. Esa noche *Tiempo* entregaba en Martínez 100 mil australes en efectivo y centenares de premios. Se televisaría el domingo por Canal 13 con la conducción de Juan Alberto Badía, que cobraba seis mil australes por el trabajo. Esa noche el tiempo de la televisión gambeteaba de lejos la realidad. En el estudio televisivo de Goar Mestre unas cincuenta personas compartían la ansiedad de la entrega. Si en ese momento alguien hubiera entrado al estudio diciendo que el diario cerraba, todos habrían reído pensando en una broma de mal gusto. Esa noche en Martínez, el diario joven de cada día entregaba al ganador de los 100 mil australes un cheque de plástico inmenso. El cheque real le sería entregado el lunes en el diario. César Sorkin, ex director de *Siete Días*, y uno de los encargados de la publicidad, miraba complacido a Sandra Mihanovich. El concurso había andado sobre ruedas.

—¿Ahí hay una radio? —le preguntaban desde el diario a Silvia Triñanes, que cubría la nota del concurso.

—Si llega a haber una radio, que no pongan ni locos Radio Mitre que le está dando manija al cierre del diario. ¿Cómo, no sabías nada? Parece que cierra, que no se enteren los del premio que se arma flor de despelote.

Sorkin aseguraba en voz baja que se trataba de una confusión. El diario no podía cerrar, y menos cuando Badía —qué bien que lo dijo— presentaba impecable la entrega de los relojes. Sesenta relojes. Y ninguna flor, pensó Silvia Triñanes y se volvió al diario.

En la redacción de *Tiempo* el ambiente era excitado y confuso. Algunos decidieron refugiarse en el comedor, la comisión interna planificaba desde uno de los despachos la tensión de los próximos días. Otros se empecinaban en el cierre.

Julio Torres se peleaba con uno de los títulos de tapa.

—¿Qué ponés?

—Nada, esto del basurero nuclear en Gastre. Tienen que ser tres líneas. ¿Sabés algún sinónimo de "basurero"?

—Repositorio.

—Horrible.
Intentó las tres líneas: Anuncian creación de basurero nuclear.
Sobraba. No entraba "nuclear". Otra vez.
En Gastre: anuncian creación de basu
Sobraba de nuevo. De nuevo. Tres líneas y el diagramador que insiste en tres líneas. ¿Dónde se fue todo el mundo?
Repositorio nuclear en el sur.
Quedaba corto. Faltaba una línea. "Repositorio" suena a supositorio. Ahora habrá que salir a buscar otro laburo.
La CNEA anunció la creación de un
Muy largo. Cierra el diario. Se llevan los expedientes. Nos rajan a todos.
En Gastre: anuncian instalación de un basurero nuclear.
Instalarán repositorio en el sur. Parece un telegrama. Cierra el diario, la reputa que lo parió, cierra el diario.
El sábado 27 Thomas Leonhardt salió de *Tiempo Argentino* pero dispuso antes, en algún lugar visible, un comunicado sin firma que daba cuenta del cierre. Pasó por delante de la decena de personas que se habían quedado allí a pasar la noche y no volvería sino hasta tres días después. El diario quedaba a cargo del personal de seguridad. La noticia ya había trascendido a todos los medios. La comisión interna vivía en estado deliberativo y las asambleas con todo el personal se multiplicaban.
—El diario no está tomado, estamos manteniendo la fuente de trabajo —diciéndolo en la asamblea, el pelado

De la Fuente sabía que la diferenciación no era ociosa. La posible intervención de la policía o de la guardia de infantería se tambaleaba en el futuro. Por otra parte, estaba claro que el Ministerio de Trabajo intercedería a favor de la empresa. Esa tarde, luego de una reunión, se decidió seguir sacando *Tiempo Argentino*. Había algunos problemas con la distribución del diario en el interior, pero podrían evitarse. Había papel para seis o siete días de edición normal.

Esa noche el diario pudo cerrarse más temprano que nunca. A las doce salían los camiones para distribuir los 48 mil ejemplares del domingo. El tema del conflicto ocupaba las páginas dos y tres. Se lo relataba prudentemente. Luego de la edición se imprimió el primero de una serie de ocho boletines: el *Tiempo de los Trabajadores*, que se distribuiría en el gremio y los medios. Por la noche llegó la guardia de infantería sin orden del juez.

—¡Y Tiempo no se va y Tiempo no se va! —coreaba la redacción mientras se resistía al desalojo con una sentada. Antes de la una de la mañana *Tiempo Argentino* estaba en los kioscos del centro.

La clase obrera va al paraíso

—¿Cuántos dijiste?

Nueve avisos que se recibieron para la edición del lunes. Era demasiado bueno y era cierto. Los espacios de publicidad no habían sido levantados, contra lo que podía suponerse. La felicidad se parecía demasiado a ese momento. Alguien comentó que el domingo, en la cancha de boca, Gatti dio la vuelta olímpica con una bandera de *Tiempo*. Los llamados y la solidaridad se multiplicaban. Paralelamente, se desarrollaba el juego político: Manzano había presionado a Tróccoli y Suárez Lastra para que aparecieran los Leonhardt. Comenzaban las reuniones en el Ministerio de Trabajo, en habitaciones separadas y con un intermediario que hacía las veces de correo: Gómez Isa, director de relaciones laborales.

A la una de la mañana del lunes, César Jaroslavsky, titular de la bancada radical de la Cámara de Diputados, llegaba al diario prometiendo que Carlos Leonhardt aparecería en media hora, si estaban dispuestos a dialogar. Veinte minutos más tarde, Leonhardt salía de la Comisaría 30.ª con destino a *Tiempo*. Allí había estado esperando la llamada de Jaroslavsky.

—Acá hay que agarrar las indemnizaciones.

—Hay que seguir con la toma, viejo, el costo político lo tienen que pagar los radicales.

Los diputados entraban y salían del diario con dobles discursos. Comenzaban también las negociaciones paralelas. Roberto Gasparini se reunía en un estudio de Paraná al 400 con los abogados de Leonhardt. Horas más tarde comenzaría una extensa reunión de nueve horas, de la que también participaría Gasparini —pero ahora junto al resto de la comisión interna— y que consagró un principio de acuerdo de siete puntos. El primero era definitorio: había que desalojar el diario.

Paralelamente, los medios bombardearon el conflicto. Magdalena Ruiz Guiñazú se preguntaba qué habría pa-

sado si, en cambio de un diario, se hubiera tratado de una fábrica de galletitas. En una reunión de AEDBA (Editores de Diarios), *Clarín* y *La Nación* votaban por la no-intervención en asuntos de la empresa privada. De última, estos señores son unos irresponsables —aseguraban los representantes de los grandes diarios—, dieron aumentos por encima del convenio y ahora no les alcanza la plata.
Del diario ya habían desaparecido los periodistas del interregno. Pablo Giussani —uno de los columnistas, autor de alguno de los discursos del presidente— llamaba esa tarde para preguntar si "todo estaba bien". Del otro lado del teléfono hubo una sonrisa. Acordó entonces enviar su columna como todas las semanas. Una hora más tarde llegaban cuatro hojas pautadas con un comentario sobre el último documento de las Madres. Giussani se preguntaba si el documento no desestabilizaba la democracia. La columna se discutió. La comisión interna decidió que la nota no saliera. Una semana más tarde Pablo Giussani volvía a *La Razón* a ocupar su columna.
Era confuso el sentimiento de poder sacar el diario, pero aún más lo era el de poder decidirlo. Periodistas de diez o más años de profesión, ex idealistas, burócratas, acostumbrados a vengarse en una línea, en lo críptico, en lo romántico, sentían que en esos días eran responsables de lo que pensaban. El diario, sin embargo, no había cambiado mucho. Era difícil, en un par de días, empujar algunos vicios y otras costumbres por la máquina del tiempo. Algunos comenzaban a pensar en la indemnización. Otros, simple-

mente, tenían miedo de la entrada de la policía. Una cosa es cubrir los golpes y otra recibirlos. La mayoría, sin embargo, se afincaba en el sueño. La noche del martes comenzaba la enésima asamblea. Se discutía si cesar o no la ocupación. Algunos hablaban cancelando el sueño.
Tenemos todo en contra, hay que ser realistas.
La asamblea era un retrato del país si este pudiera concentrarse en una redacción de cincuenta metros. La tibia inseguridad de las indemnizaciones sobrevolaba la asamblea. Hay que reconocer que se perdió, y dejarse de joder. Ellos tienen el poder. A mí me cuesta decir esto... de a uno, fue pasando toda la comisión interna. Avalaban la propuesta de siete puntos que se había elaborado con la patronal. Alguien volvió al sueño: "Compañeros, hay que decidir si se saca o no el diario".
Eran las tres de la mañana y desde la redacción se escuchaba el motor de los camiones de distribución saliendo de la planta. El diario ya no salía.
Al piso miraban caras cansadas. Al piso miraban también algunos llantos. Nelson Marinello propuso aceptar los siete puntos pero no desocupar el diario. Nuevos discursos realistas.
Estamos cansados de los revolucionarios de café.
Una periodista de unos cuarenta años, vestida de jogging, seguía la asamblea parada sobre uno de los escritorios. Bajó la vista pensando que había perdido de nuevo. Al otro día habría una marcha del gremio en solidaridad, y se proponía desocupar el diario saliendo hacia la marcha.

"Loco, están entregando el conflicto", comentó indignada una periodista y la asamblea se llenó de chistidos. Alguien recordó la reunión de Gasparini en el estudio de la calle Paraná. El resto de la comisión interna medía cada palabra, como si le costará seguir diciendo: tenemos que votar. Si no había más oradores... finalmente el sueño no se resquebrajó: la asamblea votó una propuesta conjunta, quedarse y empezar a negociar. Eran las cinco de la mañana del miércoles.

Intervalo

La jueza Silvia Funes Montes de Delich, ex esposa del actual secretario de Educación, sale al mediodía del miércoles con destino a *Tiempo Argentino*. Debe hacerse efectivo el desalojo. La guardia de infantería llegará minutos más tarde tapeando la entrada y dejando 200 personas dentro de la redacción y el desalojo suspendido. A las primeras horas de la tarde la esquina de Lafayette al 1900 se llena de periodistas. Muchos vienen de la marcha del gremio. Se sientan sobre la vereda y la calle, y todo parece un festival de rock custodiado por la policía. La Unión de Trabajadores de Prensa convoca a un paro general del gremio, y los resultados son asombrosos: se llega a parar en Radio Nacional, que desde los últimos veinte años no se plegaba a un conflicto, y adhieren medios que no están en la jurisdicción de la UTP: Radio Universidad de La Plata y Canal 2.

Esa tarde el diario es un desfiladero de diputados, políticos, dirigentes. Los tragaluces laterales, que dan a la redacción, son el único conducto de comunicación con los doscientos de adentro. Se pasan alimentos, bebidas, cartas, salen tubos de teléfono, alguien al pasar piensa que la escena es similar a la de una cárcel tomada. Nosiglia, Alfonsín y Suárez Lastra están reunidos en Olivos. Jaroslavsky se agrega a la reunión, y saldrá horas más tarde con destino al diario. A las seis de la mañana del jueves el Ministerio de Trabajo dicta la conciliación obligatoria. Por un período de veinte días se concretarán reuniones entre la empresa y la comisión interna. El diario se desocupa al mediodía del jueves 2. Al salir, alguien recuerda los trecientos despidos posteriores a la toma de Ford.

La nota de *El Porteño* sobre *Tiempo* hizo que la comisión interna del diario me declarara persona no grata; al poco tiempo la toma terminó, el diario cerró y los empresarios, como siempre, cayeron parados.

Otras dos experiencias similares, gracias a Dios, pude vivirlas desde afuera: el despido de sesenta personas de *Página* cuando ingresó al diario el Grupo Clarín (yo me había ido meses antes, aunque pude ver y escuchar, cuando se discutió en el directorio aquella posibilidad, a Prim, Soriani y Tiffenberg asegurando que "nunca iban a avalar despidos masivos") y el cierre de *Crítica*, un año después de mi renuncia al diario. En este último mi experiencia fue peor: vendí una casa para entrar como inversionista, luego fui licuado por las pérdidas y terminó licuando mi parte Antonio Mata, ex presidente de Aerolíneas. Mata había entrado a *Crítica* poco antes de la salida a la calle del diario: tenía la obsesión de negociar con Néstor la habilitación de Air Pampas, una aerolínea privada de cabotaje. Hoy Mata está detenido por maniobras fraudulentas con el Grupo Marsans, en España. Precisamente por diferencias con Mata y con su adlátere local, Carlos Matheu, terminé yéndome de *Crítica* un año antes de su cierre. La historia de *Crítica* ya estaba marcada: a los pocos meses de estar en la calle entró a mi oficina Artemio López, titular de la consultora Equis, una encuestadora paraoficial.

—Vengo de verlo a Néstor en Puerto Madero —me dijo. Kirchner ya no era presidente y tenía allí su centro de operaciones.

—¿Y?

—Dice que te va a fundir.

Y, quizá por primera vez, Néstor mantuvo su palabra: los ministros llamaban por teléfono a nuestros pocos avisadores para pedirles que levantaran las campañas pautadas. Alfredo Coto —que había pautado hasta fines de aquel año— me llamó para ofrecerme el efectivo sin que los avisos fueran publicados.

—No puedo aceptar, Coto. Eso sería extorsión.

Una vez fundidos y conmigo afuera, el gobierno intentó una compra indirecta a través del Grupo Olmos gestionada por uno de nuestros redactores, Alejandro Bercovich. También la comisión interna propició diálogos con Szpolski y otros grupos oficiales. Finalmente ninguno prosperó y la mayoría de la redacción fue absorbida por los medios K que estaban en la calle. Al día de hoy, seis años después, algunos militantes sostienen como lugar común mi responsabilidad en el cierre del diario, aun siendo público que me fui un año antes. Frente al dato cierto, lo que se me exige es ser responsable de "haberlos levado allí", como si se hubiera tratado de un grupo de menores necesitados de un tutor y defraudados por él. Mientras trabajaba para este libro, entontré un texto que relata los hechos de *Crítica* de manera realmente objetiva. Está firmado por Ángel Casco (que presumo seudónimo, ya que no encontré más de dos o tres artículos escritos por él) en bonk.com.ar, Trabajos Prácticos, editada por Huili Raffo. Me puso feliz encontrarlo. Lo que sucedió con *Página* y luego con *Crítica*, básicamente, molesta por la miseria de algunas personas pero también por el silencio del resto: todos los que me golpean el hombro para decirme "qué injusto, Jorge" no fueron capaces de escribir una palabra que lo rectificara, ni con su nombre real, ni con seudónimo. Aquí la nota del 15 de octubre de 2012:

Sobre el cierre de *Crítica de la Argentina* y la responsabilidad real de Jorge Lanata

La historia del cierre del diario *Crítica* tiene muchos lugares oscuros. Lo que voy a contar es algo así como una introducción. Queda una gran cantidad de preguntas por responder, como por ejemplo si hubo entre la comisión interna del diario y el gobierno nacional algún acercamiento previo.

Es consenso entre los periodistas "progres" que Jorge Lanata "se dio vuelta", "se vendió", etcétera. Basta con revisar sus columnas desde el inicio de su carrera hasta hoy para darse cuenta de que los cambios en sus ideas son los lógicos de cualquier persona a lo largo de poco menos de treinta años. Fue él quien estuvo al lado de Hebe de Bonafini cuando la titular de Madres de Plaza de Mayo rechazó las indemnizaciones que el gobierno de Carlos Saúl Menem propuso y finalmente dispuso para las familias de los desaparecidos (una de las grandes causas de disgusto entre Hebe y Carlotto, por ejemplo). Lanata sigue pensando igual, y su enfrentamiento con Bonafini proviene simplemente de lo mismo de lo que la acusa Osvaldo Bayer —alguien a quien difícilmente se puede colocar en el lugar de "vendido"—: de haber hecho de una causa justa y nacional la bandera de una corriente interna de un partido político. Hebe con Boudou, Hebe con Moreno, Hebe con Miceli son imágenes que contradicen aquella lucha. De todos modos, son cosas que pasan en el devenir político: lo que es cierto es que Lanata, respecto de los principios y las causas, no cambió de opinión.
En los primeros tiempos del diario *Crítica*, e incluso antes, era menester que aquellos llamados a la magna tarea —incluso algún ganapán a quien Martín Caparrós, equivocadamente, endulzó el oído diciéndole que era "el mejor periodista de la Argentina", algo que no es porque, además, la categoría no existe— dijeran "me convocó Lanata" o, más familiarmente, "me convocó Jorge". Hay algo de divorcio mal digerido, de ego atravesado en el "odio a Lanata" de muchos de quienes formaron parte de esa redacción. Sin embargo, estas también son debilidades humanas. El primer

punto que quiero aclarar aquí es por qué "Jorge" no tiene nada que ver con el cierre del diario.

Es cierto, como dijo varias veces, que se equivocó en el plan de negocios. Pero es mucho más cierto que los primeros en desertar del barco y vender sus acciones a Mata fueron los abogados encabezados por Gabriel Cavallo, quien además dedicó un emotivo mail a la redacción explicando su partida. A partir de allí, los únicos sostenes económicos del diario eran Lanata, el farmacéutico amigo del poder Marcelo Figueiras (que hizo una enorme fortuna por vender Tamiflú al Estado nacional y a China en plena crisis de gripe A; de su responsabilidad en el cierre hablaremos luego) y Mata. Se dependía de la publicidad más que de la venta en kioscos.

Poco a poco, en la medida en que la pauta oficial raleaba, o bien enviaban avisos que no se pagaban, los inversores fueron volcando dinero al diario. Es cierto que Lanata perdió en el diario una propiedad valuada en 600 mil dólares, y es cierto también que, para sostenerlo, fue vendiendo sus acciones en el diario a Mata poco a poco, hasta que quedó en minoría.

El interés de Mata era tener un diario para atacar a Ricardo Jaime y sacarle finalmente la licencia para que la línea aérea Air Pampas pudiese operar en el país. Es cierto también que el diario atacó con ferocidad —y pruebas, esto también es cierto— a Jaime. Mata calculó mal y jamás tuvo la licencia, pero eso es otra historia. Lo que sí es importante es que cuando Lanata se vio sin poder en el diario, decidió dejar la dirección periodística. Para entonces, el diario prácticamente no le pertenecía. Permaneció unas pocas semanas como editorialista, hasta que nuevos roces con Mata y los suyos lo obligaron a irse definitivamente.

El día en que cayó la noticia, un año antes del cierre del diario, hubo una asamblea improvisada donde muchos querían parar el diario. Fue la primera vez que se amenazó con dejar de salir, aunque primó la cordura: que el director periodístico de una publicación dejara su cargo no era razón para dejar de trabajar. El diario salió a la calle.
Para poner en blanco sobre negro: cuando *Crítica* cerró definitivamente, Lanata no tenía la menor acción en el diario. No tenía la responsabilidad en el pago de los salarios, y de hecho el diario continuó un año entero más. Hubo idas y vueltas. El segundo de Jorge, Guillermo Alfieri, quedó interinamente a cargo hasta que más presiones sobre la línea editorial lo obligaron a su vez a renunciar.
La dirección final recayó nominalmente en Daniel Capalbo, hasta entonces responsable de la web. Pero convocó antes a los prosecretarios de redacción y a los editores para pedir que la auténtica dirección fuera responsabilidad de un comité, que se constituyó con un voto de confianza hacia Capalbo. Lo que sucedió entonces fue que, para muchos, la salida de Lanata mejoró el diario. De hecho, después del lógico sacudón por la salida de quien había puesto su nombre, apellido y estilo en cada ejemplar, la circulación se recuperó y *Crítica* vendía la misma cantidad de ejemplares que en su primer año. Ocasionalmente, un poco más. Nunca suficiente, también es necesario decirlo.
Cuando algunos periodistas hoy purísimos defensores del proyecto nacional y popular culpan a Lanata por "haber dejado familias en la calle", mienten a sabiendas. Es cierto que Lanata no expresó luego solidaridad alguna cuando el diario dejó de salir y se

estableció un plan de lucha. Pero mal podría haberlo hecho cuando en gran medida eso correspondió a una jugada del gobierno para que dejase de salir. No debería culpárselo por estar enojado al menos con una parte de la redacción, especialmente con la comisión interna.

Las deudas a colaboradores, los pagos parciales de salario, la extensión de las negociaciones por recomposición salarial comenzaron con Mata, no con Lanata. La primera comisión interna se formó unos meses después de comenzar a salir el diario, y la primera negociación por aumento salarial se resolvió, con Lanata, en una semana. Sí había problemas, tensiones, salidas y entradas de periodistas, como en cualquier medio y mucho más cuando se trata de un proyecto tan grande y ambicioso. No vienen al caso y no fueron en ningún modo causa de nada: la comisión interna sabe que la primera negociación y la única que se llevó adelante con Lanata fue rápida, razonable y exitosa.

La segunda comisión interna sólo tuvo, respecto de la primera, el cambio de un integrante. Básicamente, los trabajadores le dieron un voto de confianza a quienes ya habían pasado un año representándolos; de hecho, no hubo lista opositora. El arranque de esa comisión llevó a una negociación más difícil, trabada, compleja, con constantes idas y vueltas al Ministerio de Trabajo. En esto, seamos justos, la responsabilidad de los representantes de los trabajadores fue ínfima: simplemente la empresa (Mata) no quería saber nada con recomponer un salario afectado ya por la "inexistente" inflación que el propio diario se encargaba de difundir y que estaba por encima del número feérico que disponía y dispone mes a mes el INDEC intervenido.

Respecto de Figueiras, el farmacéutico quiso en algún momento, cuando ya el diario había dejado de salir, quedarse con el diario en lo que en los Estados Unidos se llama un "hostile takeover", en criollo, comprándole a Mata lo que había por chaucha y palito. Pero además quería que el diario cambiase su línea editorial para volverlo amigo del gobierno. Se decía y se repetía en asambleas que, de darse esa condición, el diario cobraría no sólo la pauta adeudada (aún en parte al cobro mientras continúa el proceso de quiebra de Papel 2.0) sino que se aseguraba más ingreso gracias a la amistad de Figueiras con el gobierno del FPV, a cuyas campañas siempre ha aportado dinero.

La responsabilidad de la comisión interna en el cierre del diario no es en absoluto menor, pero hay aún muchos puntos oscuros que —nobleza obliga— sólo se intuyen y son improbables más allá de los recuerdos de quienes formaron parte de las asambleas y oyeron. Para resumir algo, digamos que negociaron constantemente con el gobierno que apareciera algún "inversor" para hacerse cargo del *Titanic* antes de que terminase de hundirse. El primero en aparecer, incluso antes de que estallara el conflicto, fue Sergio Szpolski, quien quería tener el diario para darle al gobierno un medio todos los días. No lo logró aunque hubo muchas conversaciones bajo cuerda. Finalmente, Szpolski logró sacar el propio diario, *Tiempo Argentino*, tomando como base a muchos redactores de *Crítica*, curiosamente o no, varios que estaban muy de acuerdo con el Gobierno.

Más tarde aparecieron los hermanos Olmos, abogados mendocinos relacionados con la UOCRA y dueños del diario *Crónica*. La idea era que los Olmos compraran *Crítica*, la sacaran y morigeraran apenas la línea editorial contra el gobierno, algo que de todos modos no iba a ser así. En las asambleas se hablaba de cuánta gente estaban dispuestos a tomar, con cuánta pauta oficial el gobierno iba a "premiarlos" si se hacían cargo de lo que ya se transformaba en un lastre político, etcétera. "Casi" estaba todo cerrado, hasta que Aníbal Fernández en persona —así se narró en asamblea— dijo que la propia presidente estaba en contra de que siguiera saliendo ese diario con ese nombre. Todo para atrás, cierre definitivo, pesar absoluto. Sin embargo, los Olmos compraron —presión del gobierno nacional mediante— *BAE*, languideciente objeto del grupo Szpolski, y contrataron a algunos periodistas tanto para ese diario como para *Crónica*. Lo curioso es que en *BAE* entró media comisión interna.

Pasaron muchísimas más cosas en el medio. Y es cierto que lo que la comisión interna quiso fue mantener la fuente de trabajo o, al menos, conseguir un destino laboral, sea de parte de quien fuese, para la mayoría de los trabajadores. Pero también que se enredó en un juego político (punto oscuro: a sabiendas o no) donde la muerte de *Crítica* era un triunfo no sólo para el kirchnerismo, sino para todos aquellos a quienes el diario incomodaba. Los deudores de pauta no eran sólo el gobierno nacional, el de la Provincia de Buenos Aires y el de Santa Cruz, sino también el gobierno de la CABA, de Santa Fe, de Rosario y un largo etcétera. Si bien es cierto que Mata no tenía derecho a suspender el pago de los salarios, como hizo en abril de 2010, porque no entraba esa pauta (su cálculo fue que el escándalo llevase al o a los gobiernos a pagar, cálculo imbécil de un almacenero con suerte) también es cierto que la deuda generada, que podría haber sostenido la publicación al menos un año (a *Crítica* el papel se lo vendieron siempre mucho más caro y solía importarlo de Chile) respondió a una estrategia conjunta de gobiernos aparentemente enfrentados en la superficie para que el diario dejase de existir.

Es decir: en todo este proceso, el que menos culpa tiene y ha tenido siempre, más allá de su evidente fastidio cuando, al cierre del diario, le preguntaban por qué no ayudaba a los trabajadores (como si fueran niños tontos que no sabían de los riesgos de ir a un proyecto como *Crítica de la Argentina*), es Jorge Lanata.

Y todos en el medio lo saben, incluso aquellos colaboradores como Reynaldo Sietecase, que cuando comenzó la toma preventiva del local para evitar un vaciamiento, dejó de aparecer y sólo se preocupó por ver cómo cobrar lo que le debían. Lo menciono porque su actuación en aquellos malos tiempos borra con el codo cualquier reclamo principista que hoy pueda hacer con un Martín Fierro en la mano.

Imagino que habrá más, pero el esquema, el andamio, es este. Espero que les interese. Todo esto es verdad.

Como puede observarse, tengo una intuición empresaria similar a la de Henry Ford. Pero el caso más trágico para mi patrimonio fue el de *Veintitrés*: allí tuve que optar entre quebrar yo de modo personal y vender la revista o quebrar la revista. Opté por mi quiebra y perdí todo: auto, departamento, dinero, y estuve durante dos o tres años bajo lupa judicial, tratando de encontrar una quiebra fraudulenta. Aquella pesadilla sucedió en el Juzgado Nacional en lo Comercial N.º 24, Secretaría N.º 48, expediente 123087/2001. La quiebra se inició el 12 de mayo de 2003 y fui rehabilitado en mayo de 2004.

La dirección de un medio es un gran lugar para llevar adelante el proyecto, pero horrible por la carga "institucional" que tiene. Odio las relaciones públicas, me gana la fobia en reuniones de más de cuatro personas y siento que, para citar al ingeniero Murphy, "el hombre asciende hasta su nivel de inutilidad". Aunque me cuide particularmente de guardarme salidas de la burocracia (fui jefe de redacción en *El Porteño*, director periodístico en *Página*, en *Veintitrés* y en *Crítica*) la realidad me arrastraba a quedar en el medio de las discusiones entre la redacción y la empresa: para decirlo de otro modo, yo era el que conocía cuándo la caja estaba vacía, pero no podía decirlo. Un diario no es sólo el fruto de una pelea contra el discurso del poder, sino también contra el gobierno confundido en el Estado, el temor de los avisadores, la independencia de la distribución, los vaivenes de la economía en el costo del papel y los ajustes de salarios, los reclamos a veces justos y otras delirantes del personal —que puede estar impulsado por lo individual o por proyectos políticos de quienes manejen el gremio—, las otras publicaciones y las limitaciones propias.

Puede agregarse a la lista el éxito eventual del proyecto y el sentimiento de acreencia de cada uno sobre el resultado: qué hubiera sido este diario sin mí, piensan todos los que a la vez murmuran "y encima el director es un imbécil". Nadie le diría a un cirujano en plena operación: "Mmm, no, no, no. Yo cortaría para el otro lado". Pero en los medios cualquier opinión parece valedera. No sólo se someten al control más cruel del mercado, ya sea el rating minuto a minuto o las planillas de ventas de ejemplares, sino que se aplica una curiosa democracia niveladora del juicio público en la que la opinión de Bertrand Russell vale lo mismo que la de Gustavo Spapapietra, egresado de TEA. En la Argentina, donde no existe la trayectoria y todo el tiempo se vuelve a empezar, esa condena es constante. Lo que sigue fue publicado en *Perfil*, en medio de un conflicto gremial:

> Tengo un problema. Soy, en esta redacción, el único que vio este asunto del lado de Fontevecchia. Quiero decir: sé qué significa sacar un diario contra viento y marea, con casi todo en contra y sólo con los lectores a favor. Para colmo durante toda la semana el presidente y la señora CK se empeñaron en darnos clases de periodismo, de modo que no estamos en un gran día.
> Cuando Oscar Wilde decía que el hombre destruye lo que ama, creo que se refería a los periodistas. Formo parte de un gremio donde el puterío por metro cuadrado es altísimo, somos vedettes culposas de las plumas y pensamos que el Universo entero está ahí detenido, esperando Nuestra Palabra. Somos (y sólo en eso K y CK tienen razón) corporativos, y tan corruptos como los políticos y nos encanta protegernos en lo políticamente correcto sin arriesgar nunca nada. También es cierto que las empresas que se arriesgan a conquistar la selva del periodismo son muchas veces impresentables: lobbies

con plata negra de la política, o aventureros que utilizan los medios para presionar al poder y conseguir negocios. No cuento ninguna novedad si digo que existen las notas vendidas, los reportajes arreglados, los suplementos especiales con sobre incorporado y, desde las empresas, la explotación de los estudiantes como mano de obra casi esclava, la violación de los derechos de autor, etc., etc. Se le agrega al periodismo una frutilla sobre el helado: un convenio increíble, lúcido y maravilloso cuando sos periodista. Pero muy difícil de cumplir cuando intentás llevar adelante a una empresa en la vida real. Calma, calma: no estoy proponiendo incumplir el convenio. Pero creo que sería útil que el público conociera algunos de nuestros privilegios (o nuestros derechos adquiridos, si se quiere). Un periodista se convierte en trabajador efectivo al día 28 de su labor. Si al día 29 nuestro colega llega de mal humor y mea el escritorio de su jefe, debe cobrar, para ser despedido, el equivalente a trece salarios más el proporcional de vacaciones y aguinaldo, claro. Más claro: si gana mil pesos y es echado al mes, cobrará unos 14 mil. Esta previsión indemnizatoria tiene una lejana razón de ser, en la época en la que se abrían diarios con fines electorales y se cerraban a poco de perderse tal o cual elección. Esta era una manera de proteger la fuente de trabajo. Hoy este régimen provoca lo siguiente: si alguien quiere sacar un medio debe tener, en previsión de sus eventuales pasivos contingentes, uno o dos millones de dólares para pagar indemnizaciones en el caso de que todo vaya mal, y tenerlos antes de empezar. Preguntarnos por qué, en este país devastado y flexibilizado, se mantuvo el Estatuto del Periodista es obvio: el poder de turno nos tiene miedo, prefiere no pelearse con el gremio. ¿Quiero que lo saquen? De ningún modo, soy periodista, me encanta. Me pregunto sobre su incidencia en la aparición de proyectos nuevos. De todos modos, ningún empresario trucho se amilanó con la ley para despedir a cientos de trabajadores: lo hicieron igual, y estamos llenos de diarios y revistas cerrados que dejaron a mucha gente colgando del pincel. Debo agregar algo, en descargo de *Perfil*: cuando el primer diario cerró, negoció y pagó millones de dólares en indemnizaciones. Asistí, en estos treinta y dos años de trabajo, al cierre de varios diarios: siempre ganaron los empresarios y muchas veces las mismas comisiones internas se encargaron de darles una mano al extremar más y más sus posiciones. Si empezás un conflicto tomando rehenes, ¿qué te queda para negociar después? La mecánica de convocar asambleas en horarios de trabajo, por ejemplo, sigue siendo una manera de realizar paros virtuales. Eso, sin hablar de la hipocresía de quienes lo llevan a cabo: me pasé la vida viendo a tipos que no son capaces de hablar en voz alta en *Clarín*, pero que en *Perfil* o en *Página* arengaban a los gritos desde arriba de un escritorio emulando a Lenin en la famosa locomotora. En general, he advertido que somos más revolucionarios donde podemos revolucionar que donde no podemos, y no me gustan los que les ponen el pecho a las balas cuando están seguros de que son de salva.

Y ahí estábamos, en los primeros años de *Página*, tratando de sacar plata de abajo de las baldosas para pagar los sueldos, y con una pérdida mensual de unos 80 mil dólares de entonces. Con casi nada de publicidad y peleando para sobrevivir. Nunca tuvimos tantas medidas de fuerza como entonces: el Partido Comunista, consciente de nuestras dificultades, decidió que era mucho mejor sacar otros diarios para competir en lugar de ayudarnos, y sacó *Sur*, que duró un año y luego cerró. Papel Prensa negándose a vendernos papel más barato, cuando *Clarín* y *La Nación* los compraban a la mitad del precio de mercado, subsidiados por el gobierno. Nosotros, a la vez, discutiendo con la interna una cláusula automática de ajuste inflacionario, que finalmente aceptábamos, a costa de nuevas pérdidas. A pesar de eso, salía un diario. Creo que me hice católico en esos tiempos, frente a aquel milagro:

—Ah, traje nuevo —me dijo un día un delegado—, y después nos dicen que no pueden aumentar los sueldos...

A ese grado podía llegar la estupidez en una discusión. Cosas tan distintas discutíamos. Y me olvidaba: agreguemos a *Ámbito Financiero*, Menem, la SIDE, los distintos servicios, las revistas truchas, todos siempre bien dispuestos a informar sobre los conflictos de los "progres" que pagaban malos sueldos. Una vez, en medio de una maniobra extorsiva para "exteriorizar el conflicto", me harté. ¿Por qué tenía que tener miedo de que la gente se enterara del problema? Contemos todo, dije, y es más: voy a publicar, uno por uno, la lista de salarios de todos. El conflicto se levantó. Los periodistas ganaban bastante más que los lectores, y pensaron que no lograrían su adhesión.

—Vamos a terminar hablando de *Página/12* en los bares, diciendo: Te acordás...

Fue lo que sucedió. Al octavo año el diario cambió de dueños y yo di vuelta una página en mi carrera.
No volví a trabajar en un diario sino hasta ahora. No recuerdo si en el primero o el segundo año de *Página* (87 u 88) publicamos, por primera vez en la historia, una columna de la comisión interna explicando los motivos de un paro y convocando a él, y una mía, como director, donde decía que nuestra manera de protestar es informar, instándolos al trabajo. Pasó desde entonces mucha agua bajo el puente pero nunca más vi, ni aquí ni en el exterior, un debate de este tenor abierto al público. Es saludable que todo esto suceda.
La aparición de este conflicto motivó la decisión empresarial de postergar la salida cotidiana de los sábados, como paso obligado hacia el proyecto de salida diaria. Espero que esa suspensión no sea permanente, y el proyecto reencuentre su cauce fuera de la puja sindical. Los trabajadores y la empresa tienen que encontrar la manera de volver a caminar juntos un camino de dos o tres años de crecimiento y billeteras ajustadas. ¿Cuánto va a perder Fontevecchia con esto? ¿Siete millones? Bueno, que pierda ocho... Esa respuesta es la más fácil, la más cómoda, pero también la más idiota. Dejemos de tropezar siempre con la misma piedra.

El maestro ciruela

En el argot de los diarios se llama "anabólicos" a los agregados al ejemplar que pueden o no ser gratuitos y se piensan como estímulo para la venta. *Página* fue, por ejemplo, el primer diario que regaló un libro con su edición de domingo, y eso nos elevó la circulación a 110 mil ejemplares. Se buscan en ese caso libros clásicos, con derechos vencidos para que no sea tan costoso, ya que el resto se edita directamente a pérdida. Publicamos libros en un momento en que nuestra competencia regalaba ositos de peluche, cubiertos de plástico, fascículos de comida o la Biblia. En nuestro caso el anabólico también servía para reforzar una idea de la que no se hablaba entonces, la de "comunidad" y la relación de complicidad del diario con el lector. Años más tarde, en *Veintitrés*, mejoramos aquella idea dándole contenido al regalo. *Veintitrés* —*Veintiuno* se llamó el primer año, *Veintidós* el segundo y *Veintitrés* el tercero, cuando paró de cambiar basado en una frase frívola de Scott Fitzgerald: "Las mujeres se terminan a los veintitrés"— regaló "Tierra Santa: una bolsita con tierra de Anillaco", el DNB (Documento Nacional del Boludo), un facsímil del DNI real, el quitamanchas para el vestido azul de

GAP (durante el caso Lewinsky), un portalápices anticorrupción, etc. Se reproduce aquí la tapa del número uno, donde a través de una mirilla podía verse una tapa doble desplegada en la que ningún título era central: una especie de Mondrian (así lo llamábamos con el Sueco Álvarez, nuestro diagramador). El Mondrian adelantaba de algún modo lo que años después serían los portales, y se repitió en varias ediciones. Quizá la más recordada de *Veintitrés* sea la que se dedicó al presupuesto con el título "Un agujero negro", en la que se veía precisamente eso, un agujero de unos treinta centímetros de diámetro calado en el medio del ejemplar. En este libro encontrarán esa tapa y el editorial donde expliqué el desopilante proceso de su armado.

Otro de los "regalos" fue una sección que escribí y edité personalmente en la revista *Veintiuno*, y fue realmente divertido hacerla. Una enciclopedia sobre mitos y verdades de la denominada "cultura general". "Reference" llaman los norteamericanos a estos libros especialistas en todo.

Aquí, algunos capítulos.

Enciclopedia Universal del Verso

> "Algo llamado educación es impartido a todos, habitualmente por el Estado pero a veces por las iglesias. De tal modo el maestro se ha convertido, en la vasta mayoría de los casos, en un servidor civil obligado a cumplir con los mandatos de hombres que no tienen

su instrucción, que no poseen experiencia
alguna en tratar con los jóvenes, y cuya única
actitud hacia la educación es la del
propagandista. El maestro es una especie
de médico cuyo objetivo es curar
al paciente de infantilismo."

BERTRAND RUSSELL, *Ensayos impopulares*, 1952

MITOS SOBRE LOS GATOS

1. Los gatos caen siempre de pie.
Verdad. Aunque los gatos instintivamente caigan primero sobre sus patas y puedan sobrevivir a caídas desde lugares altos, también pueden sufrir algunas lesiones o rotura de huesos. Su sistema de equilibrio es distinto del de los humanos. La respuesta a un empujón o una caída, en cualquier ser vivo, se origina en unos "receptores" ubicados en el oído y conectados con el cerebelo. Cuando alguien empuja a una persona, el cuerpo produce automáticamente un movimiento de desaceleración que evita el desequilibrio. En el caso de los gatos este mecanismo receptor está más desarrollado y, frente a cualquier movimiento brusco, lo lleva a compensarlo con movimientos horizontales y verticales que le devuelven la posición normal de "patas para abajo" en forma casi instantánea.
¿Esto sucede con todos los felinos? Hasta el cierre de esta edición los experimentos consistentes en dar vuelta un leopardo y observar cómo cae han sido insuficientes para trazar un patrón, y los testigos que sobrevivieron

se niegan a hablar del punto. Respecto de los gatos que visten minifalda, su equilibrio se origina en la cuenta bancaria.

2. Los gatos deben tomar leche todos los días.
A la mayoría les gusta, pero no la necesitan si están bien alimentados. Tomar mucha leche puede causarles diarrea.

3. Los gatos castrados suben de peso.
Como las personas, los gatos engordan si comen mucho y se ejercitan poco. En general, las personas deciden castrar a su gato a una edad en la que el metabolismo ha disminuido su ritmo y necesita menos comida. Si el gato sigue comiendo lo mismo, probablemente engorde. De todos modos, el exceso de peso no será un inconveniente si el gato castrado se presenta a un casting como cantante lírico.

4. Los gatos se curan solos lamiéndose las heridas.
Falso. Esto puede alargar el proceso de cicatrización y producirle más daños a la herida. La costumbre de lamerse puede obedecer, también, a egolatría felina.

5. Los gatos no pueden tener rabia.
La mayoría de los mamíferos de sangre caliente, incluyendo gatos, murciélagos, zorrinos y hurones, pueden tener rabia. Vacune a su murciélago periódicamente.

6. Los gatos pueden contagiar a una mujer embarazada.
Si el gato tiene toxoplasmosis, puede contagiar a las

personas a través de sus heces, y causar serios problemas a bebés en gestación. Pero esto se evita simplemente no tomando contacto con el inodoro del gato, a menos que este haya tirado la cadena.

Fuente: AAHA (American Animal Hospital Association) y CFA (Cat Fanciers' Association).

♦

EL DÍA DE LA ESCARAPELA

"La primera fecha que tenemos, más o menos cierta, del uso de los actuales colores patrios, es la del 19 de mayo de 1810." Dan cuenta de ellos diversas cartas publicadas en un folleto bajo el título "La gran semana de 1810", firmado con iniciales que indicarían a Vicente Fidel López como su autor. Ese día un grupo de patriotas se entrevistó con Saavedra en el cuartel de Patricios. "En eso se entraron de sopetón, abriéndose lugar, las madamas Casilda, Angelita y las dos hermanas Isabel y Juanita P. con las de Lasala y Riglos. Venían de rebozo celeste ribeteado de cintas blancas." Otra esquela, pero del día 21, señala: "La furia de los rebozos de frisa celeste ribeteados de cintas blancas. No hay una muchacha o una dama que no pase la noche cosiendo su rebozo para salir a la calle y pasear por delante de los cuarteles".
En *Noticias biográficas de D. Cornelio Saavedra*, publicado por Julio Núñez en 1857, se afirma que "las gentes concurrían a la plaza en número considerable con cintas blancas y celestes en el sombrero". José Ma-

ría Ramos Mejía, en *Las multitudes argentinas*, dice refiriéndose a los hechos del 25 de mayo: "Cuando French advierte que por inspiración anónima todo el mundo usa un distintivo celeste y blanco, él y sus compañeros, que no lo tenían, entran en una tienda de la Recova y lo adoptan con entusiasmo. Esa es la verdadera versión".

El error de atribuir a French la creación de la escarapela posiblemente naciera de la tradición oral recogida por Mitre. Una comisión oficial nombrada en 1933 explica cómo pudo haber ocurrido: uno de los "chisperos" de French, que en ese entonces contaba con dieciséis años, fue quien relató a Mitre el acto del reparto de cintas, sin hacer mención de que esos colores ya eran divisa desde algunos días antes.

Aunque, para colmo, el propio texto de Mitre desmiente el mito: "Al mismo tiempo que en las galerías altas de la Casa Capitular se celebraba la sesión del Cabildo, una escena más animada se desarrollaba en la plaza. Como la reunión se engrosara por momentos y fuera necesario darle una organización, imaginó French la adopción de un distintivo para los patriotas. Entró en una de las tiendas de la Recova y tomó varias piezas de cintas blancas y celestes, colores popularizados por los Patricios en sus uniformes desde las Invasiones Inglesas y que había adoptado el pueblo como divisa de partido en los días anteriores. Apostando enseguida piquetes en las avenidas de la plaza, los armó de tijeras y cintas blancas y celestes, con orden de no dejar penetrar sino a los patriotas, y de hacerles poner el distintivo. Beruti fue el primero que lo enarboló en su sombrero.

Tal fue el origen de los colores de la bandera argentina, cuya memoria se ha salvado por la tradición oral".

Fuente: *Historia de los símbolos nacionales argentinos*, de Luis Cánepa, Vicente Fidel López y J. M. Ramos Mejía; *Los emblemas de la patria y su origen*, de Carlos Roberts.

♦

CARRTAR EL TARRGO

1. ¿El Mudo tenía labio leporino?
2. ¿Se había quedado libre con la foniatra?

El hecho de que en algunas canciones no pronunciara claramente la "N", cambiándola por una "R" tuvo su origen en los medios mecánicos rudimentarios con los que se grababan discos de pasta: con la energía de la propia voz se hacía vibrar una membrana que hacía incidir una púa en una rosca sin fin que grababa sobre el disco matriz de pasta. El cantante ponía casi toda su cara en una bocina similar a un embudo que luego, a través de un caño, llegaba hasta la púa. Eso hacía necesario que se pronunciaran consonantes fuertes, ya que las débiles no llegaban a dejar su huella en el disco. De allí lo de "tarrrgo", "carrrtar", etc. Si Carlitos hubiera puesto menos énfasis en las consonantes, quizá ahora se lo recordaría como un cantante japonés de talgo, llamado Cal-los Galdel.

Fuente: Dr. Joaquín A. Barrio, del Centro de Informaciones Documentarias de la Fundación Médica de Bahía Blanca.

♦

MITOS SOBRE MITOS SOBRE EL TRABAJO INFANTIL

1. Es un problema del Tercer Mundo.
Falso. Los chicos trabajan en todos los países industrializados y los tipos de trabajo peligrosos pueden encontrarse en cualquier país. En Estados Unidos, la mayoría de los chicos trabajadores están empleados en la agricultura y en gran proporción pertenecen a familias de inmigrantes o minorías étnicas. Un informe de 1990 sobre los niños chicanos que trabajan en las granjas del Estado de Nueva York mostró que casi la mitad trabajaba en campos todavía húmedos con pesticidas, y que más de una tercera parte de ellos fueron fumigados directa o indirectamente.

2. Los chicos trabajan en las exportadoras de productos baratos para el mundo rico.
Parcial. Las pelotas de fútbol hechas por chicos de Pakistán para que jueguen en los países industrializados pueden ser un símbolo convincente. Pero, de hecho, sólo una pequeña proporción de chicos trabajadores, probablemente menos del 5%, está en la industria exportadora. La mayoría trabaja en el sector informal, vendiendo en la calle, trabajando en plantaciones o en sus propias casas, lejos del alcance de los inspectores laborales o de la mirada de los medios.

Fuente: Unicef.

♦

HAY QUE PROHIBIR EL USO DE LA CALCULADORA EN EL COLEGIO

Se dice que si un chico usa la calculadora, no piensa. Es extraño, porque para usar la calculadora hay que saber: saber sumar, saber multiplicar, saber dividir. Antes de teclear en la calculadora hay que tener una necesidad, entender el problema e ir a resolverlo.

Las calculadoras resuelven problemas técnicos; no piensan y nadie espera que lo hagan. Piensa la persona que la carga con datos, para después interpretar los resultados. Nadie podría utilizar una máquina de escribir si no conoce las palabras o las letras. Pensar que la calculadora "aletarga" la mente del chico para hacer cuentas no es muy distinto a sugerir la prohibición del auto, ya que yendo a pie hay más oportunidades de conocer el camino.

♦

MITOS FESTIVOS

1. ¿Cristo nació antes o después de Cristo?

Cristo, aunque suene extraño, nació antes de Cristo. Si tomamos en cuenta las referencias cristianas, Jesús nació el 25 de diciembre, día en el que se celebra la Navidad. Sin embargo, la sigla divisoria que con el correr de los años se denominó antes y después de Cristo, AC y DC, refiere al 1 de enero. Ese día fue el de la circuncisión de Cristo, que era judío. Sin embargo, tampoco los judíos observan la circuncisión como el nacimiento de un año nuevo, por lo que el motivo que llevó a Cristo a nacer seis días antes de sí mismo continúa aún sin aclararse.

En el siglo II de nuestra era (o sea, cien años y seis días después del nacimiento de Cristo), los cristianos sólo conmemoraban la Pascua de Resurrección, ya que consideraban irrelevante la fecha de nacimiento de Jesús. En los siglos siguientes algunos teólogos, basándose en los textos de los Evangelios, propusieron ubicar el nacimiento en fechas tan dispares como el 6 y el 10 de enero, el 25 de marzo, el 15 y 20 de abril, el 20 y el 25 de mayo y algunas otras. La del 25 de mayo bien podría tomarse como antecedente sobre la nacionalidad de Dios, nuestro compatriota.
El papa Fabián (236-250) cortó las apuestas y calificó de sacrílegos a quienes intentaran determinar la fecha de nacimiento de Jesús. La Iglesia armenia fijó la fecha el 6 de enero y las iglesias orientales, egipcias, griegas y etíopes decidieron que Jesús había nacido el 8 del mismo mes.

2. ¿Desde cuándo se festeja Navidad?
Dado que en el Concilio de Nicea del año 325 se declara a Jesús como divinidad, lo que hace que el Padre y el Hijo sean el mismo, se decidió fijar el nacimiento durante el solsticio de invierno en el hemisferio Norte, el 25 de diciembre. Durante el pontificado de Liberio (352-366) se tomó la noche del 24 al 25 como fecha inmutable, el mismo momento en que los romanos celebraban el Natalis Solis Invicti, el nacimiento del sol invicto. Las iglesias orientales siguieron y siguen hasta hoy festejando la Navidad el 6 de enero.

3. ¿Los Reyes Magos eran reyes? ¿Eran magos? ¿Son los padres?

En el Evangelio de Mateo se relata que "Nacido Jesús en Belén de Judea, en tiempo del rey Herodes, unos magos que venían del Oriente se presentaron en Jerusalén diciendo: '¿Dónde está el Rey de los Judíos que ha nacido? Pues vimos su estrella en el Oriente y hemos venido a adorarle'". Ni en el texto de Mateo ni en todo el Nuevo Testamento hay referencias a dichos magos como reyes, ni tampoco se dice cuántos son. En el siglo III se los representaba como a dos. En las catacumbas romanas, hasta el siglo IV aparecían dos o cuatro magos, según los casos. En las iglesias siria y armenia se defendió la idea de una docena de magos, vinculando el número con las doce tribus de Israel. Aunque simbólico, el ejemplo fue terrible para los niños de la región, a la hora de ordenar doce zapatitos cada uno. En la Iglesia egipcia, los magos fueron sesenta, con lo que ningún niño se enteró jamás de los rituales del 6 de enero. En el siglo III, el teólogo Quinto Tertuliano, atento al espíritu de la época, peyorativo hacia la magia, comenzó a denominarlos "reyes". Los nombres de este caso de aristocracia espontánea aparecen en un mosaico bizantino de Ravena, Italia, en el año 520 (y seis días).

4. ¿Melchor fue incluido en la historia gracias a la ley de minorías?

Pero, aunque finalmente habían aparecido tres, subsistía un pequeño problema: los tres eran blancos. Recién un siglo después el erudito teólogo anglosajón

Beda el Venerable (675-735) menciona a Baltasar, de tez morena, en el peor papel del trío: es quien le ofrece mirra a Jesús, lo que significaba que debía morir. La falta de un entorno mundial común (recuérdese que estos son años AW, esto es Antes de Windows) provocó que los nombres propios de los reyes fueran distintos en cada región. Se llamaron Apellicon, Amerim y Serakin entre los griegos; Kagpha, Badalilma y Badadakharida en la Iglesia siria; Ator, Sater y Paratoras en Etiopía, y siguen las firmas. Baltasar tardó ocho siglos en recorrer el camino inverso de Michael Jackson: descripto como "moreno" en el siglo octavo, recién fue del todo negro en el siglo XVI.
¿Papá Noel es o se hace? Nuestro último invitado de la noche, San Nicolás, nació en el año 280 en Patara, distrito de Licia, cliente de Edesur, al sudoeste de Turquía. Tuvo un buen pasar y, a la muerte de sus padres, regaló todos sus bienes y se dedicó a la vida religiosa. Murió como arzobispo de Myra en el año 350, y fue llamado Obispo de los Niños por su generosidad y trato hacia ellos. Nicolás nunca supo lo que un alma desprendida podía desencadenar: su figura se transformó en una leyenda, y comenzaron a atribuirle salidas nocturnas para repartir regalos entre los chicos necesitados, y también decían que pudo calmar una tempestad y resucitar a un marinero egipcio. Su leyenda llegó a Europa y los vikingos lo adoptaron como Santo Patrono. Desde allí pasó a Rusia, donde se convirtió en santo nacional en el siglo X. Otra vez un problema de agenda: desde mediados del siglo XIII San Nicolás repartía regalos durante la noche del 5 al 6 de diciembre. Después de la

Contrarreforma católica (1545-1563) surgió otro personaje, Christkind, que repartía regalos en Navidad. Santa debió ceder a las presiones del mercado y cambió las fechas.

Una buena política de franchising determinó el nacimiento de diversas variaciones de San Nicolás: Kolya (Rusia), Niklas (en Austria y Suiza), Pezel-Nichol (en Baviera), Semiklaus (en el Tirol), Sinterklaas (en Holanda), Father Christmas (en Gran Bretaña), Pere Noel (en Francia), etcétera.

Hacia el siglo XVII, Papá Noel fue nombrado santo protector de Ámsterdam. Su aspecto difería un poco del actual: tenía barba blanca pero montaba en un burro y no sólo llevaba regalos, también tenía un manojo de varas para los chicos desobedientes que quisieran conocer la tolerancia cero. Años más tarde comenzó a llegar en un barco del que bajaba montado sobre un caballo blanco, acompañado de su fiel sirviente moro Zwarte Piet (Pedro el Negro), encargado de meter a los chicos malos en la bolsa vacía de los regalos, para llevárselos a España como castigo. Obviamente, en la Holanda de aquellos años nadie quería viajar a España. Cuando los colonos holandeses llevaron esta tradición a Nueva Ámsterdam, en Manhattan, Papá Noel llegó sin su sirviente. Y fue en la Madre Patria, pero hace relativamente poco, donde Papá Noel tomó definitivamente su aspecto actual: en 1931, Coca-Cola, para su campaña publicitaria de Navidad, le encargó a Haddon Sundblom que redibujara el Santa Claus de Nast, hasta entonces el más popular pero demasiado parecido a un gnomo. El Papá Noel de

Coca-Cola creció en peso y en altura, y su traje se hizo más lujoso, pero conservando los colores rojo y blanco, que eran los mismos que identificaban a la compañía. Jo, jo, jo.

Fuente: Martín A. Cagliani.

♦

MITOS SOBRE EL SUICIDIO

1. Los que dicen que se van a matar no lo hacen.
De cada diez personas que se suicidan, ocho lo habían advertido en forma clara antes de hacerlo.

2. No hay que preguntar directamente sobre las intenciones suicidas, porque se corre el riesgo de estimularlas. Preguntarle a una persona directamente sobre el suicidio a menudo alivia la ansiedad alrededor de esa fantasía y puede actuar como un impedimento al comportamiento suicida.

3. El suicidio es mucho más frecuente entre los ricos.
El suicidio no es una enfermedad de ricos o, como sugiere otro estereotipo, una condena de la franja más pobre. Está representado proporcionalmente en todos los niveles de la sociedad. En el caso argentino, puede notarse una concentración insólita de casos similares en los testigos que, en los últimos años, debieron declarar en causas de corrupción que involucraban al gobierno.

4. El suicidio se hereda.
Las tendencias suicidas no están en los genes, sino que son un patrón individual.

5. Quienes tratan de suicidarse con medios de baja letalidad no consideraron seriamente la idea de matarse.
No hay que confundir letalidad con intento; hay personas que pueden no estar bien informadas sobre la letalidad del método, como puede ser la utilización de pastillas. El método no necesariamente está en consonancia con la intención subyacente.

6. Las mujeres se matan más que los hombres.
Es exactamente al revés, en una proporción que se mantiene en las estadísticas de todo el mundo. Por ejemplo, en México la proporción es 0,3 mujeres (cada 100 mil casos) contra 4,6 hombres. En Italia es de 4 mujeres cada 12,3 hombres; en España, 3,3 contra 11.

7. Los estudiantes japoneses se matan cuando los bochan en un examen. Allá el índice es alto porque la competencia es feroz.

8. En Suecia tienen la vida arreglada, pero los índices de suicidio son altísimos.
La WHO (World Health Organization), junto con Harvard y el Banco Mundial, estimaron en 1997 que alrededor de 786 mil personas se suicidan por año en el mundo. Tomando en cuenta los suicidios registrados entre personas de 15 a 24 años entre los años 1991-1993 (sobre 100 mil casos), estos son los resultados:

País	Hombres	Mujeres
Lituania	44,9	6,7
Federación Rusa	41,7	7,9
Nueva Zelanda	39,9	6,2
Eslovenia	37,0	8,4
Latvia	35,0	9,3
Finlandia	33,0	3,2
Estonia	29,7	10,6
Noruega	28,2	5,2
Australia	27,3	5,6
Suiza	25,0	4,8
Canadá	24,7	6,0
Estados Unidos	21,9	3,8
Irlanda	21,5	2,0
Austria	21,1	6,5
Hungría	19,1	5,5
Ucrania	17,2	5,3
Polonia	16,6	2,5
Checoslovaquia	16,4	4,3
Bulgaria	15,4	5,6
Francia	14,0	4,3
Dinamarca	13,4	2,3

Alemania	12,7	3,4
Inglaterra	12,2	2,3
Israel	11,7	2,5
Japón	10,1	4,4
Suecia	10,0	6,7
Holanda	9,1	3,8
España	7,1	2,2

Fuentes: WHO Statistics Annual 1993-1995, Cornell Medical Center de Nueva York y Banco Mundial.

♦

LA HISTORIA NEGRA DEL AZÚCAR

En 1978, Dan White, ex supervisor del municipio de San Francisco, asesinó al alcalde de la ciudad, George Moscone, y a un ex compañero de ambos, Harvey Milk. Durante el juicio, la defensa sostuvo, sin soltar una sonrisa, que poco antes del crimen su defendido había comido una gran cantidad de *junk food* (o sea, comida basura, tal como rosetas de maíz, algodón dulce, hamburguesas y papas), lo que le había provocado un estado de sobreexcitación que lo impulsó a cometer el crimen. El jurado finalmente le impuso una pena muy leve, y luego fueron a comer a un restaurante naturista. El caso —a excepción del restaurante— es citado con frecuencia como la sacralización de los mitos contra el azúcar. La leyenda también asegura que, antes de ir a manchar con sangre la cocina de Sharon Tate, todo el clan Manson andaba por ahí chupando terrones.

1. ¿El azúcar causa diabetes?
Según la FDA (Administración de Fármacos y Comidas de la Madre Patria), el azúcar no tiene más relación con la diabetes de la que podría tener cualquier otro carbohidrato. La diabetes es una enfermedad relacionada con la cantidad de un azúcar simple, denominada glucosa, en la sangre. Pero esta deficiencia tiene su origen en un desorden del metabolismo que no se vincula con el consumo de azúcar. De hecho, el azúcar y otros carbohidratos han vuelto a incluirse en la dieta de los diabéticos.

2. ¿El azúcar engorda?
Lo que engorda es el exceso de calorías totales ingeridas sobre el total de calorías consumidas: entre las que entran y las que salen. La participación del azúcar en la tabla calórica no es muy alta. Una hamburguesa aporta entre 400 y 700 calorías y el azúcar que come por día una persona normal (incluyendo la que le llega en alimentos preparados) no pasa de las 200 calorías. En un bizcocho con crema no es el azúcar de la masa lo que engorda, sino la grasa de la crema. De todos modos, en una dieta balanceada no debe faltar un bizcocho con crema. Por último, el azúcar o su exceso no potencian las fantasías asesinas, a menos que la víctima sea propietario de un laboratorio de sacarina.

Fuente: Asocaña.

♦

EL SAPO TIENE MÁS USOS QUE LA MULTIPROCESADORA (Y NO GASTA CORRIENTE)

1. Un sapo contra la mejilla calma el dolor de muelas. Sí, porque el paciente muere del asco. En verdad sí puede calmarlo un poco, pero es por otra cosa: hay quienes dicen, desde la Edad Media, que colocarse un sapo atado con un pañuelo (el sapo, no uno) y apoyado contra la mejilla (de uno) calma el dolor de muelas. Esto sucede porque la piel del sapo, y en especial la del abdomen, segrega una sustancia muy similar a las aminas simpaticomiméticas (como la adrenalina y la noradrenalina), que son vasoconstrictoras. Por eso al agarrar un sapo parece frío, debido a la vasoconstricción que produce (y al mortal frío de miedo que se produce en quien lo agarra). Colocado el sapo en la mejilla, uno podrá decirle: "La belleza no es todo, cariño". En ese momento el sapo, agradecido, hace que se absorban las aminas simpaticomiméticas a través de la piel de la cara, lo que produce vasoconstricción, lo que reduce el edema que comprime al nervio, lo que reduce el dolor. Es mucho más civilizado, sin embargo, ir al dentista de su barrio.

2. Otros usos del mejor amigo del hombre.
La historia muestra en estos batracios una confusa situación vocacional: nadie los deja ser sapos. Se los ha utilizado para neutralizar la mordedura de serpientes, para curar la culebrilla, para sanar la renguera en los caballos, para provocar lluvias, etc. En este último caso

ahora ya sabemos qué sucede en el Servicio Meteorológico cuando la pifian con el pronóstico: se olvidaron de comprar los sapos suficientes.

Fuente: J. A. Barrio.

♦

MITOS SEXUALES

1. ¿Importa el tamaño del pitilín?
No. Respire tranquilo y olvídese de esa película porno que lo dejó traumado: las paredes de la vagina son lo suficientemente flexibles como para acomodarse. Si se la divide en tres partes, sólo el tercio externo tiene las terminaciones nerviosas suficientes para hacerla una zona sensible: los labios vulvares tienen como promedio unos 3 centímetros (labios mayores y menores conjuntamente), por lo que esa zona se ubica en los primeros dos centímetros. Tome una regla y calcule: un pito de 6 centímetros puede pasar los tres centímetros de los labios y llegar cómodamente a los dos primeros de la vagina. El resto, los dos tercios internos, son prácticamente insensibles, lo que no significa que nos encontremos frente a una chica sin sentimientos, que nos trate cual objeto sexual. Por otro lado, chicos, la parte más excitable de la mujer, el clítoris, se halla en la vulva (órganos genitales externos) y para su estimulación no interviene el tamaño del pito. Por otra parte, los pitos son muy variables en color, tamaño y forma (hay large, medium, corrugado, de teflón, con buena prensa, etc.) mientras —perdón por el tér-

mino— están en "reposo", pero cuando salen de su letargo las diferencias se minimizan.
El impacto producido por el mito del tamaño del pito es psicológico, lo que significa que, ahora que se convenció de que no importa nada, tampoco da para andar por ahí gritando: "¡Lo tengo chico pero no me calienta!". Simplemente pórtelo con la mayor dignidad posible (en el caso de la dignidad, sí hace diferencia el hecho de que sea grande o chica).

2. Si ella no llegó al orgasmo, no hay posibilidad de embarazo.
La respuesta a este mito se encuentra en la etimología del nombre Noa, derivado de "no acabó", con el que se ha bautizado a niños que no estaban en los planes de nadie. La posibilidad de que la chica se embarace depende del momento del ciclo menstrual en el que se encuentre. Si está hacia la mitad de dicho ciclo, esta enciclopedia recomendaría ver un buen video, pero en el living.

3. Si la chica está "indispuesta" no hay posibilidad de embarazo.
¿A que no saben por qué muchas mujeres llevan "Regla" como segundo nombre? Es cierto que hay pocas posibilidades, pero "pocas" no significa "ninguna". Muchas veces el ciclo menstrual está influenciado por factores emocionales que pueden variar el comportamiento hormonal y producir una doble ovulación en el mismo mes. En resumen: si le gustan las apuestas...

4. El coitus interruptus es un buen método anticonceptivo.
El nombre con el que se conoce en algunos países latinos es más descriptivo, aunque tendría otro significado en la Argentina: se lo llama "marcha atrás". Para decirlo en tono de documental, consiste en extraer el pene de la vagina antes de eyacular. El denominado coitus interruptus, en latín, explica el porqué de los rostros tensos en el Imperio romano. La sensación de vacío posterior es violenta, y uno queda como un policía de explosivos dudando entre cortar el cable rojo o el azul. Para colmo, no es eficaz como método anticonceptivo porque el hombre, antes de eyacular, puede segregar un par de gotas que lleven espermatozoides, y estas malditas gotas no pueden controlarse voluntariamente.

5. Durante la menstruación, las chicas no deben lavarse la cabeza.
Es absurdo, hay decenas de mitos sobre ese tema, como que no podían hacer mayonesa porque se cortaba, que no se podían hacer chorizos (?), que se ponían mustias las plantas, etcétera.

6. La masturbación es enfermiza y propia de los adolescentes.
Varios redactores de esta revista (que no podemos identificar ahora por temor a represalias) desmienten esta suposición. La masturbación, como cualquier otra actividad realizada en exceso, puede perturbar. Comer tres veces al día es normal. Pero comer tres veces al día y

dos de ellas devorar tres platos de ravioles con cuatro panes y dos litros de tintorro es un exceso. Se dice que la masturbación en exceso es dañina porque la persona se recluye para llevarla a cabo, a menos que sea un exhibicionista. Ergo, si una persona tiene que estar recluida varias veces al día es posible que tenga problemas en otros aspectos de su vida. Respecto de la edad, para las personas maduras con o sin pareja también es una práctica normal, eventualmente reprimida por mitos culturales de cada época. No significa, en ningún momento, que sus relaciones sexuales no sean satisfactorias ni suficientes. Es sólo una clase práctica de amor propio.
Un chiste feminista asegura que, durante la masturbación, finalmente el hombre hace el amor con alguien que realmente quiere.

Fuentes: Dr. Juan Carlos Kusnetzoff, sexólogos José Luis Sureda y María Teresa Acosta y *Asexorate* (Boletín de Información Sexológica).

♦

MITOS SOBRE LAS DROGAS

Aclaración moralista del autor: en nuestra opinión, saber facilita una elección libre, más allá de cualquier consecuencia. Somos periodistas, no consejeros, y así como no recomendaríamos tomar café, o fumar, no debe interpretarse que la difusión objetiva sobre las consecuencias físicas de ciertas drogas blandas signifique más que una tarea informativa. Sostenemos que la despenalización, sin ser ninguna panacea, es el mal menor y son precisa-

mente los narcotraficantes quienes más se oponen, ya que de suceder perderían su inmenso negocio fácil.
Así como no nos sentimos quiénes para darle consejos a nadie, también sostenemos que la elección sexual entre personas mayores, el consumo de drogas o de dulce de leche, pertenecen al ámbito privado y debe respetarse como tal. Por otro lado, no hay mejor decisión que la que proviene de una elección consciente: quienes no quieren tomar drogas tienen derecho a saber lo que les haría o lo que no.

Marihuana

1. El consumo de marihuana causa daño cerebral.
Eso sostenía, a fines de los setenta el famoso estudio del doctor Robert Heath. Sin embargo, el Instituto de Medicina y la Academia Nacional de Ciencias de los Estados Unidos patrocinaron un estudio, conocido en 1982 como "Marihuana y salud", que criticaba las conclusiones de Heath por los insuficientes muestreos realizados (sólo cuatro monos) y las altas dosis empleadas. Los estudios actuales —aunque no hay, como en ningún otro campo tampoco, coincidencia total— demuestran que no existen daños cerebrales de ningún tipo. La Asociación Médica Norteamericana se declaró a favor de la descriminalización de la marihuana.

2. El porro lleva a drogas más peligrosas.
En Holanda, en los años setenta, se legalizó parcialmente el uso de la marihuana. Desde entonces el uso de

las drogas duras (heroína, cocaína o alcohol) ha disminuido considerablemente. Hay quienes piensan que la marihuana tiende a sustituir el consumo de drogas más peligrosas. Es verdad que la mayoría de los heroinómanos declara haber consumido marihuana con anterioridad, pero es todavía mayor el porcentaje de heroinómanos que consumía tabaco, alcohol, café o iba al cine, y nadie diría que tomar café o ir al cine lleva a las drogas duras.

3. La marihuana es más peligrosa que el tabaco.
No. Desde el punto de vista cancerígeno, es igual de peligrosa. Aunque sí hay otras diferencias: el tabaco es la droga más adictiva, con un índice del 90%. La marihuana es menos adictiva que la cafeína.

4. La sobredosis de marihuana lleva a la muerte.
La ratio calculada entre las dosis normales con las que se alcanzan los efectos de euforia con respecto a la cantidad necesaria para producir la muerte es de 1 a 40 mil. Para tener una sobredosis habría que consumir 40 mil veces la marihuana necesaria para "colocarse", y hacerlo en un lapso tan corto que es virtualmente imposible. En el alcohol, la ratio comparable es de 1 a 10. Por eso mueren al año, en el mundo, unas cinco mil personas por sobredosis de alcohol. Por otro lado, también debe tenerse en cuenta que el umbral de tolerancia y los efectos de esta y cualquier otra droga varían según la persona. También es difícil que, como en la película de los Doors, alguien se fume un porro y alucine, treinta segundos después, que un tigre le salta encima.

Fuentes: "Marijuana and health", Institute of Medicine, National Academy of Sciences, 1982. "Absence of cerebral atrophy in chronic cannabis users", *Journal of the American Medical Association*, n.º 237, pp. 1229-1230, 1997. "Computed tomographic examination of heavy marijuana smokers", *Journal of the AMA*, n.º 237, pp. 1231-1232, 1997. "The economics of legalizing drugs", por Richard Dennis, en *The Atlantic Monthly*, noviembre de 1990. "Health consequences of smoking: nicotine addiction", *Surgeon General's Report*, 1998. "Drug prohibition in the US: costs, consequences, and alternatives", por Ethan Nadelmann, *Science*, 1 de septiembre de 1989.

♦

LAS SIETE MARAVILLAS DEL MUNDO

Si está a punto de comprar acciones de las Siete Maravillas, no lo haga: sólo una de ellas queda en pie, las Pirámides de Guiza. Para colmo, nadie vio jamás las otras seis, y las reproducciones iconográficas no son muy precisas.
Las supuestas Siete Maravillas eran: los Jardines Colgantes de Semiramis en Babilonia, la estatua de Zeus, el Coloso de Rodas, el Templo de Artemisa, el Mausoleo de Halicarnaso, el Faro de Alejandría y las Pirámides que sobrevivieron.
Como bien podría suceder en nuestra época, fue por insistencia de su esposa que el rey Nabucodonosor mandó construir los jardines, que eran regados con agua del Éufrates. La estatua de Zeus, el dios-padre de la mitología griega, fue esculpida por Fidias hacia el año 440 a. C. La estatua era de oro y medía 13 metros de altura; Zeus estaba sentado en un trono de oro, ébano y marfil. Se desconoce su paradero, aunque sería verosímil pensar que

acabó en la calle Libertad. El Coloso de Rodas se mantuvo fiel a su nombre sólo sesenta años, de pie frente a la isla griega de Rodas, en el mar Egeo. Era una gigantesca figura de bronce del dios del sol, y tardó doce años en terminarse (se ve que era estatal). Medía 33 metros de altura. Luego de permanecer muchos años en ruinas, sus restos fueron vendidos a Siria como metal inservible. El Templo de Artemisa, ubicado en Éfeso, tenía en su interior la estatua de Diana (o Artemisa, para los íntimos), hija de Zeus. Fue destruido por los godos, que eran unos envidiosos, y actualmente se conservan un par de ladrillos en el Museo Británico.

Fuente: Lic. Sandra Noemí Cuapio Campos, México.

♦

MITOS DIETÉTICOS

1. Si uno come menos y hace más ejercicio, es fácil perder peso.
Comer menos y ejercitarse más sólo le dará más hambre.

2. Ninguna comida engorda.
Es cierto. Las calorías de los alimentos sólo engordan si uno ya ha comido lo suficiente.

3. Caminando un kilómetro se pierde menos peso que corriendo un kilómetro.
No, la cantidad de esfuerzo es la misma y se quema la misma cantidad de calorías. Esta regla no se mantiene si uno viaja en taxi un kilómetro.

4. Si ya comió demasiado, coma menos o no coma en la siguiente comida.
Es cierto, porque no está perdiendo una comida: ya la comió antes de tiempo. De todos modos, no es recomendable desbalancear la cantidad de alimento, porque crea "angustia oral". Conviene comer poco, muchas veces.

♦

MITOS SOBRE LAS VITAMINAS

1. La vitamina C previene los resfríos.
Nada personal: la vitamina C es muy útil, pero no hay prueba alguna de que prevenga los resfríos. Es importante para que funcione bien el sistema inmunológico, y si uno carece de ella probablemente sea más propenso a contraer enfermedades, pero no enfermedades de un solo tipo. El ganador del premio Nobel de Química Linus Pauling sugería megadosis de vitamina C para que tuviera algún efecto sobre los resfríos, pero recién cuando este se contrae y durante el período de infección. De todos modos no se recomienda el uso prolongado de megadosis. Recientes estudios británicos demostraron que pueden tener efecto prooxidante.

2. Las vitaminas engordan.
No. Poseen muy poco valor calórico. Esta confusión puede deberse a que las vitaminas son esenciales para la salud, y la buena salud incluye el buen apetito.

3. Las vitaminas son más importantes que la comida.
Son un componente importante de las comidas, vitales para el buen funcionamiento de las células, pero una dieta basada sólo en vitaminas nunca podría resistirse.

4. Las vitaminas no son peligrosas.
Hay dos categorías de vitaminas: las hidrosolubles y las liposolubles. Las primeras pueden ser tomadas por personas que no sufren problemas de riñones, ya que son eliminadas rápidamente. Las liposolubles son guardadas y se eliminan más lentamente: cantidades excesivas de vitamina A y K, por ejemplo, pueden provocar serios efectos adversos, y dosis repetidas de vitamina B6 provocan efectos no deseados como la aceleración cardíaca.

Fuente: Dr. Joseph Kramer.

♦

EL SALARIAZO

Henry Ford escandalizó a sus competidores en 1914, cuando aumentó a más del doble los salarios de sus trabajadores. Su fábrica de automóviles llevaba once años de funcionamiento. Sabía lo que estaba haciendo: el poder adquisitivo de los trabajadores aumentó y el incremento de su consumo estimuló las compras en otras partes. Ford denominó a esta experiencia "el incentivo del salario". Un desafortunado error de traducción hizo que este ejemplo se conociera en la Argentina como "el incentivo del voto", cumpliéndose sólo en parte la promesa.

El cartero llama dos veces

Una confesión menor: soy inseguro. Soy tímido, e inseguro. Aprendí a sobreponerme a eso pero está en mi esencia. Quiero decir: haría una fila con todos los lectores, oyentes y televidentes y charlaría con ellos. Un psicólogo de café diría rápidamente que intento "justificarme", quizá. Llevo años sosteniendo este gráfico: estamos nosotros, luego el microclima, después la opinión pública y finalmente el público. El microclima está formado por los que acceden a nosotros, o logran que su opinión acceda: el amigo de tal, la novia de tal otro, el familiar, todos aquellos que sostienen que quienes deben estar en este sitio son ellos y no nosotros. "Lanata es un idiota, vos tendrías que estar ahí"; esa frase —cambiando el sujeto, claro— resume gran parte de la historia de los medios. El microclima es envidioso y competitivo. La opinión pública es más amplia: los chismosos de la sociedad, la clase media y media alta urbana, los que multiplican lo que ven o leen. Y el público es, generalmente, generoso: al público le alegra que te vaya bien. Es el público el que me dice "Rezo por vos". La mayoría de las veces el periodismo confunde al público con el microclima; de allí derivan aquellas frases del tipo "Todo el mundo habla de...". Hace años, frente a esa frase, me tomé el trabajo de preguntar cuántos eran "todo el mundo":

—¿Quién?

—Todo el mundo.

—Decime quién.

—Bueno... Eeehhh... Mi mujer esta mañana.

—Ja.

—Y escuché a dos tipos discutiendo el tema en la parada del bondi.

—Tres.

—Y tuvimos en la radio diez llamados. No, once.

¿Catorce personas es todo el mundo? Nos escuchan ochocientas mil todas las mañanas. Un criterio similar mantienen en los últimos años los medios tradicionales en la relación con Twitter: creen que exhiben una síntesis de la reacción social. No desconozco su influencia, pero tampoco que gran parte del tiempo tuitear es la puerta de un baño público.

Durante el primer año de *Veintiuno* recibí y respondí personalmente todas las cartas que llegaban a la redacción. Al año dejé de hacerlo porque dirigía la revista, escribía columnas y la *Enciclopedia del Verso* y era materialmente imposible seguir con todo. Las cartas que siguen son varias —algunas sin mi respuesta— y pueden leerse como una pequeña pintura del país en aquel momento.

Estimado Jorge Lanata: He recibido hoy con mucho dolor el aumento de tu revista. ¿Por qué? Simplemente porque creo que has entrado en la vorágine de los grandes multimedios que a cualquier costa quieren recuperar su dinero.

Cuando lanzaste la revista, la publicidad que hiciste era algo así como: sólo cuesta tres pesos y te mantiene informado. ¿Te olvidaste de ese eslogan inicial? Porque creo a mi modesto entender que no puedes ofrecer algo que no estás en condiciones de soportar económicamente. La primera fue con "tierra de Anillaco", que supongo no debe haber costado mucho, porque quién puede ir a hacer turismo a ese lugar!!! con la historia pesada que tiene (aunque no reniego de su paisaje), las siguientes fueron algunas chucherías que creo que su valor debe ser ínfimo al realizarlo en grandes cantidades.

Y las dos últimas con cd... ¿Alguien te lo pidió? ¿Alguien te pidió que gastaras tanto por los lectores aficionados a vos y a tus colaboradores?

No te pongas en gastos boludos si después no los podés afrontar, porque la gente que te hizo los cd vos le diste a cambio lo que se llama canje en publicidad, te doy valores y vos me ponés la publicidad gratarola, encima a página completa y colores. No estoy en el tema publicidad pero supongo que el manejo fue ese.

No lo tomes como que te tengo odio ni bronca, no es así en lo más mínimo, te tengo aprecio, aunque no te gusta que te lo digan y me parecés realmente un tipo exitoso, pero POR FAVOR NO ENTRES EN LA VORÁGINE DE LOS GRANDES MULTIMEDIOS, SI NO TE LO PODÉS BANCAR ECONÓMICAMENTE NO LO OFREZCAS.

En cuanto a la cantidad de páginas de publicidad que podés vender por tirada, estoy de acuerdo con vos, pero veo que estás creciendo porque al principio tenías muy pocos anunciantes y ahora algunos más. TODO LLEGA. NO TE ADELANTES A LOS ACONTECIMIENTOS.

Y como estoy un poco pensativa te "regalo" de *El Tao de los líderes* de John Heider, el capítulo 40, que dice así: APRENDE A VOLVER A TI MISMO. CALLA. ¿QUÉ OCURRE CUANDO NADA OCURRE? ¿CONOCES LA DIFERENCIA ENTRE LO QUE OCURRE Y CÓMO OCURRE? ¿SIENTES QUE LO QUE OCURRE SURGE DE CÓMO OCURRE? PROCESO... Y PRINCIPIO.

Dra. Guillermina Julia Lopes
Contadora Pública UBA, DNI 17.550.178

P. D.: Y no consideres que soy una boluda más, aunque tengo mi DNB pero no mi DNI, porque lo perdí por boluda... Te quiero y cuidate... Porque como dicen en *Zoo*, hay muchas fieras sueltas y tu tarea como informador es, valga la redundancia, informar para que dejen de estar sueltas!!!

Saludos

N. del D.: *Guillermina, vamos a tratar de entrar en la versión argentina de* El libro Guinness de los récords. *Por lo que sé, nunca un medio planteó sus números ante el público y me parece que, en este contexto, habría que hacerlo aunque sea de una manera muy general. Ante la sola idea de lo que acabo de decir nuestra gente de administración ya tiene dos internados en coma cuatro. En el fondo no son víctimas de un soponcio sino de un estereotipo. Quiero darte ejemplos y números concretos frente a tu "acusación" de vernos entrar en la "vorágine de los grandes multimedios, que a toda costa quieren recuperar su dinero". Es gracioso y hasta cándido que lo veas así, y frente a eso se me ocurren sólo tres reacciones:*

a) Putearte sin explicar por qué.

b) No publicar tu carta y que sólo vos te enteres de que no la respondo.

c) Darte información para que, aunque sigas pensando lo mismo, tu juicio no sea al menos tan ingenuo.

Es obvio que estoy eligiendo la tercera posibilidad. Voy a numerar la respuesta porque se me ocurre que, aunque conspira contra el tono coloquial, ayuda en la explicación:

1. Esta revista sólo lleva algunos meses en la calle. Nadie podría pensar en recuperar la inversión en un lapso tan corto, hasta un empresario argentino se daría cuenta de que eso es imposible. Al día de hoy la inversión hecha para que esta revista esté en la calle supera los dos millones de dólares (sí, leíste bien: 2.000.000 de dólares o pesos aparentemente estables). Lo bueno del tema, en mi caso, es que puedo contarlo: es plata en blanco, con impuestos pagos y todo en regla.

A menos que vendamos cocaína —y muy rebajada— es imposible que queramos recuperarlo en unos meses. Los tipos que acá entienden de números proyectan que esa guita se recuperará en unos dos años y medio, si todo se mantiene así y nadie estornuda. ¿Habíamos previsto esa plata al comienzo? No. ¿Sólo porque somos tarados? No solamente: la altísima circulación de XXI *y el lento ritmo de crecimiento de la publicidad hizo un bollo de papel con nuestras primeras cuentas.*

2. Con la revista a tres pesos la editorial se queda con 1,60 de cada revista vendida. El restante 1,40 se queda en la cadena de distribución; esto es: representante, recorridos, kiosqueros. De ese peso con sesenta centavos deben sacarse los costos de producción de la revista. Cada ejemplar, en la misma cuenta, nos cuesta 1,07 centavos tomando en cuenta impresión, papel, regalo y suplemento. Con los 53 centavos restantes deben pagarse salarios de más de 70 personas, cargas sociales, gastos de producción periodística, gastos de infraestructura, etcétera.

3. Sé que en tu carta no nos comparás con los grandes multimedios en cuanto a tamaño, sino en cuanto a actitud depredadora, pero sería bueno que tuvieras en cuenta estas cifras: Eurnekian vendió el cable en 800 millones de dólares, Prime y el CEI compraron Canal Nueve en 140 millones, etc. Y una comparación entre tele y gráfica: una página de publicidad en una revista oscila entre 2 y 4 mil dólares. Un segundo (sí, un segundo) en el horario central de la tele cuesta entre 300 y 400 pesos; cada aviso tiene un promedio de 25 a 30 segundos de duración, lo que quiere decir que cada vez que sale cuesta entre 7 mil y 12.000 pesos. Pensá cuántos avisos tiene una tanda. Si tenés razón al calificarnos de aves voraces, debemos pertenecer a una nueva especie denominada "pollitos de rapiña".

♦

UN PESO

Jorge: ¿Se viene la colección de Rock Político Nacional? ¿El aumento de precio se los sugirió Mary July? ¿Lloverá mucho este verano? Avisen cuando Cielo Despejado viene dentro de la revista porque discutí con cinco kiosqueros antes de decidirme a comprarla.

Los felicito a todos por la revista, por ahora vale lo que cobran, pero les aviso que más de cinco mangos no voy a poder pagar.

Julio Tuozzo

N. del D.: *Sobre si lloverá o no en el verano, te informamos que la revista, más el regalo, más un pronóstico meteorológico certero sale nueve mangos. Sobre tu límite de cinco pesos no te preocupes: si por un mango se armó este quilombo, creo que nunca vamos a ir a cinco.*

♦

OTRO PESO

Jorge: Quería decirte nada más que te voy a ayudar y seguiré estando aquí. No lo voy a hacer porque sí, lo voy a hacer porque creo que vale la pena. Me gusta que la gente hable claro, me gusta aprender, me gusta saber, me gusta coincidir (o no coincidir), me gusta que me respeten y que no me mientan (y si vos lo hacés también me gusta porque lo hacés muy bien... me consuela saber que hay otros que ni siquiera son buenos para mentir). También por que tengo la grata sensación de que la gente que trabaja con vos, además de lo profesional, son buenas personas y que les prestaría unos mangos si me lo pidieran.

Un abrazo,

Horacio Novello
DNI 14.922.173

P. D.: La última frase, lo de la gente que trabaja con vos, no debe tomarse en forma estricta. Es una imagen, una metáfora, un recurso literario, un símbolo.

***N. del D.:** Sobre tu aclaración respecto de los que te mienten o no, bancate creerme o no me creas, pero ofende un poco que me digas eso. Sobre tu ofrecimiento de guita para nuestra gente, recién salió el primer micro para tu casa, vayan poniendo la mesa.*

♦

COSA 'E MANDINGA

Estimado Sr. Lanata: En un rincón de nuestro jardín, oloroso de rosales, jazmines, azaleas, limoneros, pomelos y etc., etc., tenemos plantado tomillo, albahaca, romero, estragón y menta.

Allí echamos la tierra de Anillaco que vino en su revista y notamos con sorpresa que nos ha brotado una pista de aterrizaje que crece día a día. Ahora bien: ¿debo declararla como imprescindible para exportar aceitunas?, ¿el gobernador Mazza podrá darme ideas al respecto?, ¿debe ser notificada la Fuerza Aérea?, ¿me conviene privatizarla y darla en concesión?, en tal caso, ¿es necesario un free-shop?, ¿puedo regalarle un brote a algún vecino?, ¿debe notificarse a presidencia de la nación?, ¿debo pagar royalties?, ¿y monotributo?

Como verá, son demasiadas dudas que mi atribulado cerebro no puede despejar. Agradeceré sus consejos. Desde ya, muchas gracias.

Carlos Montella
Paraná

P. D.: Sigan así, para —como decía Seinbek— "que la luz no se apague". Un abrazo para todos.

N. del D.: *Carlos, nos vemos en la obligación moral de decírtelo para que no te tome por sorpresa: cuando termine de crecerte la pista comenzará a nacer un Eurnekian. Esto ya le sucedió a un vecino de Chajarí, pero mientras nos lo estaba contando por teléfono escuchamos un grito y luego se cortó la comunicación. Ahora que lo noto, ambos casos sucedieron en la misma provincia, por lo que podrían suponerse características climáticas favorecedoras del fenómeno. Supimos de otros casos, en el sur argentino, donde lo que comenzó a crecer fueron declaraciones juradas. Valor. Y mantenete en contacto.*

♦

AMADOS NIÑOS

Jorge: Quiero decirte que a pesar de que sólo tengo 14 años, ya veo cómo son las cosas en el país, y es por esto que te escribo para felicitarte por la posición que tomaste. Te cancelaron el programa y sacaste una revista. Eso es la mejor manera de demostrar que una persona mantiene sus ideas. Si te sacaran la revista, conducí en la radio, si te cancelan la radio, trabajá en un diario y si te despiden del diario, actuá en público, pero nunca, nunca te rindas.

Parece un país (si no lo es) en el que el concepto de Democracia, gobierno del pueblo, se olvidó por completo. Si somos nosotros los que elegimos a los corruptos que queremos que nos gobiernen, por lo menos quejémonos y hagamos valer nuestra palabra, exactamente lo que vos hiciste. Sigan así que algún día todo esto va a cambiar, ya sea porque mi generación se dé cuenta de lo que no tiene que hacer el día que controle al país o que si Dios quiere, pronto los que asuman lo hagan también. Y si no, nos queda la esperanza. No existe un gobierno tan corrupto como para quedársela también... ¿O sí?

Santiago Labollita
Estudiante de Cipolletti, Río Negro

N. del D.: *el estudiante Labollita ya ha sido denunciado ante los correspondientes organismos de seguridad de su provincia.*

♦

OTELO ESTÁ CELOSO

Jorge: ¡Nos hiciste un buraco! Como diseñadores, este tipo de ideas nos estimulan para seguir viviendo. Felicitaciones y gracias.

Estudio de Diseño Shakespear-Veiga (Raúl Shakespear y Cecilia Veiga)

N. del D.: Gracias, Shakespear. Vos tampoco estuviste mal con Romeo y Julieta.

♦

EXIGENCIAS

Sr. Director: Usted se queja por la falta de difusión de la declaración jurada, pero *XXI* cometió el mismo "error" al omitir en su última edición el más mínimo comentario sobre el Congreso Mundial de la Comunicación, acontecimiento sin precedentes en la historia, donde participó uno de sus más grandes colaboradores criticando a las grandes estructuras mediáticas. Creo en lo que hace y dice, por lo que espero encontrar una respuesta que no trastoque la imagen que tengo que usted.

Christian Boyanovsky

N. del D.: Si todo nuestro laburo de años depende para vos de esta respuesta, te pediría que desde el próximo jueves empieces a comprar Para Ti.

♦

FÚTBOL DE SEGUNDA

Jorge: Verano del 86, San Lorenzo-Independiente (cancha de Ferro) en la entrada revisan a mi padre como si fuera un delincuente, le hacen dejar el cinturón; un padre que va a la cancha con sus dos hijos de 11 y 13 años. Minutos después entrarían cincuenta personas de la barrabrava sin ser siquiera cacheados.

PREGUNTA: ¿Para qué molestan a la gente que va con su familia o a los pobres viejos —les hacían sacar las pilas de las radios— si después dejan pasar así nomás a los más peligrosos?

Diciembre del 94: Huracán-San Lorenzo (cancha de Huracán), treinta inadaptados se meten a la cancha a los empujones, sin pagar entrada. ¿Qué hace la policía? Tira gases lacrimógenos a la tribuna! Y los que no hicieron nada? No importa.

PREGUNTA: Vale la pena tirar gases en una tribuna donde hay mas de diez mil personas por sólo treinta tipos???

Último clásico San Lorenzo-Huracán en el Nuevo Gasómetro... Corría el rumor por todo el barrio... lo sabían los fanáticos y los no tan fanáticos, los de Huracán y los de San Lorenzo.

Murió Ulises Fernández, hincha de Huracán, pudo ser uno de San Lorenzo, o pudo ser algún inocente que pasaba por ahí.

Qué dijo el comisario: "Cómo íbamos a imaginarnos que los hinchas de San Lorenzo iban a salir a los tiros desde la ciudad deportiva". Cierto, la policía está para reprimir y no para prevenir. Más de veinte oportunidades, saliendo del Nuevo Gasómetro sobre la Av. Perito Moreno...

Las veinte veces desde el mismo lugar, unos metros antes de llegar a una iglesia —la zona de cascotes, como decimos con mi hermano— siempre desde ese lugar 4 o 5 personas de la villa salen, tiran 3 o 4 piedrazos cada uno y corren a esconderse.

Y la policía??? Tomando café con galletitas en la estación de servicio de Cruz y Centenera (facturas no venden en la estación de servicio y las panaderías están cerradas).

El otro día en vez de piedras fueron tiros y un hincha de San Lorenzo resultó herido... Yo entré por Perito Moreno y sobre la villa había un policía cada cincuenta metros, todos mirando para el lado de la calle y no para la villa. Por suerte después del partido salí por Av. Cruz. ¿Pude haber sido yo?

PREGUNTA: La policía que yo vi al entrar parada frente a la villa, ¿seguía observando a la gente de San Lorenzo? ¿Tenían miedo de que atacaran la villa? O quizás en el momento de los disparos los policías ya estaban tomando su cafecito en Centenera y Cruz.

Rumbo a la cancha de Vélez, el partido después de la muerte del hincha de Huracán...

El colectivo 4 está llegando a Av. La Plata, hay casi diez hinchas de Huracán arriba. Unos cuatro hinchas de San Lorenzo lo paran, los de Huracán se asoman y dicen que si suben los van a matar a todos, hay intercambio de insultos y piedrazos, el colectivo sigue su camino por suerte sin ningún herido.

PREGUNTA: ¿Por qué motivo se juega el partido en cancha de Vélez? La gente de Huracán y San Lorenzo tiene que viajar desde Parque Patricios y Boedo hasta Liniers con el mismo colectivo o en auto por la misma ruta. ¿No era menos peligroso hacer el partido en cancha de Huracán? ¿No se hubiesen evitado encontronazos como el que relato anteriormente?

En fin... escribo a ustedes porque son preguntas que habría que hacerles a los encargados de la seguridad y a mí no creo que me den pelota. Bahhh, en realidad esto lo escribo de bronca por la ineficiencia de la policía. La violencia en el fútbol creo que no es exclusiva culpa de la policía, pero me da la sensación de que si se pusieran un poco más las pilas, podríamos ir más tranquilos a la cancha. Saludos y sigan así.

Luciano Martín Pertuzzo

N. del D.: *Fuimos hace unas semanas, con gente de la revista, a ver River-Boca. Es obvio que yo era, en la delegación, el marciano invitado. Me fui a los veinte minutos, pensando que es un milagro que no mueran diez personas por domingo. El nivel de violencia contenida —y también, claro, expresada— es atroz. Y no me refiero a las barras bravas, ya que sólo nos cruzamos con la de Boca, cómodamente instalada en el estacionamiento de prensa de River. Hablo de la violencia de las 4 x 4 entrando con los desocupados, del tipo que corta los tickets, del propio palco de prensa, de la bosta —sí, bosta— que caía sobre la gente, de la locura general de un partido* *que, para colmo, se anunciaba como mediocre y en efecto lo fue. Yo creía que iba a ver un juego. También pensaba —lo sé, soy un tarado— que los que jugaban se divertían, y divertían al público. Martín, Gabriel y Claudio habían ido con sus hijos. Salí pensando que nunca iba a llevar a Bárbara a ese sitio. Aquel domingo me sirvió, también, para desentrañar el estereotipo que escucho desde siempre por parte de amigos de clase media cuando confieso que no entiendo lo que ellos llaman fútbol.*

—No entendés la pasión, ¿eso te pasa?

—¿No te conmueve toda esa gente gritando, boludo?

—¿No te gusta lo popular?

Y así. Si lo que estaba en River aquel domingo era pasión, entonces ¿qué carajo era lo que sintió Moreno en La Gaceta, *o Picasso mientras pintaba el* Guernica, *o Clay parado en medio del ring, o Perón cuando su avión sobrevolaba Ezeiza? Según el sitio desde donde se lo mire, lo único que yo podía ver en el partido era cinismo en la parte de arriba y sorda desesperación en la de abajo. Para colmo escribo esto justamente por eso: porque me conmueve la gente. Para colmo de colmos no me siento parte de ninguna elite, por lo que no entiendo esa pregunta sobre lo popular: Sarandí queda bastante lejos de Palermo Chico. Te cuento lo que vi ese domingo en River: la patraña perfecta del circo, tipos que pierden durante todos los días de todas las semanas y que sienten que aunque sea en la cancha podrán ganar; también vi un sistema lustroso, cínico y perfecto que fomenta esa fábula y encima les cobra entrada. La mayoría de los que manejan eso tienen tanto que ver con el fútbol, con el juego, como la música militar con la música. Casi todo se puede en la Argentina: desaparecer treinta mil personas, secuestrar bebés de las víctimas, malvender las empresas, endeudar diez generaciones, dar golpes de Estado, declarar la guerra a los ingleses, escupir la Constitución, derogar las leyes, influir al Poder Judicial hasta la vergüenza ajena, dispararles a los pibes de la provincia por la espalda, pero hay una sola cosa que no se puede. No se puede parar el fútbol. Cuando eso sucede, la crisis es insoportable: la primera semana hay rostros preocupados pero no pasa a mayores; a los quince días el presidente que fuera se empieza a preocupar por el asunto, a los veinte el tema es prioridad del Estado, y se soluciona como sea. La Argentina no soporta dos o tres meses sin fútbol. ¿A quién se le ocurre semejante barbaridad? ¿A ver si todavía, en esos meses, la gente piensa? La lógica que ahí se expresa es la del poder desnudo, una especie de Argentina sin metáforas, sin almohadones; lo que está es lo que hay, y es lo que se ve: el pez grande tiene necesidad y derecho de comerse al chico, es el destino. Julio Grondona, un vecino de Sarandí al que mi padre ayudaba en su reparto de tarros de leche en los años treinta, "critica" a Fidel pero vive en estado constante de reelección y sólo una vez tuvo una lista opositora. Si lo trasladáramos al país, su Ejecutivo maneja sin ningún complejo de culpa el Poder Judicial, los árbitros. Su aparato de prensa corporativa es casi perfecto: en la AFA el Pravda sería un ejemplo de tibio oficialismo. Alguna vez preguntamos, desde estas páginas, qué pasaría si todos los periodistas deportivos pasaran, en bloque, a hacer periodismo político. Es probable que se dejaran de vender los diarios: estarían atestados de notas diciendo que Menem es la séptima maravilla del Universo, o el peor habitante del Infierno, y todo sin ninguna prueba, sin ningún chequeo, por puro macho. ¿Es mi impresión o el ochenta por ciento de las crónicas de los partidos no cuentan qué pasó durante el encuentro? Por otro lado: ¿alguien notó que en el fútbol casi no hay hechos de corrupción? Curioso, ¿no? No hay técnicos que coimean a los jugadores, no hay lobbies de periodistas que les suben el precio, no hay partidos en los que van a menos, no hay nada de nada de nada. ¿Serán argentinos los que juegan? Ah, me olvidaba: tampoco hay clubes. Quiero decir: clubes, sitios de esparcimiento y de actividades de los vecinos de determinado barrio, lugar de promoción social o cultural, puerta que se abre a deportes con menor repercusión, fomento del amateurismo. Sí, ya sé. Soy un idiota, claro. Disculpen. En los clubes hay bancos, locura de acreedores, fomento de la barrabrava como grupo de tareas (si las barras son la "síntesis de la pasión popular", ¿por qué no lo serían los grupos de tareas? Después de todo, estaban formados por suboficiales, por sargentos, por cabos, por meritorios...).*

Perdón de vuelta. Debe ser la edad. La próxima vez que hablemos de fútbol voy a hacerlo con más calma.

♦

SOBERBIOS, ANTISEMITAS E IRRESPONSABLES

Señor Jorge Lanata: Leo habitualmente la publicación de su dirección, y creo de su propiedad, denominada *XXI* y en los últimos números de la misma noto en ella cierto ánimo discriminador, acentuado desde que comenzaron a tratar la crisis del Banco Mayo y la actuación del presidente del mismo, señor Beraja. Esta actitud, conociendo los pensamientos suyos que ha hecho públicos, la veo efectuada desde la soberbia de alguien que escudado detrás del principio de la LIBERTAD DE PRENSA y la libre expresión se arroga el derecho a decir lo que se le ocurre sin medir ni analizar las consecuencias.

Haciendo uso de su indiscutible calidad periodística, como la de varios de sus colaboradores, se emiten opiniones que irresponsablemente involucran a personas, comunidades y hasta países, por hechos producidos individualmente por una o algún grupo de personas. Soy JUDÍO, ejercí durante muchos años la dirigencia de la comunidad Judía y fui durante cinco años presidente de la Asociación Israelita de Beneficencia de Resistencia, a la par de las otras actividades comerciales y dirigenciales que tengo en la ciudad en la que vivo, en la que todos me conocen por lo que soy, como persona y judío. Al mismo tiempo, puedo decir con total tranquilidad que no poseo el complejo de sentirme perseguido frente a cualquier manifestación que en muchas oportunidades se realizan producto de la ignorancia y la estupidez, pero si reacciono, con el vigor necesario, cuando detecto que algún hecho tiene origen en la mala intención y fundamentalmente cuando el mismo puede adquirir una trascendencia muy significativa y especialmente cuando, "rebuscadamente", haciendo mal uso de un hecho se intenta confundir a la opinión pública. Por el cargo que ejercí en mi comunidad, conocí al señor Rubén Beraja cuando accedió al cargo de presidente de la DAIA. Posteriormente no he tenido relación con el mismo. No soy ni fui su amigo, tampoco su enemigo. Nunca fue mi representante comercial frente al gobierno, ni el de mi congregación, como tampoco de la Comunidad Judía Argentina, por lo cual el problema de sus negocios, de mis negocios como el de todos los judíos que vivimos en nuestra República Argentina, son responsabilidad individual de cada uno, en sus pérdidas y en sus ganancias. El ser presidente de la DAIA le significaba al señor Beraja la facultad de llevar a las instancias externas de la comunidad, sean estas gubernamentales o privadas, la voz de los judíos frente a cualquier hecho que pudiera tener orígenes o visos antisemitas o discriminatorios. Y nada más. Quien quiera adosarle a su función de presidente de la DAIA cualquier otra característica o responsabilidad, peca de ignorante o mal intencionado. Quien lo reemplaza en estos momentos al señor Beraja, si es que leyó las últimas publicaciones de *XXI*, especialmente la última, debería actuar en cumplimiento de su obligación. (Si no se hizo siempre, fue porque dentro de la comunidad judía se acepta y respeta la pluralidad de ideas y la democracia.) Tampoco nunca fue problema de la comunidad judía argentina que hacía el señor Beraja con las utilidades de sus negocios, en qué las distribuía, cuáles eran, etc., etc.

Es por todo lo relatado que no puedo admitir, sin adosarle connotación discriminatoria y antisemita, que se diga que la comunidad judía deberá padecer por los hechos realizados por el señor Beraja en sus negocios, ni aunque la Justicia determine su culpabilidad, porque no fue en nuestro nombre que los realizó.

¿Cuál es la intención de vuestra insistencia en el tratamiento del tema? ¿Por qué esta afirmación tan apresurada y fuera de lugar? ¿Por qué la intención de mezclar los negocios del señor Beraja y sus socios con toda la comunidad judía argentina? Son preguntas que ustedes seguramente contestarán con suma facilidad dialéctica, pero si analizan objetivamente la situación que les estoy planteando tendrán que coincidir con mis conceptos y aceptar sus errores, salvo que crean no haberlos cometido y lo escrito tenga una orientación ideológica implícita, que me molesta porque no la comparto. Usted y sus colaboradores no pueden ignorar los métodos utilizados por los nazis y antisemitas cuando a partir de la deformación y tergiversación de la realidad intentan crear una conciencia colectiva predispuesta en contra de los judíos.

La vida en algún momento nos muestra la cara de la verdad y esta puede llegar a sorprendernos y también a dolernos, y así como nos enteramos, aunque aún no tenemos la certeza de que sea como se relata periodísticamente, de que el señor Beraja habría efectuado algún tipo de negocio no legítimo, también descubrimos que el señor Lanata permite que alguno de sus colaboradores exhiba, con gran sutileza, determinados rasgos discriminatorios.

Podría seguir efectuando explicaciones, analizando partes de los escritos, pero creo que no es necesario. Usted entiende lo que yo deseo explicarle. Me recomendaron que no sería conveniente cuestionar a un periodista de su fuste, pero lo hago con total responsabilidad y convencido de mi obligación de alertar contra cualquier actitud o acción que pueda atentar contra la normal convivencia de la comunidad argentina, como asimismo porque me asiste el derecho para expresarle que un hombre que se considera un "adalid" en la defensa de los Derechos humanos, que no puede ni debe admitir que se ataque a toda una comunidad por lo producido por uno de sus miembros.

Usted tiene varios colaboradores judíos y de apellido judío, que tal vez no piensen como yo, o que le servirán para tratar de mostrar que no es antijudío, pero como ya mencionara más arriba, los judíos admitimos la pluralidad de ideas (no el antisemitismo, porque no es una idea) y no todos tenemos la misma militancia como tampoco los mismos sentimientos.

Sin otro particular, lo saludo atte.

Ingeniero Mario Jaraz
Resistencia, Chaco

N. del D.: Ingeniero Jaraz: Quiero, en principio, responderle algunas consideraciones puntuales basadas en su carta:

1. La revista que usted "cree de mi propiedad" en efecto lo es en un 33%, junto a otros dos socios que tienen el mismo porcentaje.

2. Usted asegura que en XXI *"la soberbia nos lleva a decir lo que se nos ocurre" y que "irresponsablemente involucramos a personas, comunidades y hasta países". Creo que un rápido vistazo a nuestra trayectoria profesional es la mejor respuesta a lo que parece una acusación del todo injusta. Para evitar la soberbia que usted nos adjudica debo contarle algunos hechos presumiendo que no los conoce: desde Radio Belgrano primero, luego en el mensuario* El Porteño, *después fundando y dirigiendo el matutino* Página/12 *durante ocho años y más tarde en* Rompecabezas *y* Día D *hemos publicado y difundido centenares de denuncias. Sufrimos también, como era esperable, varias decenas de juicios por injurias. Tal vez le sirva para abonar nuestra seriedad profesional que en todos esos años no he tenido una sola condena por ese delito, ni por el de calumnias. No se le escapará que la justicia no ha sido, en este tiempo, opositora, ni que la mayoría de esas demandas provenían de funcionarios del gobierno. Si, como usted afirma, decimos "lo que se nos ocurre" llama la atención que a partir de nuestro trabajo se haya conocido el Swifgate (con la posterior renuncia de Emir Yoma), el caso de Vicco y la Mala Leche, el Narcogate, la denuncia sobre los DNI que derivó en la renuncia de Mera Figueroa al Ministerio del Interior, el proceso judicial al entonces ministro Rapanelli en Caracas, las innumerables denuncias sobre la Corte Suprema, etc., etc., etc. Para hablar sólo del año pasado: el escándalo de las herencias vacantes, las pensiones graciables, las denuncias sobre el juez Bernasconi y su banda, las irregularidades del testaferro de De la Rúa, la caída del Banco de Crédito Provincial, los acuerdos entre AT&T y la Secretaría de Comunicaciones, la declaración de impuestos del entonces ministro Cavallo, etc., etc., etc. Y, en esta revista, nuevas derivaciones sobre la mafia del oro, la declaración jurada del Presidente, los mecanismos de coima del Ejecutivo sobre el Poder Judicial, etc., etc., etc.*

3. Usted dice, con razón, que Beraja no fue nunca su representante comercial, ni el de la comunidad judía. Si pienso que su carta está escrita de buena fe, un argumento de ese tipo suena ingenuo. De otro modo tanto la carta como el argumento son de un cinismo insoportable. Esta revista nunca sostuvo que Beraja representara intereses comerciales de la comunidad judía en su conjunto, y mucho menos que ahora la comunidad "deberá padecer por esos hechos". No escribimos con ese tono bíblico. Le cuento una serie de hechos anteriores a la publicación de las notas sobre el Banco Mayo: tuve la primera noticia a través de un amigo que encabezaba, en ese momento, una serie de gestiones financieras ante la comunidad judía de Buenos Aires para lograr el salvataje del banco sin escándalo en los medios. En aquel momento mi amigo me dijo que el propio Beraja había estado presente en algunas de las reuniones hechas para ese efecto. Mi amigo me pidió, entonces, que no publicáramos la información argumentando que, si lo hacíamos, el perjuicio sobre la comunidad judía iba a ser grave. En aquel momento me enteré de que el Mayo financiaba comedores, escuelas y organizaciones comunitarias. Más tarde supe también que el propio Beraja era dueño del canal de cable Alef Network y de la Universidad Bar Ilán, entre otras empresas, y que había girado autopréstamos del Mayo en su favor. Discutí con mi amigo ese día y el día siguiente y uno de mis argumentos era que lo verdaderamente judío sería publicar la verdad. Esa misma tarde me preocupé por averiguar, discretamente, si la noticia de la crisis en el Mayo estaba en otras redacciones: casi todos la conocían y nadie la había publicado partiendo de la misma lógica de protección a la comunidad. En otros medios se agregaban también otros intereses complementarios: negocios de tal medio con el gobierno o de tal otro con el propio Banco, etc. Mi postura a favor de que el hecho se conociera era obvia: no somos quién para ocultarle nada al público y, por otro lado, ocultándolo sólo se les sirve a los delincuentes que, así, dilatan el escándalo. Para colmo, nuestro equipo tenía muy cerca la denuncia del BCP, y la comparación no era descabellada: en el Banco de Crédito Provincial los Trusso tenían fuertes vínculos con la comunidad católica y con colegios y asociaciones intermedias. Pero nunca escuché, a la hora de difundirlo, el mismo cuestionamiento que con el Mayo. Ni yo mismo tuve, a decir verdad, tantas prevenciones para tratarlo. Sé que escribo estas líneas en un país con un importante componente antisemita, quizá superficial pero existente, y creo que ni eso alcanza para justificar prevenciones a la hora de informar. Quizá, también, seamos todos víctimas del uso extorsivo de la conciencia culpable. Quizá, también, ciertos delincuentes encuentren en esa perversión la mejor máscara para estafar tranquilos. Explicarle a usted que no soy antisemita me pondría en una posición vergonzosa e injusta: tengo demasiados años de trabajo público que se explican solos. Leyendo cualquier número de la revista, o del diario mientras lo dirigí viendo o escuchando cualquiera de nuestros programas, sa-

brá usted que no dividimos a la gente por su religión. Es gracioso y un poco patético que usted imagine como parte de nuestra respuesta el hecho del origen o la religión de algunos miembros de esta revista. Sería bastante imbécil y bastante nazi que yo le hablara de mis amigos judíos. Por otro lado, todavía no me tomé el trabajo de hacer una estadística religiosa de mi vida o de la redacción. ¿Usted sí lo hizo? ¿Cuántos amigos católicos tiene? ¿Con cuántos musulmanes trabaja? ¿A cuántos hindúes les regala elefantitos de porcelana?

Quería decirle, por último, que creo que el nazismo es un estado de alma. Todos hemos sido en algún momento sus víctimas. Es obvio que, con esto, no estoy negando la tragedia del Holocausto, o la discriminación cotidiana que muchos de nuestros chicos sufren en el colegio, en la calle o en un partido. Odio escuchar apelaciones antisemitas del mismo modo que odio escuchar "bolitas" o "paraguas", o cabecitas negras, o toroso tortis, o lo que carajo sea. Veo todo el tiempo, en la Argentina del ajuste eterno, a tipos que ganan quinientos mangos reprimiendo a otros tipos que ganan trescientos, y a mil o dos mil hijos de puta que gastan esa cifra en el almuerzo. No podría estar a favor de las divisiones ni aunque quisiera. De lo último que se trata es de dividir. Pero también me enoja que los lobos se pongan piel de cordero, que los estafadores se disfracen con la religión que sea, y que pretendan despertar en mí un sentimiento de culpa que no tengo, porque trato de hacer mi trabajo lo mejor que puedo.

Le agradezco su carta, vuelvo a decirle que la considero injusta, y ojalá mi respuesta haya servido para algo.

♦

ANTISEMITAS

Personas de *XXI*, me pareció interesante el minidebate que se originó en el número 17 por el Banco Mayo y el supuesto antisemitismo de *XXI*. Coincido con las respuestas al modesto lector anónimo y a Mario Jaraz, que cree que lo mejor que le puede pasar a una comunidad es que no se la critique ni se le señale lo que está mal, cuando en realidad eso es su perdición.

Sin embargo, no creo que el antisemitismo sea "superficial", ni que el nazismo sea "un estado de alma". El racismo en general es bastante más que superficial en la Argentina y el nazismo me parece una ideología concreta que actuó (o actúa, teniendo en cuenta a los neonazis) en forma concreta, es decir, reprimiendo, asesinando y saqueando.

Cuando hay millones de dólares en juego, la religión pasa a un segundo plano. En estos casos los católicos, judíos o budistas tienen un solo dios globalizado, de papel, pintado de verde, vulgarmente llamado Dólar.

Por último quería preguntar a los lectores arriba mencionados lo siguiente: ¿por qué Alef Network nunca le dio un espacio a Memoria Activa? ¿Por qué la radio de la comunidad judía FM Jai levantó el programa de mayor rating, *Memoria y realidad*, conducido por Herman Schiller? ¿Acaso Memoria Activa o *Memoria y realidad* son antisemitas?

Ernesto Gómez

P. D.: Si hubo un escrache a Pedro Pou, presidente del Banco Central, no veo por qué no puede haber otro contra Beraja.

♦

AGUANTE CANNING

Jorge: JUA! JUA! Puedo observar que la "chispa" que percibo en las personas que escuchan mi apellido la tenés vos también. No sé si sos un Scalabrini Ortiz de esta época, pero sí sé que sos un reverendo hinchapelotas para cierto tipo de gente y un estímulo para abrir un poco los ojos y ver la realidad que nos rodea para muchos de nosotros.

Con respecto al tema del Banco Mayo, a lo largo de los años los argentinos nos hemos caracterizado por acercarnos peligrosamente a un racismo oculto, cagón. Tenemos la costumbre de etiquetar a las personas por sus defectos, o lo que creemos son defectos. Nunca lo decimos directamente pero existe un halo racista en nuestra sociedad. Por eso se podrían llegar a explicar las declaraciones de algunos judíos que se sienten tocados por tus notas acerca del Banco Mayo. Lo cierto es que deberíamos dejarnos de joder y tratar de vivir en paz y en convivencia en una sociedad que nació de la mezcla de los inmigrantes y los nativos de nuestro país. Y si el que está jodiendo a la sociedad es judío, católico, musulmán, o lo que sea, la gente lo debe saber porque de una vez por todas tenemos que demostrarnos que no somos imbéciles. Hagamos el esfuerzo de no ser imbéciles.

Ingeniero Martín Scalabrini Ortiz
Capital Federal, DNI 21.481.072

N. del D.: De tal palo... (complete usted la frase). Un abrazo y gracias.

♦

BANCO MAYO

Sr. Lanata: Usted está excedido de peso, se viste habitualmente mal, fuma demasiado (yo también), escribe como habla (a los pedos) y tiene tantos "tics" que podría ser un caso en un Seminario Internacional de Psicología. Decir que usted es antisemita porque nos mostró los negocios poco santos del Sr. Beraja, es lo mismo que afirmar que quienes descubrieron la estafa del Banco Ambrosiano eran anticatólicos y querían destruir el papado de Juan Pablo II. ¡Dejémonos de joder, che! Es absurdo que usted esté dando explicaciones (creo que bastaba con un "no soy antisemita, porque no lo soy", y punto) mientras el Sr. Beraja no les ha explicado a la comunidad argentina y a los pobres ahorristas del Mayo y el Patricios, más a sus propios empleados (judíos, católicos, evangelistas, gallegos, italianos, hebreos) el origen y el destino de sus negocios. El Ing. Jaraz insinúa que detrás de la "insistencia" en el tratamiento del tema, existen connotaciones "discriminatorias" y "antisemitas". Fue una estafa, Ing. Jaraz. Una enorme, organizada y cruel estafa de una entidad financiera argentina. Tampoco usted puede ser tan ingenuo como para pensar que un hombre que fue el referente excluyente de la comunidad judía en la Argentina, pasara desapercibido ante semejante "afano". No sé usted, Ing. Jaraz, yo quiero ver a la caterva de delincuentes que nos rodea en cana. Quiero que alguien, en este bendito país, alguna vez pague sus incesantes "escapadas" al delito. Y me importa un bledo, un reverendo bledo, si es católico, judío o musulmán. Si se comprueba la culpabilidad de Beraja, yo lo quiero preso.

Ing. Jaraz, en las explosiones tanto de la Embajada de Israel como de la sede de la AMIA murió mucha gente. Eran argentinos, en su gran mayoría. La muerte no les preguntó su origen ni su religión antes de detener sus vidas para siempre. Cientos de bombas con el mismo poder de destrucción se instalaron eternamente en hogares argentinos que lloran todos los días a estas víctimas. En la calle Pasteur murió la hija de un amigo mío. Caminaba hacia la facultad para inscribirse. Para su futuro, que no tuvo. No era judía, pero eso ya no importa, ¿no? Su padre, Guillermo, ya no ríe como antes. Los hombres y mujeres de bien de este país, entre quienes me incluyo, hemos condenado de todas las formas pacíficas posibles, estos atentados a nuestra comunidad judía y a nuestra comunidad no judía.

Su Carta de Lectores tiene —si me permite— un "tufillo" extorsivo. No son antisemitas los que descubren los delitos de Beraja, sino que Beraja pudo haber cometido graves delitos, en cuyo caso, sería un delincuente. Piénselo, Jaraz. Piénselo.

Orlando Molaro
DNI 18.549.335

N. del D.: *Querido Orlando, quería comentarle que usted se está quedando pelado, está fláccido, tiene mal aliento y un poco de caspa y fuma demasiado (como yo), amén de los pantalones arrugados como un acordeón y su evidente mal gusto en la elección de las corbatas. No me meto con sus eyaculaciones nocturnas ni con la tos convulsiva que invariablemente lo ataca en los ascensores, porque no creo que sea el lugar para hablar de eso. Por lo demás, un abrazo y le agradezco la carta.*

♦

HISTORIA ARGENTINA

Sr. Director: Siempre creí que la expresión "Periodismo independiente" era una más de esas muletillas tan grandilocuentes como vacuas. Esas del tipo "Hermandad Latinoamericana", "Justicia Social" o "Reconciliación Nacional". Tengo mis razones para tal grado de pesimismo y desconfianza. Una de ellas, tal vez la más fuerte, es ver y oír con frecuencia abrumadora en todos los medios de comunicación las denuncias, testimonios y alegatos acerca del horror vivido en la nefasta época de la dictadura militar. Sin embargo, esa vehemente y abnegada vocación por la verdad no incluye los crímenes cometidos por Gorriarán Merlo y Cía. Creo que el hecho de que mi abuelo haya sido asesinado de once (sí, 11) balazos por un comando del ERP me da cierto derecho a opinar sobre el tema, sin ideologismos y con el solo y sincero argumento del dolor de una herida que no cierra.

La lectura de su revista *Siglo XXI* y la injusta exclusión mediática a la que usted fue sometido me ha suscitado la esperanza de que exista un verdadero Periodismo Independiente. Por eso, y porque también necesito la esperanza de una verdadera Reconciliación Nacional, acudo a usted para expresar públicamente mi dolor por ciertas actitudes y formas de expresión torpes y desubicadas. Me refiero entre miles, concretamente al programa del señor Jorge Guinzburg en el que se expuso a la saña de los transeúntes de nuestras calles un muñeco con la cara y nombre de Miguel Etchecolatz para que sea escupido y golpeado. La intención de mi carta NO ES DEFENDER AL SR. ETCHECOLATZ, si no expresar lo siguiente: a mí no se me ocurriría poner en la calle un muñeco de Gorriarán Merlo o de Firmenich para que la gente lo golpee. Creo y siento que ya hemos tenido demasiada violencia en nuestro país. Cuando asesinaron a mi abuelo, en octubre de 1974, yo apenas tenía siete años y desde esa edad tan temprana mis padres me enseñaron a perdonar a los asesinos. Por eso, de la expresión "NI OLVIDO NI PERDÓN", sólo me quedo con la primera parte. Porque no hay que olvidar para no cometer los mismos errores (de un lado o de otro) pero el perdón es la única actitud que puede llevarnos a la reconciliación.

Sé que esta carta, además de ser extensa, desafina mucho en el concierto de la mentada "Opinión Pública", y es por eso que, a pesar de toda esperanza, no espero su publicación. Pero al menos respóndame para saber lo que piensa. No afloje. Recordar es un deber, olvidar es una culpa.

Hernán Pablo Caponnetto

N. del D.: *Hernán, lo primero que hice después de leer tu carta fue preguntarme para qué me había puesto a responder el correo. Hablando en serio, quizá comencé a contestar el correo para en-*

contrarme en situaciones como esta. Quisiera comentarte, en principio, sobre tu mención al sketch de Guinzburg para después extenderme en el resto. En ese caso me veo obligado a repetir una respuesta de estas mismas páginas: no podemos tomarnos en serio un chiste. Puedo analizarlo como gag, comentar si está bien o mal logrado, pero es solamente una broma. Me interesa y complica más el resto de tu carta que, si no incluyera la palabra "perdón", podría suscribir casi por entero. A efectos del diálogo, aclaremos nuestro diccionario:

1. En mi opinión no existen asesinatos justos. Justificar la resistencia contra una dictadura basándose en el asesinato del dictador es, por lo menos, demasiado simple e irreal: parte de la suposición de que la dictadura está en el gobierno y no en el pueblo que la consiente. Es imposible pensar al amo sin el esclavo, y matando al dictador que fuera sólo se acelera su recambio.

2. Estoy harto de la Argentina en la que robo quería decir "expropiación" o "allanamiento", según quién lo llevara a cabo. Hay demasiados ejemplos: "ajusticiar" o "reprimir", "campo de concentración" o "cárcel del pueblo", etc., etc.

3. Si un funcionario propusiera una "Ley de amor obligatorio", terminaría en el Borda. Sin embargo, creen que puede decretarse el perdón aunque, como cualquiera sabe, el alma no acata las obligaciones. El perdón es una actitud individual y, como tal, no creo ser nadie para aconsejarle a otro que perdone. Personalmente creo que el perdón social es posterior a la ley; puedo perdonar al que cumplió su condena, pero no al impune ya que nada me indica que no pueda volver a cometer el delito que fuera.

Gris, burocrática, a veces parcial, en el fondo humana, la ley no es una solución milagrosa pero creo que es lo mejor dentro de lo que tenemos al alcance.

4. Si la Policía o el Ejército utilizaran su coraza corporativa para la introspección, quizá pudieran descubrir que en su historia como institución han sido más perjudicados por la tortura que por el periodismo. Si el símbolo del uniforme es Astiz, ¿cómo hacer para que vuelva a ser San Martín? ¿Belgrano se hubiera acogido a la obediencia debida? ¿Rosas hubiera nombrado a Martínez de Hoz? ¿Mitre hubiera tenido un grupo de tareas? ¿Güemes hubiera robado en un allanamiento? ¿El Ejército de los Andes se hubiera quedado con chicos secuestrados? Para decirlo de otro modo, creo que es la corrupción y no la denuncia la que demuele las instituciones.

5. Te agradezco tu reconocimiento hacia la revista como periodismo independiente, porque es eso lo que hacemos y lo que muchas veces nos lleva a que todo nos cueste el doble: escasa publicidad, boicot informativo, salida de la tele, etc. Pero también creo que nos falta mucho, y es desgraciadamente cierto que muchas veces somos parciales, y otras tantas corporativos o injustos. Podría decirte a nuestro favor que lo hacemos sin darnos cuenta, o que tenemos buenas intenciones, pero eso no sirve para nada. A veces nos dejamos ganar por lo trágico, y nos cuesta mucho equilibrar los contenidos; nos sentimos culpables otras veces por dar algo liviano cuando, en realidad, nadie escucha Wagner todo el día y el hecho de desenchufarse es por demás humano. También nos dejamos influenciar demasiado por el microclima y, a veces, eso nos aleja un poco de la gente. Confiamos profesionalmente en poder descubrir los hechos y, cuando lo logramos, el poder nos descalifica argumentando que no son hechos, sino opiniones, o críticas, o lo que sea pero con un gran contenido de "depende". Eso lleva a que, por nuestro lado, polaricemos la opinión, y es injusto hacerlo. Quizá sea comprensible, pero no es justo para con el otro. Mi autocrítica no se refiere a las denuncias (ustedes saben que, en eso, trabajamos con la mayor equidad y seriedad posible) sino a nuestras opiniones: nos cuesta decir que el gobierno que sea ha hecho algo bien. No nos sale hacerlo. Y ningún gobierno, ni el más corrupto ni el más incompetente, hace todo el tiempo todo mal. También es cierto que no hablamos de las víctimas de la guerrilla, o de los policías que ahora mueren baleándose con delincuentes comunes. Es miserable que no lo hagamos. Si pensamos que un pibe de uniforme y sueldo de cuatrocientos mangos que muere de un tiro está bien muerto, somos nosotros los que estamos locos. No sé cómo se arregla este quilombo y lo único que se me ocurre es que hace falta tiempo y respeto mutuo. Nosotros tenemos que aprender a escuchar, y ellos también. Y todos por igual debemos sometemos a la ley.

♦

CRIMEN Y CASTIGO

Sr. Director: Espero que no tome esto como un abuso del más que generoso espacio que me ha concedido, pero ciertos puntos de su respuesta hacen indispensables algunas aclaraciones:

1. Ni yo ni mi familia nos sentimos identificados o contenidos por el gobierno de Videla y cía., y puedo asegurarle que si a mi abuelo, que era civil, no lo hubieran asesinado, habría sido perseguido y probablemente encarcelado por el Proceso. El hecho de que Massera este libre no me compensa el que Galimberti no sólo siga impune, sino que sigue currando a cuatro manos.

2. No creo que la palabra "perdón" incluya o implique el concepto de impunidad pero, para no entrar en una discusión de semántica, le aclaro que el perdón al que me refiero no necesita de indultos ni de impunidad, el castigo es absolutamente necesario, y el que más lo necesita es el propio castigado. Dostoievsky, en su genial *Crimen y castigo*, nos muestra un personaje enfermo de culpa que sólo encuentra paz y redención en el castigo de su crimen.

3. Muy probablemente usted tenga razón en cuanto a la broma de Guinzburg. Pero cuando vi esa imagen no pude evitar asociarla a los "Escraches" que le joden la vida al pobre tipo que tiene la mala suerte de vivir en la misma cuadra donde supuestamente vive un "Monstruo asesino", o a la imagen de un hombre mayor que, por decir que la guerrilla también mató gente, es golpeado por una horda que espera en la puerta de tribunales la salida de Videla, o por etc., etc., etc., un interminable etc.

Hernán Pablo Caponnetto

P. D.: Le pido por favor la publicación de estas aclaraciones.

♦

MONTONEROS S. A.

Sr. Jorge Lanata: El día 19 de septiembre de 1974, los hermanos Juan Born y Jorge Born fueron emboscados por los terroristas que ensangrentaron el país, quienes practicamente ajusticiaron a un hombre de su gran amistad y confianza, el doctor Alberto Bosch, y su chofer, Juan C. Pérez. Producido el secuestro y posterior cautiverio que duró varios meses, la ciudadanía se enteró de que para liberarlos se había pagado un rescate de 60.000.000 de dólares (aún hoy récord mundial en este tipo de delitos). Hoy asistimos estupefactos a la integración de una sociedad entre el tristemente célebre montonero Galimberti y el Sr. Jorge Born, no he encontrado a nadie que pueda entender esta asociación habida cuenta de lo antes relatado y quisiera saber si la familia Bosch mantiene alguna relación con el Sr. Born.

Por otra parte, si se recuperó el rescate o parte de él es algo que la sociedad necesita conocer. En cuanto a la señora Susana Giménez, indiscutiblemente la reina del rating en nuestro país y tal vez en otros, no entiendo cómo el Comfer no la sanciona permanentemente por el tramo de su programa donde, entre las 20 y 21 horas, se cuentan chistes "verdes" sin ahorrar ningún tipo de grosería y por supuesto escuchados por todos. Ella y el Canal 11 saben que el horario de protección al menor comienza a las 22 horas, pero ninguno de los aludidos se da por enterado.

Agradeciendo la publicidad de la presente saludo usted muy atentamente.

Edgardo Duprat
Olivos

♦

LOS SETENTA

Jorge: No recibas lo que quiero decirte como grandes sentencias o juicios pretenciosos. Te escribo desde la bronca y la confusión, desde ("de alguna manera") la ilusión de que alguien empieza a trazar un camino nuevo. No tengo mucho que decir, pero sí quisiera que le hagas llegar a Martín Caparrós un abrazo mío, tan lleno de malentendido como de esperanza, porque no hizo otra cosa que decir lo que yo querría haber expresado. En su artículo "Olvidemos los setenta", así como en aquel maravillosamente sincero cruce de cartas con Zlotogwiazda, él me hizo pensar en que hay quienes olvidaron, en que hay quienes duran y jamás entenderán, en que hay quienes ya no tienen lugar más que dentro de la manta del poder (y se van pudriendo), y de que hay algunos, "hay algunos", que ni olvidan ni se estancan, que ven que hay cambios de rumbos y que soplan otros vientos y que el Che murió y ven que la única forma de crecer es comenzar a escuchar el presente que aúlla, de bronca y de hambre, de los que están vivos. Tengo 21 años y una herencia que no entiendo.

Alguien me puede explicar por qué me hacen sentir culpa cuando creo que está bien que no quiera tirarle un piedrazo a un cana. Está bien que crea que por callar las "identidades" en alguna forma me cagaron. No quiero que me inviten al seminario de un banco extranjero, pero tampoco quiero romper un cajero. Sé que son dos extremos, y no estoy hilando tan fino, sino expresando un sentimiento que no entiendo del todo. Y no me digan que porque soy un pendejo y no lo viví no sé nada, y no me digan que eso ya pasó y que hay mirar para adelante (o para el norte) como si nada, y no me digas concheto, y no me digas zurdo de mierda, y no soy burgués y no tengo ninguna remera del Che. Y no soy culpable de que no entienda nuestra historia, porque todos, todos, habrán pasado el codo por la tinta de lo quedó escrito en los setenta. El resto son las palabras de Caparrós. Y lo que haga yo ante el reclamo de los "vivos".

Nicolás Ezequiel Fonsecazas
21 años

♦

UNA NINFÓMANA

Hola, *XXI*: Quería felicitarlos por la revista, me gusta la onda, en general de todo lo que tenga que ver con Lanata y Zloto. Pero desde el pri... segundo número había siempre seis hojas que me sobraban y eran las de hermosas chicas mostrando sus atributos a los lectores hombres (quizás a ellos no les sobraban), bueno, ok, espero hasta el numero 18 (¡dieciocho!), por fin HOMBRES mostrando sus atributos... (pero me faltó el pelo en pecho!).

María Laura Tilkin

P. D.: ¿Tendremos que esperar otros 18 números?... Si mal no recuerdo la población es 51% mujeres y 49% varones, así que un poco de equidad y un número de bombachas, otro de zolcilloncas, un número de bombachas, otro de zolcilloncas, etc., etc.

P. D. 2: ¿Para cuándo una página en internet?

N. del D.: Y lo mosquita muerta que parecías...

♦

EL ENIGMA DEL CORREO

Ya que algunas cartas plantearon dudas sobre el punto, y para que no se transforme en un enigma como el de la Momia de *Titanes en el Ring*, aclaramos que "N. del D." es una convención viejísima que significa "Nota del Director", lo que significa que el correo, su edición y las respuestas a las cartas está a cargo de Jorge Lanata. Ya sabemos que habría sido mejor que las respondiera Leonardo DiCaprio, pero esto es el Tercer Mundo y es lo que hay.

♦

HOMBRES NECIOS QUE ACUSÁIS

Jorge: Gracias por la contestación a mi carta, ante todo. Este fax es muy simple, es para decirte que yo te banco con los $4 básicamente porque me encanta leer tus notas, y que la revista es muy completa y porque me parecen gente hiperinteligente. Admito que $3 es una cosa y $4 es otra (con toda la profundidad que este comentario merece), pero querés que te diga algo: ¡lo vale! Ojalá algún día te pueda conocer personalmente.

Jimena Passalacqua

P. D.: Por ahí me dijeron que vos ni en pe... eras el que contestaba las cartas, yo creo que sí. Pregunto: ¿me merezco el DNI del Boludo? Besos.

N. del D.: *Jime, me descubrieron. Es cierto: yo a duras penas sé leer y escribir y, en verdad, quien contesta por mi las cartas, escribe mis notas e hizo todos mis libros es mi tía Nélida. Una cosa más: dice mi tía que si lo ves al que te dijo eso le digas que es un forro.*

♦

A CADA "GE" LE LLEGA SU "JOTA"

Querido Jorge: Antes que nada, quería felicitarte por tu revista, no por su tirada sino porque me parece admirable que una revista del carácter de *XXI* pueda mantenerse independiente y fiel a su estilo.

Con respecto al tema del momento, el aumento de precio de la revista, quería decirte que guardo como colección cada número de la revista (y su regalo), y que esto no va a cambiar por eso. A mí no me molesta el peso en sí (no por cuestiones económicas, sino porque la paga mi papá), sino que creo que es un mensaje jodido (bah, tal vez un reflejo de la realidad que nos toca vivir) que una revista con las características anteriormente mencionadas tenga que aumentar su precio, tal vez por problemas financieros, tal vez por la falta de publicidad (lo que me da vergüenza ajena por las empresas que se fijan en quién hace la revista y no en quién la lee).

Ahora, el verdadero objetivo de esta carta era proporcionarle una respuesta al lector Alberto Berbeglia, quien la semana pasada pidió una información sobre la cortina musical de *Día D*. Esta es el principio de la canción "Runaway Train", de Elton

John (canción n.º 4 del CD *The One*). Se le respondió algo sobre un tema de la banda de sonido de la película *Arma mortal*, esta cortina fue utilizada en realidad como cortina del programa radial *Rompecabezas*.

J. Y.

P. D.: El nombre firmante no es ficticio, y cualquier similitud con el nombre del firmante de la sección "El chiste" de la revista se debe a que muchos de los chistes publicados son, en realidad, de mi propiedad. Analizando la posibilidad de iniciar acciones judiciales por esto, me despido y saludo muy atte.

***N. del D.:** Vamos por partes:*

1. En el caso de Rompecabezas, *yo solo elegí la cortina, le puse título al programa y lo conduje durante tres años.*

2. En el caso de Día D *lo mismo, pero durante dos años.*

3. Tenés razón vos.

4. ¿No te acordás de qué hice en la mañana del 5 de abril de 1964?

5. Si le hacés juicio a GY este es el momento, porque me comentaron que debido al frenético éxito de su sección "El chiste" está estudiando la posibilidad de lanzar una revista aparte con ese título y doscientas páginas de chistes por semana, a tres pesos con noventa y nueve, para cagarnos.

♦

XXI, REVISTA PORNO (I)

Sr. Director Jorge Lanata: Lamentable, señor Lanata, realmente lamentable; ¿cómo una revista que se precia de seria va a publicar una porquería como "La Máquina de Coger"? Usted sabe que su Revista la leen los mayores, pero también llega a las manos de los menores de edad; más de una vez usted ha publicado cartas que le han dirigido los niños y que me han emocionado como aquella en la que le enviaron el dibujo de una hormiga y usted contestó que casi lo había picado. Hace una pila de años, en tiempo de *Caras y Caretas*, circulaba *Caricaturas*, una revista pornográfica, cuyos relatos resultarían hoy cuentos de hadas, comparados con las barbaridades que se leen en "La Máquina de Coger". Permítame aconsejarle, Sr. Lanata, que no continúe con esas publicaciones, que tanto mal hacen al prestigio que su Revista se ha sabido ganar. Conste que tengo 71 años y que ya nada me asusta; pero realmente considero que los cuentos eróticos del calibre del que comento no merecen aparecer en las páginas de "nuestra revista" *XXI*.

Lo saludo muy atte.

José M. Lage
La Plata

N. del D.: *Estimado José, no sé si tuvo oportunidad de leer el correo pasado, porque allí yo hice referencia al tema y comenté que, quizá, estuvo desacertada la publicación de ese cuento. Fíjese que hablo del cuento y no del título, porque haber respetado la traducción española "La máquina de follar" hubiera sido más lamentable, por lo idiota. Le escribo esta respuesta a la una de la mañana del sábado, y después de haber leído varias cartas que insisten en el argumento del mal ejemplo a los chicos. Nada personal, pero le tocó a usted: estoy harto de escuchar esa pavada del mal ejemplo a los* *niños. Es patético que todos los que se golpean el pecho con eso se callen la boca, diariamente, con verdaderos malos ejemplos para nuestros hijos. ¿Usted notó cómo los grandes tratamos a los chicos? ¿Cuántas veces al día escucha a personas mayores insultando o denigrando a sus hijos? ¿No recuerda, en el colegio, a ningún maestro humillando ante la clase a alguno de sus compañeros o a usted mismo? ¿Nunca vio cómo los grandes abusan de su fuerza con los chicos? ¿Usted no creee que mentirles a los chicos es violento y no perecedero? ¿Usted cree que respetan a los chicos los padres que los obligan a vivir su propia vida y no la de ellos? ¿Piensa que es respetar a los chicos obligarlos a una religión, a un tipo de valores, a determinada vida, sin darles tiempo para elegir? ¿Qué hace usted con los chicos cuando le preguntan por la AMIA o por la deuda externa? ¿Les pega? ¿Los enchufa en el Cartoon Network? ¿Nunca vio a los grandes inventándoles miedos a los chicos? ¿Usted mismo no les inventó algunos? ¿O no le inventaron, hace años, algunos a usted? ¿Su "idea correcta" de la defensa de los chicos sostiene la virginidad? ¿Cree que es mejor que se hagan la paja a que entre chicos de la misma edad se sientan y se conozcan? ¿Respetan a los chicos los padres que los llevan a debutar con putas? ¿No cree que la abstinencia es más perversa que el sexo? ¿Cuál de las dos está contra la Naturaleza? Usted nos dice en su carta: "a mi edad ya nada me asusta". ¿Se acuerda de una tapa de esta revista que decía que "de cada 10 causas por delitos económicos, sólo una llega a tener condena"? ¿Eso no lo asusta? ¿Coger le asusta? ¿O sólo que alguien diga "coger" pero no el hecho en sí? Los chicos a los que se refiere ¿salen vendados a la calle? ¿Toman clases particulares? ¿Nunca se encuentran con otros chicos? Lamento decírselo, pero en cuanto se escapen de su control y se vean con otros chicos, el poder de control de los grandes sobre su cabeza se va a convertir en arena. A veces no parece, pero hay vida allá afuera.*

♦

ME VAS A SACAR CANAS VERDES

Carta de una hija

Queridos Mamá y Papá: Ya han pasado tres meses desde que dejé la universidad. Dude mucho en escribirles esta carta y me arrepiento de haber dejado pasar tanto tiempo sin escribirles. Los pondré al día, pero antes de leer esta carta deben tomar asiento. NO LEAN NADA MÁS SI NO ESTÁN SENTADOS. Bueno, estoy bastante bien. La fractura de cráneo y clavícula que me hice al saltar por la ventana cuando se incendió mi dormitorio, al poco tiempo de llegar, ya están casi curadas. Sólo algún que otro dolor de cabeza, pero no más de una o dos veces al día. Afortunadamente, el incendio y mi salto fueron observados por un empleado de una estación de servicio y fue él quien llamó al Departamento de Bomberos y a la ambulancia. También me visitó en el hospital, y como no tenía lugar donde vivir (las llamas destrozaron el departamento) me ofreció muy amablemente compartir su casa. Es una casita muy humilde, pero es agradable. Él es un buen muchacho y al poco tiempo nos enamoramos, estamos planeando casarnos. Todavía no fijamos una fecha, pero será antes de que comience a notarse mi embarazo. Así es, Mamá y Papá, estoy embarazada. Sé cuánto desean convertirse en abuelos y pronto habrá un nietito esperando recibir todo el amor, el cariño y el cuidado que ustedes le puedan brindar. La razón del retraso del matrimonio es porque mi novio tiene un infección menor que evita que podamos pasar el análisis de sangre prematrimonial. Pero me tiene sin cuidado, pronto estará solucionado con las inyecciones de penicilina que nos aplicamos diariamente. Sé que le darán la bienvenida y lo aceptarán en la familia con los brazos abiertos. No es un muchacho muy educado, pero es amable y ambicioso. Pertenece a otra raza y religión un poco diferente de la nuestra, pero sé que eso no será un problema, como tampoco el hecho de que el color de su piel sea un poco más oscuro que el nuestro. Estoy segura de que lo amarán tanto como yo. No conozco mucho a su familia pero sé que son buena gente, por ejemplo, sé que su padre es un importante comerciante, en un pueblito en África, que es de donde viene. Bueno, ya están al tanto de mi situación. Quiero decirles que no ha habido ningún incendio, no he sufrido ninguna fractura de cráneo o clavícula, no estuve en ningún hospital, no estoy embarazada, tampoco estoy comprometida, no tengo sífilis ni nada parecido y no hay ningún hombre en mi vida. Sucede que me saqué un 2 en Historia y un 1 en Matemática y quería que vieran esos resultados desde una perspectiva positiva. Su hija, que los quiere.

Enviada por el lector Mariano J. Fernández

♦

UNA DAMA

Querido y muy admirado Jorge: Hola, ídolo!!!! Si supieras cómo te amo, si no fuera que fumás como un enajenado y despedís humo hasta por el culo, serías el hombre de mi vida: sos Tan inteligente, Tan brillante, Tan inobjetable... por esto y todo lo demás me atreví a escribirte brevemente para proponerte algo... Ahí va: ¿qué tal si junto con Zloto, Martín y otros con el pensamiento paralelo al de ustedes, conforman un partido político...? NO TE RÍAS, PARÁ DE REÍRTE, JORGE! Es en serio lo que te digo. Yo, con mis 18 años, estoy desorientada como Adán en el Día de la Madre y tantísimos amigos, parientes, compañeros de facu y de laburo, conocidos lectores de *XXI* (por lo que deduzco de las cartas que te llegan), estamos asqueados de estos políticos corruptos de mierda que sólo aspiran a llegar para llenarse los bolsillos, ni en pedo se calientan por el prójimo, salvo que sea un pariente para colocarlo en algún puestito bien rentado... Si queremos REALMENTE hacer algo para salvar a este país (y si es que TODAVÍA estamos a tiempo y puede ser salvado) y no caer en profundas depresiones, tenemos que empezar a actuar. Por eso te pido que no lo tomes a risa, que NECESITAMOS CREER EN ALGO: ESTAMOS REPODRIDOS DE LA MISMA CAGADA DE SIEMPRE: PROMETEN, CON PALABRAS ESPERANZADORAS, QUE ESTO VA A CAMBIAR SI ELLOS (DE LA RÚA, MEIJIDE, DUHALDE, ETC.) GANAN, pero lo más probable, lo seguro, es que una vez que agarraron el queso se olvidan de todo y una se siente una pelotuda, porque así se siente mi vieja que tiene 42 y votó primero al ¿peronismo? y más tarde a la Alianza: la cagaron siempre y la seguirán cagando. Si tu respuesta es seguir riéndote, por lo menos dame un consejo para el 99: en blanco?, papel con sorete?, vomitada? Qué? Y CONTESTAME! TE QUIERO!

Fernanda Martín, Olivos

N. del D.: Fernanda, ¿todo eso lo aprendiste en el recreo? Poné pausa en el video de El Exorcista, *donde la chica vomita desde el techo, y releé un segundo tu... sutil, sexy, femenino y atractivo lenguaje:*

1. *por el culo*
2. *de mierda*
3. *ni en pedo*
4. *la misma cagada*
5. *una pelotuda*
6. *cagaron siempre*
7. *seguirán cagando*
8. *sorete*
9. *vomitada*

Si hubieras llegado a diez pasabas al repechaje. Una observación demasiado machista, ¿no? Disculpame, pero soy de esos jovardos a los que les gusta que las chicas hagan de chicas y no de entrenador de marines. Sobre tu propuesta política: no, gracias. Sobre el resto: yo también te quiero, pero tratá de ser nena.

♦

QUE DIOS NOS AYUDE

Estimado Jorge: El número pasado por primera vez me puse mal con vos al ver la nota de los homosexuales. Y no porque comentes la problemática social de ellos. Sabés una cosa: DIOS AMA A LOS HOMOSEXUALES, A LAS LESBIANAS, A LAS PROSTITUTAS, A LOS GAYS, LOS TRAVESTIS Y A TODO EL MUNDO. PERO DIOS ABORRECE: LA HOMOSEXUALIDAD, EL LESBIANISMO, LA PROSTITUCIÓN, EL TRAVESTISMO Y A TODO PECADO. No es una cuestión de amar o no amar a esta gente, no hay duda en que hay que amarlos incluso ni hay que juzgarlos porque de eso se va a encargar Dios. Pero si vos venís a mi casa con 10 kilos de cocaína, armado hasta los dientes y con cinco amigos prófugos de la cárcel seguro que, si bien te voy a amar y no discriminar, tampoco te voy a hacer pasar para dormir con mis hijos y permitirte que les des una clase de armamentos y de cómo traficar drogas. ¿Soy claro? Bueno, cuando vos publicás notas de este tipo hacés lo mismo: promocionás al pecado, le das prensa a la inmoralidad, a la vergüenza, a todo lo que está en contra de aquel que seguramente invocás como Dios.

No sé editorialmente que rédito te pueden dejar notas de este tipo y tampoco me importa si el mundo se dio vuelta y ahora la gente consume esto.

Sí sé que lo que dice Dios nunca pasa de moda. Dice la Biblia: "Cielos y tierra pasarán, pero mi palabra no pasará", y en el libro de Romanos capítulo 1, versículos del 18 en adelante, dice Dios lo siguiente: "Porque la ira de Dios se revela desde el cielo contra toda impiedad e injusticia de los hombres quen detienen con injusticia la verdad... de modo que deshonraron entre sí sus propios cuerpos, ya que cambiaron la verdad de Dios por la mentira... por esto Dios les entregó a pasiones vergonzosas; pues aún sus mujeres cambiaron el uso natural por el que es contra naturaleza, y de igual modo también los hombres dejando el uso natural de la mujer, se encendieron en su lascivia unos con otros cometiendo hechos vergonzosos hombres con hombres y recibiendo en sí mismos la retribución debida de su extravío". Y como ellos no tuvieron en cuenta a Dios, Dios los entregó a una mente reprobada. Por todo esto es que pienso que no es una cuestión de "derechos" sino de obediencia o desobediencia, libertad y no libertinaje.

No te juzgo y no quiero afirmar que lo hacés por el sólo hecho de vender más revistas, pues considero que sos más que inteligente para hacerlo por otros medios. Pero, querido Jorgito... terminemos de una vez con la exaltación de lo malo, no nos engañemos, lo natural es lo correcto, no imagino un mundo de homosexuales porque simplemente se va a acabar a medida que se vayan muriendo, sí acepto que hay gente que está mal, que necesita del amor verdadero de Dios. Cuando ellos dicen que los dejen amarse es mentira, eso no es amor. El amor te produce bienes y no males, el amor no te contagia de HIV, no te somete a operaciones estéticas horrorosas, no destruye a otras familias, no te lleva a andar con drogas, ni a prostituirte, no es egoísta, no te lleva a la infidelidad. El amor de Dios forma familias ejemplares, con hijos similares, que trabajan y que luchan por un país diferente. En nombre de un gran número de cristianos que amamos a la Argentina, es nuestro deseo que la palabra de Dios se conozca. Que, entre tantas voces, Dios "fuente de toda razón y justicia" se escuche.

Walter Coq

P. D.: Espero sepas interpretar esta carta y deseo que siempre tengas la valentía que estás demostrando, incluso para defender las verdades de Dios, tu creador. Un fuerte abrazo!!

N. del D.: Walter, menos mal que al comienzo aclarás que no hay que juzgar a nadie. No quiero pensar lo que serás juzgando... Yo pensé que, a los 38 años, ya no me iba a asombrar por lo que dijeran sobre mí, pero lo lograste: nunca me habían dicho que "promociono el pecado". Espero que pienses lo mismo de la Iglesia católica apoyando a los nazis en la Segunda Guerra o a los milicos de la dictadura. Desgraciadamente sigo creyendo que la relación voluntaria entre dos personas adultas es un derecho que nos asiste. Yo también creo en Dios, y no lo siento tan chismoso como para meterse en mi cama; debe tener preocupaciones más importantes. Recién ahora advierto que estamos en un problema: estás leyendo la respuesta de un tipo al que le gustan las chicas. Que lástima, ¿no? Si no fuera así, podrías acusarme de corporativo, o lascivo, o promotor de pecado a comisión. O peor, a lo mejor dudás: este Lanata debe ser medio trolo pero no lo cuenta. ¿Sabés qué? Si más o menos me conocés tendrías que darte cuenta de que, en ese caso, yo sería una especie de Fernando Noy. Si lo fuera, esperaría tener el coraje para decirlo, comprarme un par de calzas violetas y salir de levante. (Perdón por lo estereotipado del ejemplo.) Vuelvo al asunto: como dirían en Tribunales, no me comprenden las generales de la ley. Tampoco soy negro y detesto la discriminación, o desocupado y critico el ajuste. Así es la vida. No veo por qué calificás la homosexualidad como un hecho "antinatural", a menos que pienses que lo único natural respecto al sexo es la maternidad. Si es así, lamento contarte que te estás perdiendo algunas de las mejores partes de la película. Tengo la impresión de que, por el contrario, es natural porque puede realizarse con el cuerpo y en la Naturaleza (no me refiero a los yuyos, o sí, pero también a cualquier otro lado). ¿No te suena un poquito parcial el paralelo con lo que suponés "el amor"? (imagino que hablás de las relaciones entre hombres y mujeres). Fijate:

1. Para vos "el amor" no contagia VIH. Error: depende, mujeres u hombres pueden ser portadores del virus por una tranfu-

sión insegura o por el uso de jeringas. Hay, de todos modos, otras enfermedades más antiguas entre chicos y chicas: sífilis, gonorrea, etc.

2. Preguntales a las señoras que se hacen las gomas si "el amor" no las presiona hacia la cirugía estética.

3. De Romeo y Julieta para acá, tu afirmación de que "el amor" no destruye familias suena un poco endeble.

4. Que el amor "no prostituye" es obviamente falso, y el propio Jesús daría testimonio de eso: acordate de que hubo una puta entre las tres personas que fueron a verlo a la Cruz.

5. Sobre aquello de que "el amor no lleva a la infidelidad" sería interesante conseguir las ponencias del último Congreso Mundial de Hoteles de Alojamiento.

No quisiera que interpretes estas líneas como una discusión sobre la fe: no soy quién para darla y prefiero no meterme en la vida íntima de los demás. Si lo vieras así, mi respuesta sería irrespetuosa. Creo, sin embargo, que no hablamos de fe porque tu carta extrapola algunos conceptos religiosos a la vida de los demás, católicos o no. Aceptar la libre elección sexual de las personas adultas no significa obligar a los demás a ser homosexuales. Por otro lado, el resultado de la influencia confesional sobre la vida privada ha sido históricamente desastroso y muy perverso: desde las camisetas de cilicio que usaron los religiosos católicos para separarse del cuerpo hasta el fomento de la virginidad que sí provocó un aumento de la prostitución, la infidelidad, etc., etc. Lo increíble del asunto es que somos personas; quiero decir: importa poco que algo esté bien o mal visto, prohibido, dentro del horario de protección o lo que fuera. Cualquiera de estos temas es tan antiguo como el hombre.

♦

LET IT BE

Jorge: Nunca en mis cuarenta años he sentido que alguien se identifique en la medida que vos lo hiciste con mi sentimiento a traves de la frase: "Imagínense cada día de todos los días de nuestra vida fingiendo ser otros".

Fui modelando año a año una identidad que hoy me pesa incalculablemente porque no viví mi vida... por cobarde... ¿por cobarde? Con una mujer extraordinaria que nunca supo ni sabe mi verdad, con hijos ya adultos y nietos; así y todo hay una gran parte mía sola e insatisfecha. Exitoso en mi profesión, con una carrera que me hace destacado en mi comunidad; y una tradición familiar sumamente pesada, que aplastó mis deseos y mis pasiones. Y, sin embargo, no fui yo. Viví en mi propio exilio. Temeroso de la represión, del desprecio, de la burla, de la marginación. ¡Y yo que creía que evitando todo eso sería exitoso!... Y ahora me vengo a dar cuenta de que no viví mi vida, no viví una vida propia, sino la que esta sociedad occidental, católica, machista y aluvional me permitió vivir... ¡qué me pueden decir!... jodete... Quizá también porque aquel tiempo no era el mejor para ser homosexual, puto, gay y me habían enseñado que no había nada más patético que un mariquita viejo.

Lo terrible, Jorge, es que ya no se puede volver atrás y ya no puedo vivir porque estoy pagando cotidianamente la vida de un montón de seres maravillosos que me rodean... pero como vos decís muy bien: imaginate cada día de todos los días fingiendo ser otro. Si bien tuve muy pocas y esporádicas experiencias homosexuales y una gran pasión que erradiqué, como Dios manda, hace dieciocho años, aún vivo añorando y llorando lo que nunca viví. Gracias por el encuentro espiritual y la posibilidad del grito.

Carlos Cordero

(Perdoname, pero mi nombre tampoco es verdad, no puedo usar para esta verdad el nombre de mi mentira.)

♦

ANDREA, LAS MORDAZAS Y LOS CUBANOS

Querido Jorge: Aunque a vos no te importe, eras uno de mis ídolos. El sueño de mi vida era hacer algo notable para que vos me hicieras una entrevista. Pero bueno, yo soy una persona del común que lamenté enormemente cuando saliste de la TV y que tiene casi todas las revistas *XXI*. El caso es que cuando abrí la n.º 32 y vi ese título, "Mordaza a la cubana", la volví a cerrar y miré la tapa pensando: ¿qué agarré? ¿*Para Ti*? Chau, ídolo.

Vos dirás que *XXI* es abierta a todas las maneras de pensar; que respetás las ideas de todos los que escriben; etc. Pero... siguiendo así podés llegar a publicar una reivindicación de Videla, Massera, Pinochet y cía. O una defensa a María Julia.

Es peligroso publicar esos artículos; nos hacen pensar: "¡Qué bueno! ¡Qué libres somos los argentinos!". Cuando en realidad, vos lo sabés muy bien, el único país libre de Latinoamérica es Cuba. Todos los demás somos HIJOS APROPIADOS ILEGALMENTE de la Madre Patria "Adoptiva", Estados Unidos.

Está de más que te explique la diferencia entre un país con "libertad de prensa" y súbdito de los yanquis y un país LIBRE con prensa controlada. ¿De qué nos sirve la libertad de prensa si ni siquiera la prensa es realmente nuestra? En Cuba, hay que cuidar y preservar la imagen del gobierno y la Revolución ante el resto del mundo, pues salvaron a millones de ciudadanos de la miseria y la ignominia. Por eso, ningún cubano que viva en su país, adaptado al sistema, va a sentirse "amordazado", porque no tiene nada malo que decir del gobierno, de Fidel o la Revolución, que les dieron educación, salud y dignidad. De los "gusanos" ni me gasto en escribir. Nosotros sí que tenemos para hablar mal de los gobiernos, los políticos, los militares, etc., etc.; pero ¿de qué nos sirve si no nos dan ni cinco de bola? ¿De qué les sirve la libertad de expresión a los millones de analfabetos argentinos? ¿De qué a los desocupados, a los marginados, a los hambrientos, a los enfermos que acuden a los hospitales públicos, a los maestros, a los jubilados, a...? ¿Cuánto hace que se "expresan" reclamando, protestando, marchando, ayunando, parando, cortando rutas? ¿Qué resultados obtienen?

Dejen a Cuba en paz. A ellos lo único que los perjudica es el bloqueo. Es hora de que la prensa en general pare con la campaña anticastrista. El pueblo cubano es feliz, ama la Revolución y elige a Fidel porque le dieron la "vida". Comen todos los días, trabajan, estudian, se curan, viven. La mayoría de las historietas que se cuentan son mentiras. Nadie se quiere ir, y si se quiere ir, se va. Ninguna empresa privada los deja sin luz y sin agua; ninguna imprevisión los deja sin bosques; ningún plan económico los deja sin trabajo. PUEDEN tomar helado, masticar chicles y otras trivialidades que, a los argentinos, cuando vuelven de veranear en Varadero, cuentan con horror: ¡pobres cubanos! ¡No pueden...! ¡MENTIRAS! Hasta miran novelas brasileñas y colombianas por TV y tienen la suerte de que NUNCA va a salir María Julia en su pantalla diciendo que la protesta de los barilochenses por los incendios es "una reacción propia de la izquierda".

Dejen a Cuba en paz. Y sigamos haciendo uso de nuestra invalorada e inútil (no por los que hablan sino por los que escuchan) libertad de expresión reclamando TODO lo que nos arrebataron, lo que nos deben desde siempre. A lo mejor, quién te dice, algún día la gota termine por horadar la piedra. No sé si compro el número 33.

Andrea Cecilia Eguía
La Plata

N. del D.: Andrea, voy a cometer, en esta carta, un error que cometo casi siempre y del que casi siempre, después, me arrepiento: no voy a especular. No quiero armarme una aceitada respuesta política (suponiendo que pudiera escribirla). Quiero responderte todas las barbaridades que se me vengan a la cabeza como si, en realidad, estuviéramos hablando y no leyéndonos. Allá voy.

Sí me importa que vos me hayas creído uno de tus ídolos. No me gusta pero sí me importa. No me gusta porque la admiración genera distancia y crea barreras. Y, como todos los demás, también yo hago un laburo público, entre otras cosas porque busco que me quieran. Ahora, Andrea, pensá un segundo: ¿yo era tu ídolo y dejé de serlo porque publiqué una nota? Alguna de las dos cosas no debe ser cierta. Si fue así es difícil de creer que el laburo de años se cayó porque una vez no estuvimos de acuerdo. Tal vez sinceramente vos lo veas así y, en ese caso, sí me molesta que me tomes como tu ídolo.

¿Por esa nota nos transformamos en Para Ti*? ¿Ese es, según vos decís, el primer paso para reivindicar a Videla, Massera, Pinochet, María Julia? ¿Leíste tu carta después de escribirla? ¿Qué estás diciendo?*

No creo que haya censura buena y censura mala. Hay censura. No hay censura buena si la hacemos nosotros y mala si la ejercen ellos. Del mismo modo que hay asesinatos y no "ajusticiamientos", o robos y no "expropiaciones". Si pensamos que no deben existir fueros especiales como justicia civil y militar, no entiendo por qué, a la vez, los impulsamos en nuestras definiciones.

Vos hablás de la libertad de los países como si esta fuera posible sin la libertad de las personas. Si los países son libres es porque sus habitantes lo son, y así visto, probablemente —y por distintas razones— quizá ni Argentina ni Cuba sean países libres.

Si oponés la libertad de prensa al hambre, o al analfabetismo, o a la injusticia social, es muy fácil justificar la censura. Pero también es falso. No entiendo por qué ambas cosas se tendrían que relacionar. No entiendo por qué la gente no puede comer y pensar a la vez, y elegir en ambas ocasiones. Es una obviedad, pero los que censuran, al hacerlo, se constituyen en seres humanos superiores que protegen a congéneres inferiores: es así porque ellos sí tienen capacidad para leerlo antes y censurarlo después, a ellos no va a enfermarlos la elección de la que sí hay que proteger al público.

No quiero ofenderte, pero el argumento "de qué les sirve la libertad de expresión a los analfabetos" es, aunque bastante popular, también bastante idiota. ¿Qué tiene que ver una cosa con la otra? ¿Por qué, censurando, los analfabetos van a lograr educación? Con ese criterio se podría preguntar: ¿de qué les sirven los brazos a los desocupados? Y entonces cortárselos por decreto. A la hora de hablar de la libertad de prensa en la Argentina, hago una eterna aclaración general: aquí hay, según la ONU, más de diez millones de "subpobres", esa gente que no puede comer todos los días, mucho menos puede expresar sus opiniones por la prensa. Con dicha salvedad, creo que existe una relativa libertad de expresión en la Argentina, centralizada en los sectores de la clase media y con diversos episodios de presión estatal, ya sea en los gobiernos radicales como menemistas, a lo que se suma una intensa campaña judicial de "casuales" fallos adversos contra el periodismo durante los últimos años de este gobierno.

Imagino que estuviste en Cuba y que conocés bien su situación, e imagino eso porque de tu carta se desprenden afirmaciones con mucha seguridad. Yo también estuve en Cuba. Fui cinco o —no quiero ahora ponerme a hacer la cuenta— seis veces. La mitad de ellas fui a la isla invitado por el gobierno cubano. En uno de esos viajes, el primero, un Congreso Mundial sobre Juventud y Deuda Externa, tuve la oportunidad de conocer a Castro. Otras veces fui jurado del Festival Internacional de Cine de La Habana, y otra vez jurado del Premio de Periodismo de la Agencia Prensa Latina. También viajé a la Unión Soviética al cumplirse el aniversario número setenta de la Revolución y a Managua en ocasión de una asamblea ordinaria de la Sociedad Interamericana de Prensa, siendo director de Página/12. *Relato estos detalles porque quiero con-*

tarte, desordenadamente, impresiones que fui teniendo a lo largo de todos esos viajes, en base a experiencias personales.

Afirmar lo que sigue es tan personal que no me parece representativo de nada, pero creo que es una buena síntesis: nunca hubiera podido fundar Página/12 *en Cuba, ni hacer esta revista, ni hacer* Día D. *Es probable que muchos de nosotros, de haberlo hecho, estuviéramos presos o en problemas. Con sólo hojear la prensa cubana se puede evaluar esta afirmación: deberíamos haber escrito sobre el premio a la vaca lechera campeona en la tapa del* Granma, *o haber escrito la enésima apología a Guillén en* Juventud Rebelde. *Si pensás que digo todo esto porque allí no tendría trabajo, no sigas leyendo.*

Pero ¿y entonces por qué aquella fascinación por el mito de la isla, y aquellas anécdotas conmovedoras, y aquellas contradicciones? Todavía hoy no lo sé. Sé que no puedo hablar de Castro como un dictador, pero sin embargo sé también que lo es. Pero sigo discutiendo estos temas como los discutiría con un amigo que creo equivocado. Es obvio que prefiero a los que quieren cambiar las cosas para mejorar la vida de todos que a los que prefieren cambiar las cosas para fusionar los bancos, pero sigo —dolorosamente— pensando que una situación justa no puede nacer de la unión de cosas injustas con cosas justas. La libertad y la igualdad tienen que ser posibles a la vez, y no justifico que se subordinen la una a la otra, en el orden que sea.

Vos decís que a la hora de hablar de Cuba, se miente mucho. Es cierto. Voy a contarte, solamente, cosas que me pasaron o que vi:

- *Las diplotiendas (en Cuba) o las berioshkas (en la ex Unión Soviética), aquellas tiendas de productos importados a las que sólo pueden ir los turistas, aunque también están llenas de funcionarios del partido. Es fuerte el contraste entre las vidrieras exclusivas y las chicas que se prostituyen por un champú.*
- *Una chica, arquitecta, que me dice una noche en el Habana Libre que quería viajar a estudiar al exterior pero no la dejaban. "Parece que no nos tuvieran confianza", dijo.*

- *Las librerías, plagadas de libros de Lenin, Marx, etc., etc., etc. Y casi ninguna otra cosa. Libros, sí, increíblemente baratos.*
- *El cambio paralelo.*
- *Las anécdotas sobre Santiago Feliú, queriendo quedarse en Buenos Aires. O sobre Silvio queriendo dedicarse al cine.*
- *Las historias sobre la persecusión a los gays y el terrible panfleto de Reinaldo Arenas.*
- *Las mansiones de los dirigentes sandinistas en Managua.*
- *Las historias de los disidentes en la Plaza Pushkin de Moscú.*
- *El día —la tarde,en verdad— en el que se pegó, por primera vez, un cartel de protesta en el subte ruso. La noticia nunca salió publicada pero en pocas horas era conocida por todo el país.*
- *Las "casas de protocolo" de los Montoneros en La Habana.*
- *La "clase media" cubana, que yo creía inexistente.*
- *Los nenitos "pioneros" formando fila para las delegaciones extranjeras con su pañuelo rojo y su discurso estudiado.*

Te doy ejemplos personales y menores. Vos tendrías todo el derecho a decirme: ¿y qué? Si tuvieras que describir Buenos Aires hablarías de la gente comiendo basura en la calle, de las putas en Palermo, del Dock Sud, de los políticos corruptos, de la ley careta, de los cortes de luz. Sí, Andrea, tenés razón. Pero yo ya hablo de todo eso, lo denuncio y, con mis limitaciones, trato de cambiarlo.

Andrea, ¿sabés qué? Es todavía peor: quisiera ayudar a los cubanos. Sufren un bloqueo injusto y eterno, pelean una pelea desgastante y despareja y, aunque también tengan corrupción y errores y ceguera, llevan adelante una pelea noble, que no está basada en fusionar los bancos sino en atender a las personas. Pero no creo que los ayude callándome la boca. No creo ayudarlos si desconozco los errores que cometen. ¿Te acordás de aquella frase de la izquierda argentina que sostenía que criticarla era "darle pasto a la derecha"? Por no haberlo hecho a tiempo, no sólo le dimos pasto, también le dimos las vacas, el alambrado y los terneros.

No me gusta que me extorsiones diciéndome, al final de tu carta, que no sabés si comprar el número 33. No lo compres. No cuesto el número 33, y pagar cuatro pesos no te da derecho a evaluar mi vida o a que yo salte a tu alrededor como un monito.

♦

VEINTIUNO: EN MENDOZA NO SE CONSIGUE

Jorge: Antes que nada aprovecho que te mando estas líneas para felicitarte por la revista. La descubrí un día, no hace mucho, en el aeropuerto, y me pareció muy interesante, más allá de las gastadas que me hacen algunas amigas y/o familiares, que dicen que soy muy pendeja para preocuparme por esas cosas (tengo 16 años). Pero resulta que ahora más de uno me quita la *XXI* a escondidas para darle una ojeada. El caso es que, desde aquel día, la vengo comprando cada vez que sale. Por eso es que hoy te escribo para contarte que soy una más de esos mendocinos que sufren de ciertas "anomalías" en la recepción de la revista. A saber: supe por la nota titulada "Pobre Moneta" que este gran admirador de tu trabajo había comprado todos los ejemplares correspondientes a la edición n.º 34 que había por estos pagos, lo que me causó cierta tristeza. Pero imaginá mi alegría cuando con el n.º 35 me entero de que el 34 me venía de regalo con sólo pedírselo al kiosquero. Pero aunque me recorrí todos los kioscos de la zona, el famoso y misterioso ejemplar n.º 34 sigue sin aparecer. ¿Cómo puedo hacer para conseguir el citado ejemplar? A mí me parece que 1500 no alcanzan. Se me ocurre que podrías imprimirlo de nuevo y esta vez si querés cobralo, somos varios los que nos quedamos con las manos vacías. Es cierto que el buey lerdo bebe agua turbia, pero yo igual te tiro la idea.

Bueno, por ahora me despido. (Pero no cantes victoria que ya voy a aparecer de nuevo.) Un abrazo fuerte desde la provincia del sol, el BUEN vino y los caballos talentosos.

Albina Manitta
Luján de Cuyo, provincia de Mendoza

N. del D.: *No entiendo: ¿qué número 34? Nunca salió el número 34 porque era una semana bisiesta, entonces saltamos del 33 al 35. Si alguien te dijo que lo leyó te está jodiendo. Otra cosa, ya que te despedís hablando de los caballos de Moneta: ¿es cierto que, aparte de bailar un tango, lo cantan?*

♦

PERGOLINI, DEVOLVÉ LA GUITA

Jorge: ¿Se perdió en la edición el copyright *Revista XXI* en los separadores de la *Enciclopedia CQC* en el programa de Pergolini?

Roberto Bisi
Monte Grande, Buenos Aires

N. del D.: *Sos un paranoico, Roberto. Hace quince años que* CQC *quería hacer esa idea, pero recién ahora tuvieron tiempo de implementarla.*

♦

SOMOS UNOS BRUTOS

Hola, Jorge. Esperé un número para ver si alguien te desasnaba, pero no... Aspas, saltamontes, los molinos de Holanda tienen

ASPAS. Es más, los nuestros —subdesarrolladitos— también. Incluso los de la Madre Patria, que se nombran diferente por aquello de la Torre de Babel, Dios y la mezcla de idiomas, etc. Las "astas" son otra cosa (v. "cuernos"). Te doy pie (em falamdo de astas) para una respuesta ingeniosa: "lanza o pica de lo antiguos romanos / palo de la pica / palo de la bandera / mango o cabo de una herramienta / etc".

Ernesto

P. D.: Caparrós, sobre Judas y tu interesantísimo punto de vista, te recuerdo —seguramente lo leíste... pedantería lo mío— *Falsificaciones*, de Marco Denevi.

P. D. 2: Caparrós, no solamente Judas, ¿qué nos podés contar de Lázaro? (vg.: *Falsificaciones*, Denevi, otra vez). Un tratado filosófico-teológico (¿ficción?) si los hay.

***N. del D.:** Espimado Ernespo, no enpiendo el porqué de pu asombro respecpo de mi uso de la palabra aspas. En efecpo lo que respondi fue aspas, y es el pérmino correcpo. Agradezco pe podos modos vuespra idea para una respuespa ingeniosa, pero prefiero darpe una respuespa sincera. ¿O aspas no espá bien dicho? Sobre lo de Caparrós, lo llamé por peléfono y no conpespaba nadie, así que hablalo con él. Haspa luego.*

♦

UN CANCHERO

Gordito Lanata: No creas que te escribo para adularte como lo hacen algunos maricas y boludos que te cantan Ioas. Usando tu mismo estilo desprejuiciado y medio guarango que sueles emplear te cantaré cuatro frescas y te voy a dar con un fierro en esa cabezota. No sé si tendrás los huevos suficientes para publicar esta filípica pero estoy seguro que la has de leer.

Mirá, la verdad es que me he esforzado honestamente por descubrir la línea editorial y filosófica de tu publicación sin poder detectarla totalmente ni despejarla en todo ese fárrago de cosas buenas, regulares, malas, graciosas o asquerosas, dispersas al parecer por un genio travieso e histérico a la vez. Porque indudablemente tu ciclotimia se trasluce en todo el temperamento y conducta de tu revista. Pero cuando tu aparente ética no sabe fijar límites caés en la histeria, anormalidad que es más atributo femenino y el extremo de los ciclotímicos, individuos que por otra parte pueden resultar sumamente inteligentes aunque muy inestables. Me confunde asimismo un inexplicable doble discurso, que se pone muy evidente en el último número 45 de *Veintiuno*. Por un lado te lamentás del país que ahora es y añorás el "que alguna vez fue", y por otro me lo escrachás a don José con esa puta ironía tuya envolviéndolo con la bandera pirata y llamándolo socarronamente "Father de la Patria"; llorás sobre lo que "alguna vez fue un país" y te preguntás "¿Qué nos pasó?" y me lo ponés al Libertador al nivel de un golpista o "delincuente subversivo" de aquella época (el Primer Triunvirato fue derribado por orden de la Sociedad Patriótica. Sobre las causas de su disolución y roles de los revolucionarios, leer *Historia argentina*, tomo 2, cap. VI, del historiador y REVISIONISTA don José María Rosa, Editorial Oriente). No te entiendo, Gordito. O yo soy muy bruto o vos sos peor que la gata de doña Flora. Si no me bifurcás, te digo otra. Por un lado se percibe con satisfacción de la gente decente y con sentido ético tu denuncia constante contra la inmoralidad y la corrupción, de los negociados y las mafias que se han enseñoreado del país, lo que nos habla de un gran sentido de limpieza, perfeccionismo y vergüenza ajena que parece imbricarse en la vena principal de este medio impreso, por lo que se reconoce a su vez la existencia de mucho valor e independencia de criterio, y por otro, todo esto, de improviso se da de patadas con columnas que son un monumento a la basura. No te estoy hablando del imperio de los Macri. Me refiero a ese repugnante artículo sobre los "amores" (?) de dos invertidos (pág. 66). Es lamentable que una revista con tanto coraje cívico lo malgaste con esta porquería suscripta por una o un tal "M. M." (supongo que ha de significar "Deux Merdes"), quien irresponsablemente mete en la bolsa del AMOR cualquier cosa. A este paso terminaremos aceptando como una forma de "amor" el apareamiento con las ovejas que suelen realizar los peones en las estancias patagónicas. Mio caro Giorgio, todo puede comprenderse, pero no todo puede aceptarse y mucho menos ponderarse. Si te quejás de la falta de límites que rige hoy en nuestro país en el orden ético, no puedes avalar la desmesura en el orden moral. Sería como poner a estos dos pobres tipos como ejemplo de nuestros jóvenes (¿así querés que "renazcan entre nosotros las virtudes de un pueblo noble y laborioso, cuando el amor a la patria sea"... etc.? Palabras de Mariano Moreno que citás en pág. 7). No creo que quieras poner a esta turbia clase de amor en la misma categoría del que se profesaron mis padres o tal vez los tuyos. Pensando en esto, tan cursi para muchos, me pregunto a su vez dónde cornos estarían ahora estos dos "tiernos amantes" si sus progenitores hubieran pertenecido a su mismo bando. No pretendo combatir ni condenar a los "gays" y, personalmente, si bien siento compasión por ellos, me importa muy poco lo que hagan con sus pobres humanidades; allá ellos, hay sectores que necesitan mayor atención y preocupación. Sólo quiero enfatizar el grave daño que se produce con el escándalo en las nuevas generaciones, que se suponen habrán de construir una Nación "respetable".

¿Quién te entiende, Gordi? Querés un país ético, moral, limpio, altruista, solidario, con excelentes referentes para la juventud, con todas las energías puestas al servicio de una sociedad más justa y feliz, y en un doble discurso promocionás la más antigua aberración y miseria humana como es la sodomía, sin contar tus frecuentes preocupaciones periodísticas por las lesbianas, travestis, transexuales, pederastas, bufarrones, prostitutas, gays, bisexuales. ¡Basta, viejo! Limpiá tu revista de tutta la merda freudiana y te quedará un revistón. Desmitificá nuestra historia oficial todo lo que gustes, pero no ensucies a los pocos hombres del pasado que podemos admirar e imitar. Esa Patria que, creo, amás tanto como yo, te lo agradecerá.

Guillermo Illuminati
Córdoba

N. del D.: *Me hubiera encantado contar con una foto suya para poder empezar esta respuesta. De tenerla estaríamos al menos en igualdad de condiciones: usted podría seguir llamándome "Gordito", y yo podría, a la vez, llamarlo "Dolape", "Rengo", Perro, Pájaro, Bocón o como fuera. Por ahora sólo sé de usted lo que muestra en su carta: es un ignorante y quizá sea también un fascista. Sin la foto de marras y a efectos del diálogo lo llamaré "Bestia", haciendo la salvedad respecto de la Bestia del cuento clásico, una excepción que me cae simpática. Así las cosas, lo que sigue será el diálogo entre la Bestia y el Gordito, en el que pasaré a tutearlo.*

Querida Bestia: está claro que la revista te gusta, al punto de afirmar que, si nos libráramos de "tutta la merda freudeana" seríamos un revistón. Tenés, eso sí, que reconocerte poco original; frente a los hechos que te dejan sin respuesta: te metés en la cama de todo lo que no podés definir y lo descalificás desde ahí. No te preocupes, Besti, mucha gente lo hace. Fijate que cuando reconocés tu desconcierto frente a la "línea editorial y filosófica" de Veintiuno, *aprovechás para acusarme al pasar de ser una persona que "cae en la histeria, anormalidad que es más un atributo femenino". O sea: señalás que no soy trolo pero bien le puedo pegar en el poste. ¿Y si lo fuera? ¿Y si tuvieras ahora, entre manos, el degenerado pasquín de un homosexual? Acordate de que hace un segundo lo calificaste de "revistón"... ¿qué dirías ahora? ¿Un revistón hecho por un puto? ¿No es imposible?*

Bestia: tu comparación de la historia de amor entre dos tipos con el "apareamiento de los peones sureños con las ovejas" no fue muy feliz. Tendrías que aclararnos, en el caso de los tipos, quién sería la oveja. Por otro lado, es interesante que te persignes ante los gays pero te parezca patriótico y natural que don Zoilo se coja a su ovejita preferida.

Hablás, Besti, de los "amores de dos invertidos". Se ve que salgo poco, porque hace años que no escuchaba esa palabra: invertido. Yo diría que invertido es aquel que tiene el culo en el cerebro, y en ese caso le pegás en el poste.

Por último, querida Bestia, una confesión: no sólo yo soy puto, sino que todos los integrantes de nuestro staff, hombres y mujeres, son homosexuales. Formamos parte de una cofradía trola para dominar el país y quedarse con la Patagonia, región que ya cuenta con la letra P que nos identifica. Hace años que trabajamos en ese proyecto, y estamos muy cerca de lograrlo. Nuestra primera medida de gobierno, antes de tomar posesión del Sur, será viajar a Córdoba para acostarnos con un tal Illuminati.

P. D.: Illuminati, apagatti...

♦

LA PATRIA CON RUEDITAS

*(**N. del D.:** De todas las publicadas aquí, es esta la única carta que no fue publicada con anterioridad. Y su suerte, en verdad, fue más aciaga: iba a editarse en lugar del editorial y finalmente fue desplazada por la puta actualidad. Valía la pena leerla.)*

Estimado Jorge: La reafirmación de nuestra soberanía en Malvinas debió ser el jueves 10 pero la pasamos al lunes 14, el Día de la Bandera cae DOMINGO y pasamos el feriado para el lunes. Somos mundiales. Por esas cosas de los decretos desvirtuamos todo el sentido histórico de las celebraciones. Mezclamos negligentemente los conceptos de soberanía, patria y feriado. Y esto influye para que todavía siga pendiente la respuesta a nuestra gran pregunta existencial: ¿qué somos los argentinos?

Seguramente cada uno tenga una respuesta distinta. Porque cada uno tiene su propia teoría sobre la vida, el país y nuestra cultura. Pero lo cierto es que estamos demasiado dispersos, tanto geográfica como humanamente. Decir "Viva la patria" con entusiasmo y pasión debería ser una de las frases más lindas para escuchar en cualquier territorio con identidad propia. Sin embargo cuando lo escuchamos, nos sorprendemos. Miramos como a un bicho raro a quien usa la escarapela o a quien cuelga la bandera en el balcón cuando no hay ningún partido de la selección. Aprendemos el Himno Nacional en la escuela primaria casi por repetición pero no logramos entender su significado hasta ser más grandes (y sólo en algunos casos). Nos enseñan algunas danzas tradicionales meramente como una sucesión de pasos repetidos mecánicamente sin conocer la tradición que tiene detrás todo baile autóctono. Simplemente sucede que NO tenemos incorporadas estas ideas desde el sentimiento sino, en algunos casos, desde la obligación. El revoleo del poncho, el facón en la cintura o el vozarrón militar sólo sirven para demostrar un "patrioterismo" exagerado que nos distancia de la realidad. Y esto es grave. Es la herencia que nos dejaron los gobiernos de facto con su visión deformada de los valores patrios. Debemos tomar en cuenta que sin conocer nuestra historia estamos dando lugar a que otros la escriban por nosotros. Nuestra identidad debe confirmarse en cada texto de Hamlet Lima Quintana, en cada canción de Atahualpa Yupanqui, o en la voz de Mercedes Sosa, en un tango de Gardel o de Discépolo, en la pluma de Borges o en cada melodía compuesta por Charly García. Identidad que está incorporada en las leyendas del Pombero y los rituales de la Pachamama. Con el asado o la torta frita. El chipá o los tamales. Disfrutando del fútbol y conociendo las enseñanzas del *Martín Fierro*. Temblando ante cada pregunta de Mafalda y respetando a las comunidades indígenas que por nuestra culpa deambulan sin encontrar su Iugar... que debe ser el mismo de todos. Pero si lo pensamos un momento es lógico comprender por qué el concepto de soberanía se pone en juego en nuestro país. El diccionario dice que por Soberanía se entiende al Poder político de una Nación que no está sometido al control de otro estado. Por eso mismo es difícil encontrar soberanía en el poder económico de nuestro país. Tampoco se actúa soberanamente en la administración de los servicios esenciales que una población necesita. Y por último, y principalmente, no existe soberanía en las decisiones que toma el Poder Ejecutivo para llevar adelante el rumbo de toda una nación.

Aldo Ruffinengo
Rosario

♦

SLURP, SLURP...

Estimado Jorge: Sólo a fines de ampliación del artículo "La teta es lo más", como aficionado hace años a la lectura acerca del Egipto antiguo, leí hace un tiempo un libro donde se mencionaba que era muy raro encontrar cadáveres de niños de entre unos pocos meses y los 4 años de edad en lugares donde se encontraron grandes cementerios. Se estima que la razón de dicha baja mortandad entre esas edades es que en el Egipto faraónico las madres daban el pecho a sus hijos hasta casi los 4 años de edad.

Saludos,

Fernando Pérez
Vicente López

N. del D.: *Fer, si pensamos que eso es cierto, bien podría alcanzarse la inmortalidad si uno continuara chupando hasta los setenta y pico. Hay quienes sostienen que en los frisos egipcios se pintaba a las mujeres de costado porque, precisamente, llevaban un zángano de seis o siete años prendido en el otro pecho. Teorías dadas a conocer este fin de semana indican que precisamente desalentados por el devastador efecto del quinquenio mamador, los egipcios comenzaron a construir las pirámides —que al comienzo siempre se hacían de a dos—, sitio en el que depositaban su lamento por las gomas paraditas perdidas. Podés consultar en Freud,* Obras completas, *"La envidia de la pirámide en las egipcias". De nada.*

La inmortalidad del cangrejo

En 2001, en medio de una de las crisis económicas y sociales más importantes del país, desde *Veintitrés* decidimos sacar *Ego*, una revista de target, cara y bien editada, con textos largos y relativamente atemporal. Por supuesto, fracasó.

En *Ego* podía escribirse sobre Pessoa, o el tabaco, y en *Ego* también intenté un "desafío" profesional: escribir sobre la inmortalidad del cangrejo.

Aquí esos escritos sobre Pessoa, el tabaco y la inmortalidad del cangrejo.

LISBOA REVISITADA

Aquí las casas son bajas, y la ciudad está cortada por un río llamado Tajo, tajeada, y el diseño de las calles fue trazado por un demente, y los coches estacionan en triple fila y hay todo el tiempo un aire de paro general a punto de dar comienzo: gente que mira a los costados, personas apiñadas en las calles del centro, tormenta que nunca se desata. Viven aquí un millón de lisboetas, en esta ciudad con el mayor número de accidentes de tráfico del continente y la mayor cantidad de hombres con bigote de la Unión Europea. Quizá suceda en Lisboa que la pelea entre San Jorge y el Dragón nunca llegó a su fin. Donde hoy se levanta el castillo de aquel santo comenzó, mil doscientos años antes de Cristo, el emplazamiento de Lisboa hecho por los fenicios. Dos siglos más tarde los griegos, sin conciencia de cometer una broma póstuma, llamaron a Lisboa "Alis Ubbo", o Puerto Tranquilo. Nunca lo fue. Primero los cartagineses, luego los romanos y después los árabes se adueñaron de Portugal. Recién a fines del siglo XIV, y sólo por doscientos años, los portugueses tuvieron a su país. Más tarde Felipe II de España se autoproclamó Felipe I de Portugal y la doble identidad real se mantuvo hasta que la corona fue ocupada por la dinastía portuguesa de Bragança. Haber recuperado el dominio propio no fue, sin embargo, motivo de festejos. Dueños de sí mismos, los portugueses enfrentaron a partir de entonces su sino trágico, eso mismo que ahora se les nota en la mirada, en la poesía y en el fado, representación musical de una palabra imposible de traducir: la *saudade*, ese viento caliente que se instala en el alma y que habla más de los sueños que de la vida en sí. Como si los sueños y la vida en sí fueran cosas distintas.

Un jinete entre la niebla

El Imperio portugués llegó a extenderse, en distintas épocas, a las islas Azores y Madeira, Guinea, Cabo Verde, Santo Tomé y Príncipe, Brasil, Mozambique, Socotra, India Portuguesa (que dominó durante años Cal-

cuta y Bombay), Malacca, Molucas, Ceilán, Timor Portugués, Java, tres ciudades de China, entre ellas Macao, Ormuz, Bahréin, Muscat y Angola.
A nadie pudo sonarle extraño, en junio de 1578, que el joven rey don Sebastián, bisnieto de Juana la Loca y sobrino de Felipe II, decidiera invadir Tánger. La expedición, sin embargo, tuvo un sesgo original: era la primera vez que el rey en persona dirigiría a las tropas. Diecisiete mil soldados portugueses encontraron su tumba en Tánger; sólo algunas decenas pudieron regresar a Lisboa para contar lo sucedido. El 4 de agosto de 1578 Sebastián combatió en Alcazarquivir contra los moros, y su cadáver nunca fue encontrado. Testigos de la batalla juraron ante la corte lusitana haber visto vivo al joven rey, en medio de la noche, envuelto en un manto, con un gran sombrero inclinado sobre los ojos. La leyenda del jinete decidió que don Sebastián estaba instalado en las islas Afortunadas, que se había salvado milagrosamente y esperaba allí el momento de regresar: reaparecería en Lisboa, remontando el estuario del Tajo, una mañana de niebla, para reanudar el interrumpido destino portugués. Esa sería la llegada del Quinto Imperio.
El chasquido de las patas del caballo caminando por las márgenes del río, el viento pesado del manto sobre los hombros del rey, esa sensación del sueño pegándose en la boca, la historia del alma en pena que lucha por volver, aún sobrevive en el estuario del Tajo. El río se transformó en una herida abierta.
Los dados con que Portugal jugaba su destino estaban cargados: a las nueve y media de la mañana del 1 de noviembre de 1755, el Día de Todos los Santos, la Tie-

rra decidió que Lisboa debía desaparecer. Desde aquella mañana del terremoto la ciudad ardió durante siete días; el teatro Real y veinte iglesias se derrumbaron, también cayeron las murallas del castillo de San Jorge y aquel mismo mediodía olas gigantescas saltaron desde el Tajo e inundaron la parte baja de la ciudad. Murieron más de sesenta mil personas. Absorto, Voltaire escribió que el terremoto de Lisboa demostraba la existencia del mal sobre la Tierra, y el inevitable destino de infelicidad del Hombre. Los portugueses no hacían otra cosa que preguntarse por qué. Una dictadura, la del marqués de Pombal, tomó a su cargo la reconstrucción de la ciudad.

A fines del siglo siguiente, el Portugal de ultramar se derrumbó: Inglaterra le dio a Lisboa el famoso ultimátum para cancelar su expansión territorial. Entonces fue el orgullo nacional el embarrado en las márgenes del Tajo. Portugal obedeció, consciente de la disparidad de fuerzas militares. Lisboa conoció en 1890 la letanía de la humillación, una muerte inacabada y sorda.

Durante el siglo XX esta ciudad no cambió su actitud de espera, esperó el final de la dictadura de Antonio de Oliveira Salazar desde 1932 hasta 1968 y esperó luego la construcción de la república a partir de la Revolución de los Claveles, un golpe de Estado que —como pocos en el mundo— derrumbó la dictadura y llevó adelante en efecto la construcción de un gobierno democrático.

Y fue en el siglo XX, también, cuando esta ciudad habló.

Sucede que a veces las ciudades, o los países, o las épocas, se ven impulsados a romper sus secretos. Ellos sabrán por qué, pero casi siempre imponen esta tarea a persona-

jes curiosos: diletantes, solitarios, hombrecitos que apenas sueñan con el destino propio y terminan encarnando el relato de un sueño colectivo. Así Dublín le susurró su historia a Joyce, Praga le dictó a Kafka su monstruosa letanía, Baltimore reencarnó en Edgar Allan Poe, Viena en Karl Kraus o Tánger en Paul Bowles. Fernando Pessoa fue Lisboa, o Lisboas, o todos los sueños que podían caber en ese cuerpo al que el alma le quedaba grande. ¿Para volar en cuál aire tienes alas?
Fernando Pessoa, uno de los mayores autores europeos del siglo XX, publicó en vida un solo libro, *Mensaje*. Robert Bréchon, autor de *Extraño extranjero*, una extensa y brillante biografía de Pessoa, aclara en el prólogo: "Para los aficionados a la moirología (el estudio comparado de los destinos), Pessoa pertenece a una categoría intermedia entre los jóvenes locos que queman su vida (Kleist, Mozart, Rimbaud, Van Gogh) y los viejos sabios que la destilan gota a gota para extraer la esencia del tiempo (Goethe, Voltaire). Cuarenta y siete años —la edad en que murió Pessoa— es, más o menos, la edad a la que mueren Beethoven, Balzac, Mahler, Proust o Camus, todos ellos autores de una obra imponente que, en caso de estar inconclusa, al menos está estructurada para facilitar el inventario. Nada parecido al caso de Pessoa, que dejó miles de páginas desordenadas en verso y prosa sin que a primera vista se pueda dilucidar si son obras sin pulir o material de desecho. Ni supo manejar su vida ni estructuró su obra".
Tenemos dos vidas: la verdadera, esa que soñamos en la infancia, y la falsa, esa que vivimos en convivencia con los otros.

Todas las fotos de Pessoa nos lo muestran igual: con abrigo y sombrero, lentes con montura, moñito, férrea voluntad por pasar desapercibido, bigote —como la mayoría de los portugueses— y un aire lejano a Chaplin, pero mucho menos angelado. Al salir del café Brasilero, o del Martinho de Arcada, nadie podría haber dicho si aquel tipo estaba ahí. La posteridad oficial decidió enmendar este error construyéndole una estatua en el primero de los cafés, de modo que ahí está, paralizado en mármol negro, el reflejo menos importante de lo que fue Pessoa: sentado con el sombrero puesto y el abrigo abrochado, en el medio de la vereda de una calle peatonal. Y es del todo cierto que, a excepción de su infancia en África del Sur, la vida de Pessoa no recorrió una distancia mucho mayor a la que ahora podría recorrer su busto: hay apenas quinientos metros entre la plaza del teatro San Carlos, su lugar de nacimiento, y su lecho de muerte en el Hospital San Luis de los Franceses, en el Barrio Alto. Desde que regresó, adolescente, sólo una vez se movió de Lisboa hacia Sintra, una ciudad medieval muy cercana, y otra a un pueblo del norte en el que compró una máquina impresora, base de una fracasada industria editorial que liquidó la herencia de su abuela Dionisia. Kant encerrado en Konisburg y en sí mismo, levantando el edificio del Imperativo Categórico, Pessoa preso de Lisboa, de la muerte husmeándolo cercana, de los números, del Todo. A los cinco años perdió a su padre, funcionario y crítico musical, y a los seis a Jorge, su hermano menor, de un año de vida. Del segundo matrimonio de su madre murieron, antes de los tres años, dos hermanas. "Todos los años terminados en cinco fueron importantes para mí",

escribió. En 1895 sucedió el segundo matrimonio de su madre. Se casó por poder con el comandante de Marina João Miguel Rosa, cónsul de Portugal en Durban. La familia, entonces, viajó a Sudáfrica. En 1905 volvió a Lisboa, escribiendo solamente poemas en inglés. Vivió con su abuela Dionisia de Seabra Pessoa y después con su tía materna Ana Luisa Nogueira de Freytas. En 1915 fundó junto a su amigo más cercano, Mario de Sá-Carneiro, la revista literaria *Orpheu*. Mario se suicidó poco tiempo después en un hotel de París. En 1925 murió su madre.
Pessoa peleó contra la muerte naciendo en otros. Sus heterónimos —concepto más amplio que el de seudónimos, donde el autor siempre es uno y el otro es sólo un nombre— fueron personas de existencia cuasi real, con biografía, descripción física y destinos cruzados con el autor. El poeta fue, en su madurez, tres poetas más: Alberto Caeiro, Ricardo Reis y Álvaro de Campos. Si se cuentan los heterónimos desde su niñez, llegarían a setenta y dos. Pero muchos de ellos también murieron en su imaginación. A los cinco años, fecha de la muerte de su padre, se dirigía a sí mismo cartas con la firma de *El Caballero de Pas* (*pas* es, en francés, un adverbio negativo. Era justamente francés el idioma en el que el niño de cinco años le escribía poemas a su madre). También en francés escribe poemas como Jean Seul (Juan Solo).
A los diecinueve años, acosado por el temor a su propia locura, encarna en Faustino de Antunes, psiquiatra, y en calidad de tal le escribe a Beerdts y Belcher —dos médicos relacionados con él— preguntándoles sus impresiones sobre el cuadro psicológico de Fernando.

Aquel miedo viaja con Pessoa hasta Lisboa. Cuando vuelve a su patria es tres: Fernando Pessoa, pero también Robert Anon (Anónimo) y Alexander Search (Buscador, Búsqueda). De los tres, es Search quien tiene el mayor miedo a enloquecer. Titula en 1906 *Flashes of Madness* una serie de poemas en los que postula que el mundo es evidentemente falso y somos víctimas de una mentira universal.

Toda la gente que conozco y se habla conmigo
nunca tuvo un acto ridículo,
nunca sufrirá afrentas,
nunca fue sino príncipe —todos ellos príncipes—
en la vida...
Quien me diera oír de alguien la voz humana
que confesase, no un pecado sino una infamia
que contase, no una violencia sino una cobardía...
¡Oh, Príncipes, Hermanos Míos!
¡Estoy harto de semidioses!
¿En dónde hay gente en este mundo?

En *El marinero*, su única obra de teatro terminada en medio de una serie de una decena que dejó inconclusas, Pessoa relata la historia de una muchacha que cuenta que soñó con un marinero abandonado en una isla lejana; el propio marinero sueña con una patria que construye poco a poco en su imaginación y que resulta más verdadera que aquella en la que nació, a la que ya ha olvidado. Una de sus hermanas le pregunta: ¿por qué se muere?

—Quizá por no soñar bastante.
Soy los restos de un naufragio.
Mi patria es la lengua portuguesa.

Puede que el portugués no necesite creer, pero siempre necesitará soñar.
El hombre sentado en el café Brasilero escribe, como Hemingway, de pie, aunque a mano. Murió virgen, y tuvo un enfermizo sentido del sexo, un placer culpable que nunca alcanzó a superar. No estaba dispuesto a manchar con sexo su humanidad. Su único amor se llamó Ophelia, como el amor de Hamlet, que termina sumergido en la locura. Y, como los de Hamlet y Ophelia, sus encuentros fueron breves y furtivos. De aquel Pessoa se conservan cartas, poemas en los que su lenguaje se vuelve deliberadamente niño, el mismo niño que nunca fue escribiéndole a la mujer que no será.
No hay felicidad sin conocimiento. Pero el conocimiento de la felicidad es infeliz, porque saberse feliz es conocerse pasando por la felicidad y teniendo, enseguida, que dejarla atrás. Saber es matar, en la felicidad como en todo. No saber, sin embargo, es no existir.
El hombre por el que habló Lisboa tuvo un trabajo desesperante: fue traductor al inglés y al francés de cartas comerciales. Sostenía que para vivir no era necesario superar un gasto de sesenta dólares al mes y con esa suma vivió hasta los cuarenta y siete años, caminando de lado a lado su rectángulo de cinco o siete cuadras que fue a la vez su pozo al Infinito.

Un día —era el 8 de marzo de 1914— me arrimé a una cómoda de cierta altura, tomé una hoja de papel y me puse a escribir de pie, como hago cada vez que puedo. Escribí más de treinta poemas seguidos, en una especie de éxtasis cuya naturaleza no consigo definir. Fue el día triunfal de mi vida, y jamás volveré a sentir nada parecido. Comencé por el título: "El guardador de rebaños". Lo que ocurrió luego es que apareció dentro de mí alguien a quien di enseguida el nombre de Alberto Caeiro. Disculpen lo absurdo de la expresión: quien apareció en mí fue mi maestro.

A confesión del propio Pessoa, Alberto Caeiro nació en 1889 y murió en 1915. Nació en Lisboa, pero pasó casi toda su vida en el campo. No tenía profesión, y prácticamente carecía de instrucción. Era de estatura media y aunque frágil (murió de tuberculosis) no parecía tan débil como realmente era. Tenía el pelo rubio pálido y los ojos azules. De joven perdió a sus padres y vivió de unas modestas rentas. Vivía con una tía abuela, ya vieja.
Ricardo Reis nació en Oporto en 1887. Era médico, un poco más bajo que Caeiro, también más robusto, pero delgado, con el pelo de un castaño apagado y mate.
Fue educado en un colegio de jesuitas. Desde 1919 vive en Brasil, donde se expatrió voluntariamente por ser monárquico. Por la educación que recibió es latinista y por la que se procuró a sí mismo, semihelenista.
Álvaro de Campos nació en Tavira el 15 de octubre de 1890 a la una y media de la tarde. Es ingeniero naval en Glasgow, pero actualmente se encuentra inactivo en

Lisboa. Es alto, flaco y con tendencia a encorvar el cuerpo. Tiene la piel clara, y aspecto que recuerda al de un judío portugués. Usa monóculo.
Alexander Search, Anon y Pessoa escribieron *Antinoo y otros poemas ingleses.*
Álvaro de Campos escribió *Antología*, *Poemas*, *Poemas escogidos*, *Tabaquería*, *Notas para recordar a mi maestro Caeiro.*
Alberto Caeiro escribió *Poesías completas*, con prólogo de Ricardo Reis.
Fernando Pessoa escribió *El marinero*, *El poeta es un fingidor*, *El regreso de los dioses*, *Mensaje*, *Ultimátum.*

> *¡Si al menos enloqueciese de veras!*
> *Pero no: es este estar entre*
> *este casi*
> *este poder ser que*
> *esto.*
> *Cuando quise arrancarme la máscara*
> *la tenía pegada a la cara.*

Pessoa, astrólogo consumado, confeccionó su horóscopo en 1934. Allí previó su muerte para 1937. En ese año murió, víctima de cirrosis. Bebía macieira (aguardiente), vino blanco y tinto; explicaba su indiscriminación diciendo que "todo servía para vomitar". Antes de morir pidió sus lentes.
Él, que tantos hombres había sido, estaba muriendo solo.

♦

TABACO

"Bebo para hacer interesantes
a las demás personas."

Groucho Marx

Escribió Colón en su diario el 6 de noviembre de 1492: "Iban siempre los hombres con un tizón en las manos (cuaba) y ciertas hierbas para tomar los sahumerios, que son unas hierbas secas (cojiba) metidas en una cierta hoja seca también a manera de mosquete... y encendido por una parte por la otra chupan o sorben, y reciben con el resuello para adentro aquel humo, con el cual se adormecen las carnes y cuasi emborracha, y asi diz que no sienten el cansancio. Estos mosquetes... llaman ellos tabacos". Los acróbatas del humo eran los indios taínos en la costa de Bariay, al noroeste de Cuba. Unas semanas antes los indios arawak, en las Bahamas, que Colón bautiza como San Salvador, aún convencido de estar en las Indias y buscando algún contacto con el Gran Kan, le habían ofrecido hojas secas que los europeos rechazaron. El primer fumador europeo fue Rodrigo de Jerez, quien junto con Luis Torres descubrió a los indios usando un trozo de caña hueca lleno de hojas de tabaco encendidas al que llamaban "tobago" o "tobaca". Al volver a Ayamonte, su pueblo natal en España, Jerez fue acusado por la Inquisición: le salía humo por la boca, es obvio que estaba asociado con el diablo. Su hábito diabólico le costó siete años de prisión y ser víctima de la peor paradoja: cuando salió en libertad ya todo el mundo fumaba en España.

Como siempre sucede, el tabaco ya llevaba siglos de existencia: esculturas descubiertas en templos de América Central muestran sacerdotes mayas fumando tabaco en pipa en el año 1.000 antes de Cristo. Los aztecas, por su lado, practicaban inhalar el humo en sus ceremonias religiosas; y en la corte de Moctezuma convivían dos castas de fumadores: los de pipa, parte de la aristocracia, y los que enrollaban las hojas de tabaco, de clases inferiores. En 1561 el embajador francés en Lisboa, Jean Nicot, recomendó aspirar tabaco en polvo a su real benefactora, Catalina de Médici, que sufría fuertes dolores de cabeza. La cabeza le siguió doliendo, pero Nicot pasó a la historia como el padre de la Nicociana (así se llama el género botánico del tabaco en su homenaje) y el abuelo de la nicotina. Catalina, por su parte, fue una de las primeras fanáticas del "rapé" (tabaco raspado, picado, molido, que se jalaba como la cocaína) que asoló los salones europeos de los siglos XVI, XVII y XVIII. En 1603, muerta the Queen Elizabeth the First, Gran Bretaña era el país más rico de Europa gracias a su dominio sobre el mercado del tabaco: dos peniques por libra sobre cada cosecha. En 1606 Felipe III de España decretó que el tabaco sólo podía cultivarse en las colonias españolas, y decretó la pena de muerte para los extranjeros que intentasen producirlo. En 1629 Luis XIII, rey de Francia, siguiendo consejos de su ministro el Cardenal Richelieu, decretó un impuesto de treinta sueldos (antigua moneda local) por cada libra de tabaco. "Este vicio permite recaudar cien millones de francos anuales en impuestos —dirá dos siglos más tarde Napoleón III—. Por supuesto que lo prohibiré de inmediato... apenas me nombren una virtud que produzca un ingreso semejante." En 1633 el sultán Murad IV de Turquía prohibió fumar, bajo pena de muerte. En 1640 el zar Miguel declaró que el consumo de tabaco era un pecado. En 1725 el papa Benedicto XIII permitió que se aspirara rapé en la Basílica de San Pedro, y en 1779 el Vaticano, vislumbrando un gran negocio futuro, abrió su propia fábrica de tabaco. En 1820 se permitió un "Salón para fumadores" en la Cámara de los Comunes británica. En 1908 el alcalde de Nueva York prohibió que las mujeres fumasen en público. "Ningún hombre dictará lo que debo hacer", dijo Katie Mulcahey mientras se la llevaban detenida. Katie se transformó en un símbolo de la emancipación femenina. En 1952 los investigadores ingleses Richard Doll y Bradford Hill descubrieron los vínculos entre el tabaco y el cáncer de pulmón en un estudio de cuatro años sobre 1.465 pacientes.

Patética historia de un adicto que implora por su salvación al Tribunal Supremo del Jugo de Naranja

Fumo, señores del Jurado. Eso significa que soy sudaca, tercermundista, probablemente inmigrante ilegal y, claro, casi negro o casi oscuro o poco blanco. Fumo desde los doce años y, con el primer cigarrillo fumado a hurtadillas en la terraza de la casa de mi abuela, tuve una erección. Esto es: entiendo a los indios taínos. Ya sé que no hay vínculo entre el sexo y el tabaco, pero déjenme seguir con la inocencia de mis doce años. Ahora, a los cuarenta y ocho, cuando tengo una erección fumo para festejar. Vivo, desde hace años, fuera de la ley, y con la conciencia culpable de matar a cada paso a un fumador pasivo. Afortunadamente, nadie se ha muerto aún ante mi vista por culpa de mi humo. Vivo en las "smoking areas": esos cubículos sucios de los aeropuertos, en los que el aire induce a vomitar. Sé por experiencia que los detectores de humo son aparatos tecno-psicológicos: inducen miedo y sólo suenan si se les fuma a cinco centímetros o menos. He decidido, hace tiempo, no ir donde no me dejan fumar. Mis amigos creen que esto obedece a mi grado de intoxicación, pero no es así: lo he transformado en una cuestión de principios. Quienes me invitan donde sea saben que cargo con mi humo: ya sea un estudio de televisión, una conferencia en un teatro, una cena privada. La decisión fue saludable: no creo, hasta ahora, haberme perdido de nada tomándola. La consecuencia más notable ha sido reducir de manera drástica mis viajes a los Estados Unidos: ese país donde al entrar a uno le revisan los zapatos, le solicitan una radiografía anal detallada y lo interrogan como si fuera miembro de Al Qaeda. Fumo, claro, cigarrillos norteamericanos. Hace más de treinta años. Es como usar un *Kamasutra* editado por el Vaticano. A veces creo que es cuestión de tiempo, como mostraba el viejo y buen Woody Allen en *Todo lo que usted siempre quiso saber sobre el sexo...*: la historia transcurre a fines del siglo XXI donde la gente come, con fruición, una sustancia blanca.

—¿Qué es eso? —pregunta finalmente Woody.

—Colesterol —le explican.

En 2050 se descubrió que no hay nada mejor para la circulación.

Espero con ansias el cable que diga que "investigadores de la Arkansas University Research" descubrieron que no hay nada más saludable que el tabaco, y que deben entregarse Gauloises sin filtro a los bebés.
Desgraciadamente, sucede lo contrario: hace algún tiempo un grupo de médicos estudió los hábitos de los personajes principales de las 447 películas más taquilleras de los Estados Unidos, el 35% de los villanos fuma, y sólo lo hace el 20% de los héroes. En Estados Unidos la ficción fuma más que la realidad: el 26% de la población, el 46% de la pantalla grande. El tabaco es en el cine un código múltiple: sirve para definir la clase social con una boquilla o para mostrar la tortura en un brazo, la espera en un cenicero,la única pista en el lugar de los hechos.
Pero la lucha contra el tabaco deja ver su verdadero rastro: es moral, y no clínica. En el caso del cine, varias productoras han borrado el cigarrillo de escenas y protagonistas. La frase de Henry Fonda sobre Bette Davis sería ahora imposible: "He estado cerca de Bette durante treinta años. Tengo las quemaduras que lo prueban". En scenesmoking.org se publica una especie de bitácora de las prohibiciones y las licencias: en 1978, por ejemplo, Superman le advierte a Lois Lane lo malo del hábito de fumar y le escanea los pulmones con sus rayos X. Pero no surtió efecto: en *Superman II* (1980) Lois fuma Marlboro compulsivamente, y en *Superman regresa* (2006) sale a la terraza del diario a dar unas pitadas. ¿Será posible imaginarse a Boogie en *Casablanca*, dándole sorbos a un jugo de naranja junto al piano? ¿O a Gilda mascando chicle y a Marlene Dietrich comiéndose las uñas?

Pensaba, leyendo el acápite de Groucho, por qué fumo. Fumo porque intento comprender el tiempo. Tal vez sea mucho para la mentalidad de los que inventaron la hamburguesa, ¿no? Debería comentárselo a los indios taínos.

♦

SOBRE LA INMORTALIDAD DEL CANGREJO

Había una vez, en el año 1185, un chico que había perdido todos sus derechos. El chico tenía siete años, pero no tenía derecho a ensuciarse las rodillas, a rodar por el pasto, a subirse a un árbol, a pelear una batalla contra su perro, a que una rama se transformara en una espada; casi no tenía derecho a sonreír, a menos que lo hiciera de una manera amable, sonrisa de estanque o de cerezo, no tenía sin duda alguna derecho al grito y mucho menos al berrinche, o al sueño. El chico se llamaba Antoku, cumplió siete años en 1185 y era el emperador del Japón.

Antoku no era sólo el dueño y señor de la vida y la muerte en el Japón, sino que era también el jefe de un clan de samuráis llamado Heike. Desde que tenían memoria los Heike peleaban una guerra eterna con los Genji, sosteniendo su derecho al trono imperial. El 24 de abril de 1185 en Danno-Ura, mar interior del Japón, los clanes se enfrentaron en una cruenta batalla naval. Los Genji superaban a los Heike en número y en la creatividad de sus tácticas de ataque. Antoku en persona comandaba la marina de los Heike, que fue devastada por el enemigo. Cuando se vio cubierta por las nubes de la derrota la Dama Nii, abuela del emperador, decidió que ni ella ni Antoku podían caer en manos del enemigo. Quienes vieron los hechos lo relatan así:

Antoku, con sus siete años recién cumplidos, parecía mucho mayor. Era tan hermoso que parecía emitir un resplandor brillante y su pelo, negro y largo, le colgaba suelto por la espalda. Con una mirada de sorpresa y ansiedad en el rostro le preguntó a la Dama Nii:
—¿Dónde vas a llevarme?
Ella miró al joven soberano mientras las lágrimas rodaban por sus mejillas y lo consoló atando su largo pelo en el vestido color paloma. Cegado por el llanto Antoku juntó sus manos en actitud de plegaria. Se puso primero cara al Este para despedirse del Dios de Ise, y luego de cara al Oeste para pronunciar el Nembutsu, una oración al Buda Amida. La Dama Nii lo agarró fuertemente entre sus brazos y, mientras le decía "En las profundidades del Océano está nuestro Capitolio", se hundió con él debajo de las olas.

Toda la flota Heike fue destruida: sólo sobrevivieron cuarenta y tres mujeres. Las Damas de Honor de la Corte Imperial fueron sometidas por los pescadores de Danno-Ura. Los Heike desaparecieron de la Historia, pero un grupo formado por la descendencia de aquellas damas decidió fundar un festival que conmemorara la batalla. Hace ochocientos dieciséis años que los pescadores descendientes de los Heike recuerdan, cada 24 de abril, la batalla de Danno-Ura: se visten de cáñamo con un tocado negro y desfilan hasta el santuario de Akama, donde se encuentra el mausoleo de Antoku, el emperador ahogado. Los pescadores dicen que aún hoy, ochocientos dieciséis años después, los samuráis Heike se pasean por los fondos del mar interior con forma de cangrejos. Frente a los escépticos muestran cangrejos de ese mar, con curiosas señales en sus dorsos, dibujos grabados en su coraza que se parecen asombrosamente al rostro de un samurái. Cuando quiere el azar que pesquen por error a alguno de estos cangrejos, lo devuelven al mar para conmemorar la triste batalla de Danno-Ura.

Hace algún tiempo, Carl Sagan se preguntó cómo era posible que el rostro de un guerrero quedara grabado en el caparazón de un cangrejo. Fue así cómo se supo que en verdad fueron los hombres los que hicieron esa cara: las sombras en los caparazones de los cangrejos son heredadas. Supongamos que, entre los antepasados lejanos del cangrejo Heike, hubo uno que mostró una forma vagamente parecida a un rostro humano. Incluso antes de la batalla de Danno-Ura los pescadores podrían haber sentido escrúpulos para comer un cangrejo así. Al devolverlo al mar pusieron en marcha un proceso evolutivo: *Si sos cangrejo y tu caparazón es común, los hombres te comerán; si tu caparazón se parece un poco a una cara, te echarán de nuevo al mar. Cuanto más uno se parece a un samurái, mejores son las probabilidades de sobrevivir.* Al final no sólo se obtuvo una cara humana, no sólo una cara japonesa, sino el rostro de un samurái feroz y enojado. Los científicos llaman a este proceso "selección artificial".

Los cangrejos toman todo con pinzas

A Daniel Tomsic, miembro del Departamento de Biología de la Facultad de Ciencias Exactas y Naturales de la UBA, le consta esta sensible afinidad de los cangrejos

por su hábitat. Lleva años experimentando en un laboratorio de Neurobiología de la Memoria, el más avanzado en el mundo en "aprendizaje y memoria de los cangrejos". Tomsic relató a *Ego* los pormenores de algunos de sus experimentos: una de las pruebas para evaluar el uso de la memoria en los cangrejos consiste en pasarle a muy corta distancia una figura que el cangrejo podría interpretar como un predador (por ejemplo, una gaviota), su reacción inicial es la de escapar. Cuando esta prueba se repite una y otra vez y el cangrejo advierte que es sólo una especie de juego y no se encuentra en peligro, ya no escapa ni se altera por aquella presencia extraña. ¿Y si lo cambian de estanque y repiten la experiencia? El cangrejo, ante la misma figura y el mismo movimiento, vuelve a escapar en un estanque distinto. Necesita aprender que ante el nuevo hábitat las condiciones de seguridad van a reproducirse.
Es precisamente al escapar cuando el cangrejo ensaya su coreografía más popular: camina con rapidez hacia el costado. Precisamente por esa costumbre, en un texto de los T'Ang (creadores del jugo de nalanja chino), el cangrejo fue bautizado como "Koei", que significia maligno o astuto, animal que se mueve de lado. Los franceses llaman "panier de crabes" a la cesta de cangrejos, pero la figura también se usa para dos personas que se odian y dañan mutuamente.
Otro mito respecto de sus movimientos ha consolidado la fama de los cangrejos: el hecho de que puedan caminar hacia atrás. El asunto dio a luz preguntas casi metafísicas: ¿el cangrejo avanza retrocediendo o retrocede avanzando? O a chistes de dudoso origen tales

como la pregunta: "Si los cangrejos caminan para atrás, ¿por qué no los voltean para el otro lado?".
La cuestión es que los cangrejos casi nunca caminan hacia atrás, aunque pueden hacerlo. En verdad, los cangrejos están capacitados para caminar hacia adelante, atrás, en diagonal o a los costados. Una especie de crustáceo cuatro por cuatro (léase 4 4, como bien describió Martín Caparrós en *Veintitrés*), o todo terreno. ¿Y cómo hace para no tropezarse?, bien podría preguntarse cualquiera de los humanos que nos tropezamos sin obstáculos y sólo caminando hacia adelante: los ojos del cangrejo ven en trescientos sesenta grados. El jogrecan tiene ojos facetados, similares a los de las moscas, montados sobre un pedúnculo. La imagen sería —perdón, en el nombre de la Ciencia— similar a que el cangrejo tuviera "honguitos" en los ojos, esto es ojos salidos de las cavidades y montados sobre una especie de "tallo". Moraleja: nadie se animaría a hacerle cuernitos en la espalda cuando están por sacarle una foto.
Existen 4.500 especies de los denominados "verdaderos cangrejos" más otras 1.400 variedades de la subespecie "cangrejos ermitaños". Los hay desde cangrejos de tamaño extra-small hasta los cangrejos araña, que llegan a medir tres metros y medio con las patas extendidas. Desde el punto de vista del autor, resultaría imposible investigar a estos últimos ya que moriría al sólo verlos. El cangrejo ermitaño, al no tener caparazón propio, usa una de segunda mano y se aloja en una concha de caracol que la va cambiando a medida que crece. Atento a la sentencia bíblica que recomienda que "no es bueno que el cangrejo esté solo", el ermitaño no es tal al pie de la letra,

suele vivir asociado a una anémona. Se han visto hasta siete anémonas en casos de ermitaños promiscuos, pero dos o una anémona son el número más habitual.
En el lago de los Jameos existe una variedad de cangrejos ciegos que, según el biólogo inglés Knyrett Totton, forman parte de una especie separada del mar hace milenios. Son muy sensibles al ruido, por lo que es casi imposible verlos cerca de las orillas.
En Arroyo de Piedra, un pueblo de más de tres mil habitantes a treinta kilómetros de Cartagena, en Colombia, festejan los poderes afrodisíacos del cangrejo azul, en un "cangrejódromo" levantado ad hoc. Allí se montó una pista de tres metros demarcada con harina de trigo y se organizan, con cierto sadismo, carreras de cangrejos en las que el público se come a los ganadores.

Destinos cruzados

"El más profundo problema:
el de la inmortalidad
del cangrejo, que tiene alma
un almita de verdad...
Que si el cangrejo se muere
todo en su totalidad
con él nos morimos todos
por toda la eternidad."

Miguel de Unamuno,
"La inmortalidad del cangrejo"

Mientras Hércules luchaba con Hydra, Juno —reina de los dioses romanos, hermana de Júpiter— envió a un cangrejo para que luchara contra el héroe. El cangrejo fracasó en su misión y fue aplastado. Pero Juno lo recompensó colocándolo entre las estrellas.

La mayor parte de las estrellas del Universo no viven solas. Se cree que más de la mitad de ellas forman sistemas binarios, esto es parejas de estrellas que, por su atracción gravitatoria, orbitan una alrededor de la otra. Si la distancia entre una y otra estrella es sumamente pequeña —como puede ser la distancia entre los planetas de nuestro Sistema Solar— una de las estrellas puede ser "fagocitada" por la otra: cae poco a poco sobre su compañera, entra en su atmósfera y termina fundiéndose con ella.

El telescopio espacial Hubble observó uno de estos sistemas binarios de "estrellas simbióticas": la nebulosa HE 2-104, conocida como Cangrejo del Sur. Romano Corradi, uno de los investigadores, explicó que el sistema contiene dos estrellas muy viejas, ambas próximas a extinguirse completamente, pero muy diferentes entre sí: una es una gigante roja "fría" y la otra es una enana blanca muy caliente, el residuo de una estrella que ha terminado todo su combustible nuclear y que ahora vive del gas que captura de la gigante fría.

La Nebulosa Cangrejo surgió a partir de la explosión de una supernova hace novecientos años: fue observada en 1054 por astrónomos chinos y japoneses. Cerca del centro de la nebulosa está la Púlsar del Cangrejo. Una púlsar es una estrella de neutrones que gira a gran velocidad, una masa de neutrones herméticamente cerrada: el objeto más denso del

Universo luego de los agujeros negros. La del Cangrejo es la púlsar más energética conocida hasta ahora: gira treinta veces por segundo y está fuertemente magnetizada; tiene sólo unos diez kilómetros, pero contiene más masa que nuestro Sol. La nebulosa tiene unos diez años luz de extensión y está a unos siete mil años luz de la constelación de Tauro. El 5 de noviembre de 1995 fue fotografiada por el telescopio espacial Hubble.
Tal vez alguien quiera saber si los cangrejos son inmortales. Creo que sí.

La nota siguente fue escrita originalmente para la revista *Gatopardo*, curiosos frente a una respuesta que había dado en un reportaje, donde me mostraba "en contra" de las comidas típicas.

ELOGIO DEL CLUB SÁNDWICH

El momento llega, inexorable, como el destino. Ya terminó la conferencia o el encuentro, ya lograron hacerte quince entrevistas en las que te preguntaron quince veces las mismas cosas que en los últimos quince años. Ya pusiste tu cara número 26, y tu Sonrisa Especial 4, y tus Cara de Imbécil 2, 3 y 5, ya te hicieron todas las fotos posibles y exprimieron hasta el fondo lo poco que quedaba de tu alma al llegar, ya sucedió todo eso cuando siempre, con la precisión de una guillotina se va ordenando un grupo supuestamente espontáneo pero por el que han peleado más que por unas plateas en el Radio City y todos ganan la calle, y sopla un viento de aire puro y entonces llega lo peor: alguien sugiere "ir a comer algo típico".

Odio las comidas típicas. Odio la idea de "típico". No es un problema de discriminación, ni de supremacía blanca, ni de complejo de superioridad urbano. Odio las comidas típicas de donde sea. Es cierto que hay excepciones, pero en general son potajes misteriosos en los que mejor no preguntar qué es eso que flota y que, si se los engulle empujado por la cortesía, lo más probable es que pases luego dos o tres días completos cagando agarrado del toallero de tu baño. Eso, o que lo que suplicaste "no spicy" te haga llorar como un huérfano porque lo que ellos imaginan como no spicy es lo que cualquier dragón consideraría picante.

Los caminos de la amabilidad llevan en cualquier caso al infierno: a veces sucede lo contrario, y te invitan a un restaurante argentino. Debería aclarar que uno viene de la Argentina, es argentino y ha pasado gran parte de los últimos cincuenta años comiendo comida argentina. Las posibilidades de que un restaurante argentino en Montreal o Nueva Delhi o Bogotá sea bueno son inciertas; pero, en el mejor de los casos, uno volvería a comer la misma comida de los últimos cincuenta años.

El room service es la solución. El room service y la sinceridad; con los años me fui animando a negarme a la "típica" cena de camaradería con extraños posterior a las giras. Primero se lo hice decir a mi representante, luego lo he enfrentado por mí mismo, como si fuera adulto:

—Jorge odia ir a cenar después, discúlpenlo.
—Jorge está cansado.
—Jorge es un creído, argentino hijo de puta típico que no quiere hacer migas con nadie.
Lo dije una vez en la radio, a los cuarenta y pico:
—Mi lista de amigos está cerrada, les agradezco pero no quiero conocer a nadie más. Conozco a demasiada gente.
Ya es tarde para ser embajador. Es probable que me haya perdido manjares increíbles pero también lo es que me he librado de platos horripilantes que habría tenido que tragar con una sonrisa. Pocas comidas más típicas en Asia que el tofu apestoso, o maloliente, un snack que acompaña casi todos los platos en los bares de China, Taiwán, Indonesia y Tailandia. El tofu huele a una mezcla de basura podrida y abono. Agradezco haberme librado del escorpión a la parrilla con guacamole, o de las hormigas colombianas con nachos y queso, y de los grillos salteados con brotes de bambú. He rechazado los sesos de mono servidos en su cráneo (el del mono) en Guinea, y tampoco probé los gusanos de Maguey con mantequilla en México, esos gusanos amarillos y gorditos que ceden de inmediato a la pisada y largan todo su relleno con facilidad. No he comido escorpión de Toffee en China, ni sangre de cerdo en Hungría o gelatina de pie de vaca en Polonia.
El Club Sándwich es la viva imagen del Paraíso. Solo, en el cuarto, con el aire acondicionado a full y el televisor sin sonido, con la valija a medio desarmar y vasos y ceniceros por todos lados, me pregunto si habré gana-

do o perdido amigos. Quizá ellos también me agradezcan por no haberlos acompañado, otra vez, a comer sus comidas típicas, sus propias y aburridas comidas de siempre.

—¡Mamá! —se queja el niño—. ¿Otra vez escorpión?

Argentino al fin, creo que tal vez me deben un favor, y no lo saben.

Noviembre de 1986. A tres años del fin de la dictadura, la izquierda aún "no ha sabido replantearse su pasado, ni su inserción en la nueva realidad": *El Porteño* en su esplendor, un año antes del nacimiento de *Página/12*.

Agosto de 1986. Sexo, Iglesia y represión: "El poder ideológico de la Iglesia en nuestra vida cotidiana que alimenta culpas y erige barreras contra el deseo".

Octubre de 1986. La "sensación" de inseguridad, desde siempre: "Hablan los chorros. Los arreglos de la cana. El verso de los medios".

Enero de 1987. Se promulga la Ley de Punto Final. Escriben Miguel Bonasso y Osvaldo Soriano.

Febrero de 1987. El gobierno encara un año electoral con "las privatizaciones, la reforma del Estado, el traslado de la Capital, etc." en cartera. La crítica más fuerte: soslayar "los conflictos sociales".

IMAGÍNESE LA CRISIS QUE VIVE EL PAÍS QUE HAY PARTIDOS QUE REPARTÍAN SANDWICHES DE MORTADELA Y MATE COCIDO...
Y ESO PARA CAPTAR A LA CLASE MEDIA

FIC.
CADA VOTO VALE POR UNO

SUPLEMENTOS

FIC. Cada voto vale por uno
El país palmo a palmo ▲ Veinticinco preguntas sobre el cuarto oscuro

CULTURAS Espionaje: cuando el asesino no es el mayordomo
Un ex agente de la CIA contra la Casa Blanca ▲ Viajes con Graham Greene

EL ESPIONAJE
CULTURAS
ALGUNOS EJEMPLOS PARA UNA NUEVA EPICA

Página/12

el país a diario

Buenos Aires, domingo 6 de setiembre de 1987

Año 1 - Nº 76 - Precio de este ejemplar: ₳ 1,60 - Recargo vía aérea ₳ 0,10

Por primera vez en veinticinco años los argentinos renuevan gobernadores y diputados

Miguel Martelotti

PARA LA LIBERTAD

COMPROMISO

En las urnas se expresan anhelos, temores, esperanzas. Cada argentino, al votar dejará hoy su mensaje: ¿Hasta qué punto el pasado sigue pesando en esta sociedad que quiere resolver el presente para construir el futuro? ¿Qué porvenir vislumbra un país que recién ha recuperado la democracia? Muy cerca, al otro lado de las fronteras, está el espejo tan temido: Pinochet y Stroessner, por ejemplo, encarnan el oprobio y la humillación que volvieron a asomar, aquí,en las jornadas de Semana Santa. En esos días el pueblo salió a la calle y frustró el intento de redimir un tiempo de tinieblas. Ahora, en las urnas, dará otro paso adelante, aunque allí no se terminen todas las penas ni las frustraciones. El solo hecho de sentirse libre de elegir el matiz político, que más interprete los intereses de cada ciudadano, es una gigantesca conquista que no se puede ignorar ni desaprovechar. El voto es un gesto simple y gris; pero en las tres cuartas partes del mundo hay mucha gente dispuesta a dar la vida por conseguir ese privilegio. Elegir no es el fin, sino el comienzo de un compromiso.

8
El otro seis de setiembre, *por Horacio Verbitsky*

Julio Bocca bailó en la 9 de Julio ante una multitud
Tiritando en la Avenida

24
Fellini y Kafka con el ojo en América, *por Milan Kundera*

Domingo 6 de septiembre de 1987. Luego de 25 años los argentinos renovamos gobernadores y diputados. La primera elección de *Página/12*.

Miércoles 14 de octubre de 1987. Una hermosa frase de Borges para describir el encuentro de Alfonsín, Cafiero y la CGT.

CENTROAMERICA

Oscar Arias ganó el Nobel antes que la paz

VICTOR HEREDIA

"Con Palito sólo comparto el color de mi piel"

Página/12

el país a diario

Buenos Aires, miércoles 14 de octubre de 1987

Alfonsín –por primera vez después de las elecciones– se reunió con Cafiero y la CGT, poco antes de que se anunciaran las medidas económicas

NO NOS UNE EL AMOR SINO EL ESPANTO

✓ Salario mínimo: 350 australes
✓ 12% de aumento para estatales y privados
✓ Aumento en las asignaciones familiares: 33%
✓ Aumento en combustibles líquidos: 18%
✓ Boleto mínimo: 0,45; aumentos del 15% en pasajes ferroviarios
✓ Modificaciones en los impuestos a las ganancias, cheques, patrimonio neto
✓ Congelamiento desde el 14 de octubre
✓ Desdoblamiento del mercado cambiario
✓ Dólar comercial 3,5 ₳
✓ Eliminación de las tasas reguladas
✓ Aumento en las tarifas de un 15% promedio

TRECE

Presidente Alfonsín y gobernador electo Cafiero.

Releyendo a Borges.

24 No más casas, por Rafael Alberti

3 La economía no explica todo, por Horacio Verbitsky

CRAC

Wall Street en terapia intensiva

NOBEL DE LITERATURA

Ganó Joseph Brodsky, poeta soviético con domicilio en Michi

Página/12

el país a diario

Buenos Aires, viernes 23 de octubre de 1987

Entre gritos y abrazos Ubaldini controló el Confederal de la CGT. Bajó la tensión, los ortodoxos retiraron sus renuncias a la conducción, y se convocó a un paro de 12 horas con movilización para el 4 de noviembre

Y COMIERON PERDICES

DIAGNOSTICO

Gremialistas Lorenzo Miguel y Saúl Ubaldini durante el Confederal: "Abrázame y verás..."

3 La espada y la esponja, por Horacio Verbitsky

El gobernador cordobés inició su carrera a la presidencia

Angeloz de la mano de Pugliese

24 El paisaje borrado, por José Donoso

23 de octubre de 1987. Lorenzo Miguel y Ubaldini llegan a acuerdos sindicales y fijan un paro de 12 horas.

7 AUSTRALES
El dólar barranca arriba

ATAQUE NAVAL
Norteamericanos e iraníes combaten en el Golfo

Página/12
el país a diario

Mañana los docentes vuelven al trabajo

A OSCURAS, PERO CON CLASES

TRAMPA

Nuevos aumentos
GAS OIL 9,32%
TELEFONOS 16%

¿Cuántos años?, 4 por James Neilson

El muro de Berlín, 24 por Horacio Verbitsky

Martes 19 de abril de 1988. Educación, paros y energía hace treinta años: una tapa oscura que rescataba el inicio de clases en medio de los apagones.

RAFAEL ALBERTI
Ochenta y cinco años de poesía

AFGANISTAN
La mayor batalla desde la entrada de la URSS

Página/12
el país a diario

Un verde a cinco australes

EL DOLAR ES UNA HERIDA ABSURDA

PAVOS

Lecturas 2/3 Luchando por el Señor, por Gore Vidal

13 Marie Langer, por Tato Pavlovsky

ALFONSIN APURO LA LEY SINDICAL

20 La hoja blanca, por Fernando Fernán Gómez

Martes 29 de diciembre de 1988.
El dólar toca los cinco australes.

Sábado 12 de agosto de 1989. Dos versiones contrapuestas sobre el encuentro de Menem y Alfonsín, dos tapas posibles.

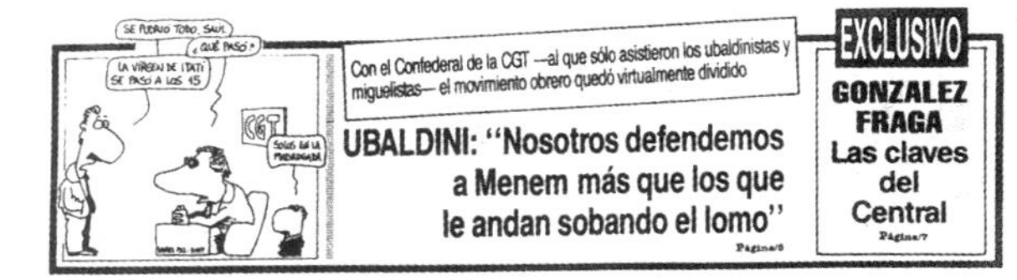

Con el Confederal de la CGT —al que sólo asistieron los ubaldinistas y miguelistas— el movimiento obrero quedó virtualmente dividido

UBALDINI: "Nosotros defendemos a Menem más que los que le andan sobando el lomo" Página/5

EXCLUSIVO

GONZALEZ FRAGA

Las claves del Central Página/7

Página/12 el país a diario

Buenos Aires, sábado 12 de agosto de 1989 — Año 3 - Nº 674 - Precio de este ejemplar: ₳ 150 Recargo venta interior: ₳ 30

El vocero presidencial restó importancia a la reunión de Menem con Alfonsín, aseguró que "duró apenas diez minutos" y se trató de una "visita protocolar". La versión de Alfonsín, sin embargo, fue distinta (ver contratapa)

EN DIEZ MINUTOS ENFRIAMO EL AMBIENTE

Página/2/3

CARTON

Las voces sonaban lejanas como en una pesadilla. A las seis de la mañana la mayoría de las miradas del recinto eran oblicuas, y sólo importaba que la Cámara de Diputados no quedara sin quórum. Veinte radicales y más de ochenta justicialistas abrían estoicamente las pestañas después de tres sesiones con el sueño cambiado. Ante la falta de número, asesores y secretarios se convirtieron en diputados de cartón. Uno de los legisladores instantáneos leía con displicencia un ejemplar de *Ambito Financiero* sin tomar en cuenta un pequeño detalle: el diario estaba al revés. Sólo le preocupaba taparse la cara y convertirse en un número para el quórum. Alrededor otros "extras" interpretaban su papel tratando de pasar más inadvertidos. Francisco Durañona y Vedia, diputado liberal, no pudo contener sus ansias de denuncia:

—Falta quórum —gritó por el micrófono, y algunos se incorporaron sobresaltados—, acá hay legisladores que no lo son. —Y señaló a uno que se ocultaba tras un ejemplar de Página/12.

—Usted me va a disculpar —dijo entonces el diputado peronista Fernando Paz—, pero se equivocó de sujeto. Entre la luz difusa del recinto, los legisladores de cartón respiraron aliviados, aunque sólo por algunos minutos: al raso el dedo acusador de Durañona pegaba en los blancos exactos.

SUPLEMENTOS

Futuro

Sátira/12

2 Los colores oficiales, *por J. M. Pasquini Durán*

8 La fórmula de la felicidad, *por Daniel Sosa*

Con el Confederal de la CGT —al que sólo asistieron los ubaldinistas y miguelistas— el movimiento obrero quedó virtualmente dividido

UBALDINI: "Nosotros defendemos a Menem más que los que le andan sobando el lomo" Página/5

EXCLUSIVO

GONZALEZ FRAGA

Las claves del Central Página/7

Página/12 el país a diario

Editor Responsable: Fernando Sokolowicz — Director: Jorge Lanata

En un comunicado posterior a la reunión con Menem, Alfonsín afirmó que el indulto, la manipulación de los medios y las acusaciones sobre corrupción fueron el centro de una entrevista de casi media hora. Para Menem, sin embargo, resultó otro el contenido (ver tapa)

EN VEINTICINCO MINUTOS CALENTAMO EL AMBIENTE

Página/2/3

CARTON

Las voces sonaban lejanas como en una pesadilla. A las seis de la mañana la mayoría de las miradas del recinto eran oblicuas, y sólo importaba que la Cámara de Diputados no quedara sin quórum. Veinte radicales y más de ochenta justicialistas abrían estoicamente las pestañas después de tres sesiones con el sueño cambiado. Ante la falta de número, asesores y secretarios se convirtieron en diputados de cartón. Uno de los legisladores instantáneos leía con displicencia un ejemplar de *Ambito Financiero* sin tomar en cuenta un pequeño detalle: el diario estaba al revés. Sólo le preocupaba taparse la cara y convertirse en un número para el quórum. Alrededor otros "extras" interpretaban su papel tratando de pasar más inadvertidos. Francisco Durañona y Vedia, diputado liberal, no pudo contener sus ansias de denuncia:

—Falta quórum —gritó por el micrófono, y algunos se incorporaron sobresaltados—, acá hay legisladores que no lo son. —Y señaló a uno que se ocultaba tras un ejemplar de Página/12.

—Usted me va a disculpar —dijo entonces el diputado peronista Fernando Paz—, pero se equivocó de sujeto. Entre la luz difusa del recinto, los legisladores de cartón respiraron aliviados, aunque sólo por algunos minutos: al raso el dedo acusador de Durañona pegaba en los blancos exactos.

SUPLEMENTOS

Futuro

Sátira/12

2 Los colores oficiales, *por J. M. Pasquini Durán*

8 La fórmula de la felicidad, *por Daniel Sosa*

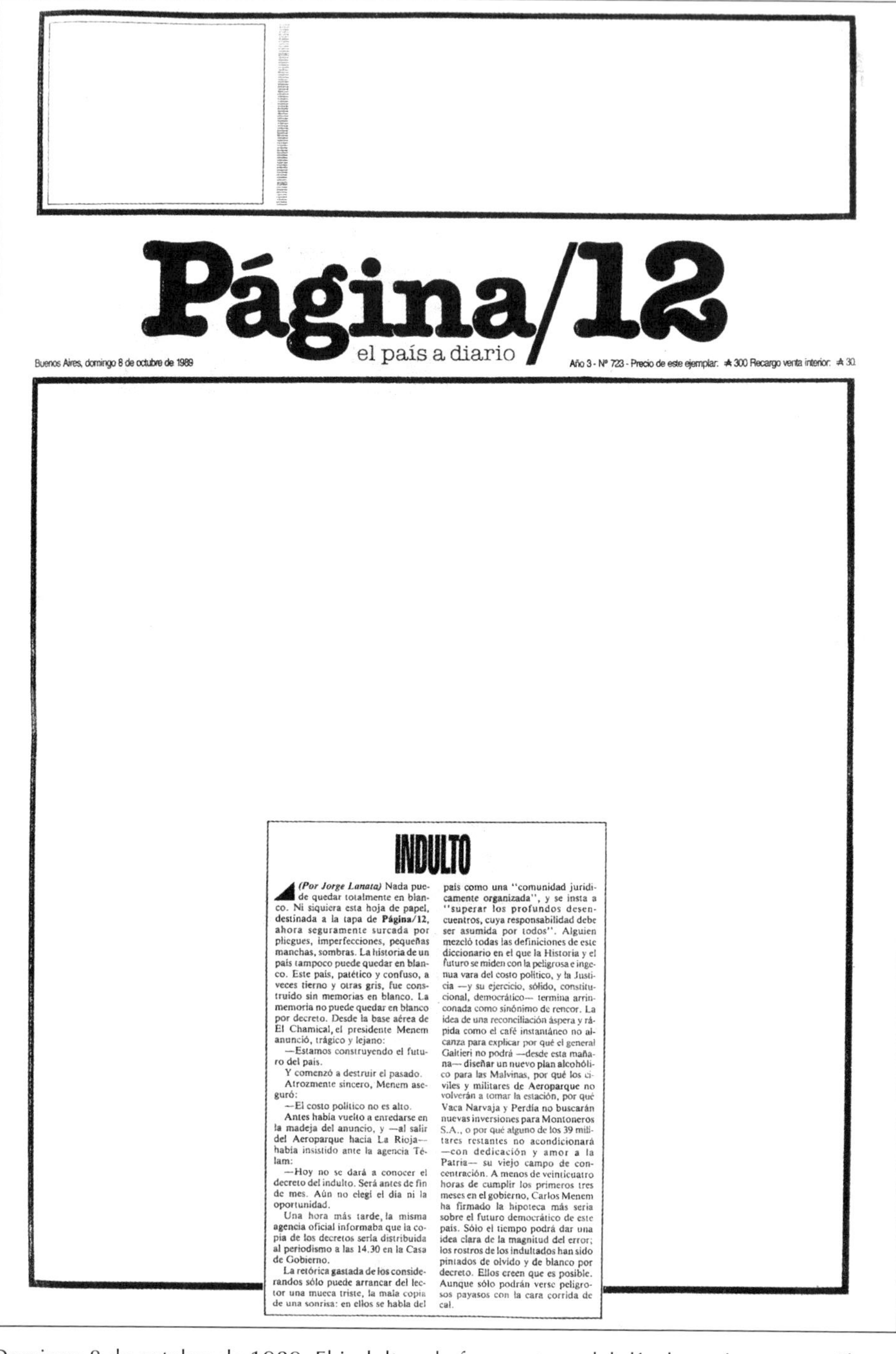

Página/12

el país a diario

Buenos Aires, domingo 8 de octubre de 1989

Año 3 - Nº 723 - Precio de este ejemplar: ₳ 300 Recargo venta interior: ₳ 30

INDULTO

(Por Jorge Lanata) Nada puede quedar totalmente en blanco. Ni siquiera esta hoja de papel, destinada a la tapa de **Página/12**, ahora seguramente surcada por pliegues, imperfecciones, pequeñas manchas, sombras. La historia de un país tampoco puede quedar en blanco. Este país, patético y confuso, a veces tierno y otras gris, fue construido sin memorias en blanco. La memoria no puede quedar en blanco por decreto. Desde la base aérea de El Chamical, el presidente Menem anunció, trágico y lejano:

—Estamos construyendo el futuro del país.

Y comenzó a destruir el pasado.

Atrozmente sincero, Menem aseguró:

—El costo político no es alto.

Antes había vuelto a enredarse en la madeja del anuncio, y —al salir del Aeroparque hacia La Rioja— había insistido ante la agencia Télam:

—Hoy no se dará a conocer el decreto del indulto. Será antes de fin de mes. Aún no elegí el día ni la oportunidad.

Una hora más tarde, la misma agencia oficial informaba que la copia de los decretos sería distribuida al periodismo a las 14.30 en la Casa de Gobierno.

La retórica gastada de los considerandos sólo puede arrancar del lector una mueca triste, la mala copia de una sonrisa: en ellos se habla del país como una "comunidad jurídicamente organizada", y se insta a "superar los profundos desencuentros, cuya responsabilidad debe ser asumida por todos". Alguien mezcló todas las definiciones de este diccionario en el que la Historia y el futuro se miden con la peligrosa e ingenua vara del costo político, y la Justicia —y su ejercicio, sólido, constitucional, democrático— termina arrinconada como sinónimo de rencor. La idea de una reconciliación áspera y rápida como el café instantáneo no alcanza para explicar por qué el general Galtieri no podrá —desde esta mañana— diseñar un nuevo plan alcohólico para las Malvinas, por qué los civiles y militares de Aeroparque no volverán a tomar la estación, por qué Vaca Narvaja y Perdía no buscarán nuevas inversiones para Montoneros S.A., o por qué alguno de los 39 militares restantes no acondicionará —con dedicación y amor a la Patria— su viejo campo de concentración. A menos de veinticuatro horas de cumplir los primeros tres meses en el gobierno, Carlos Menem ha firmado la hipoteca más seria sobre el futuro democrático de este país. Sólo el tiempo podrá dar una idea clara de la magnitud del error; los rostros de los indultados han sido pintados de olvido y de blanco por decreto. Ellos creen que es posible. Aunque sólo podrán verse peligrosos payasos con la cara corrida de cal.

Domingo 8 de octubre de 1989. El indulto y la famosa tapa del día después: una metáfora de la memoria y en contra del olvido. "Nada puede quedar totalmente en blanco. Ni siquiera esta hoja de papel destinada a la tapa de *Página/12*, ahora seguramente surcada por pliegues, imperfecciones, pequeñas manchas, sombras. La historia de un país tampoco puede quedar en blanco", escribía Lanata en el editorial.

Sábado 22 de julio de 1989. Menem y la futbolización de la Argentina. *Página/12* cambia su nombre, una jugada con pocos precedentes en la historia de los medios gráficos.

ALSOGARAY VS. CAVALLO

Pelea de fondo por la deuda

SUPLEMENTOS

Pelota/12

un gol por día

Menem se dio el gusto y jugó con Maradona, en solidaridad con los niños carenciados

OFERTA DEL NAPOLI

SUERTE

2 Problemas de convivencia, *por Alberto Dearriba*

8 Del dicho al hecho, *por Daniel Sosa*

CAPUTO EN ORSAI

En Cancillería no cierran las cuentas por 190 mil dólares, y denuncian otras ausencias en los fondos reservados

EL JEFE DEL COMANDO SUR EN LA ARGENTINA

Mad Max a la caza de los narcos

MITTERRAND A LA CABEZA

París marchó contra el racismo

Página/12

el país a diario

Menem defendió la política económica ante empresarios y sindicalistas

"MI GOBIERNO ES DE NETO CORTE REVOLUCIONARIO"

El sótano, *por Horacio Verbitsky* 7

La mala estrella de Mitterrand, *por Walter Goobar* 13

ESPECIAL

17 Sonríe, Bilardo te filma, *por Juan José Panno*

Los duques obispos, *por Luis Bruschtein* 24

EL MUERTO EN RIVER

Accidente o linchamiento

Martes 15 de mayo de 1990. Menem da un discurso frente a empresarios y sindicalistas. Una de sus frases es el mejor título. Y en la foto de tapa, los miembros de la Sociedad Rural se matan de risa.

RICLAME IL SUPLEMENTO

IL PAESE PARALIZATO DE 13.00 a 15.00 hs.

ARGENTINA MONDIALE

La selezione inaugura Italia '90 frente a Camerune

Página/12

il paese a diario

EXCLUSIVI

Zulema imputada in la causa degli affichi

Explosivi declarazione di Zulema

LA PRIMA DONNA

√ "Hay que cortare alcuni testa per finire con la corrupzione"

√ "Nostra diferenza sone politiche, e non familiare"

√ "Carlos tornará a Olivos"

Voltas, per Enrique Medina 24

Mangiando en Olivos, per Pepe Eliaschev

Pimpinela, per Eduardo Aliverti 4

PIROPI

MASCALZONE

¿Vanrell en Costa Rica?

Licitacione trucha en Defensa

LA ONORABILE SOCIETÀ

Viernes 8 de junio de 1990. Empieza el Mundial de Italia, Argentina juega el partido inaugural contra Camerún y la tapa se publica en italiano con la intención de captar la atención de un país copado por el fútbol.

El Presidente aceptó suceder a Cafiero

LA FORMULA MENEM-MENEM AL FRENTE DEL PJ

MUNDIAL DE BASQUET

Argentina perdió en el debut

Página/12

el pais a diario

PRECIO DE LA NAFTA

La guerra llega a Buenos Aires

Argentina reafirmó su apoyo al bloqueo contra Irak y estudiará el envío de tropas si las Naciones Unidas lo solicitan

TIEMBLA IRAK

16 ¿Quién se acuerda de Goycochea?, por Ezequiel Fernández Moores

PORTAVOZ

Canciller Domingo Cavallo

Verduleros, por Luis Bruschtein 9

El Gobierno quiere 50.000 empleados menos

PLAN DE DESPIDOS EN LAS EMPRESAS PUBLICAS

CASO GÜEMES

PRISION PREVENTIVA PARA GONZALEZ MORENO

Jueves 9 de agosto de 1990. Argentina apoya el bloqueo a Irak y ofrece tropas.

350 familiares de caídos en la guerra visitaron por primera vez el cementerio de la Isla Soledad

LAS TUMBAS

Página/6 /7

Amarillo/12

el país a diario

Buenos Aires, martes 19 de marzo de 1991

Año 4 - Nº 1168 - Precio de este ejemplar: ₳ 7000 Recargo venta interior: ₳ 500. En Uruguay: N$ 2000

AMARILLO

(*Por Jorge Lanata*) En sus últimas declaraciones, el Presidente sumó una variante a la idea de complot contra la Nación: la de calificar de "enemiga" a la "prensa amarilla a la que no le gustó el tema de los indultos, ni el envío de las naves al Golfo Pérsico, ni el caso Ginebra, ni otras cosas que estamos haciendo". Días atrás, desde esta columna, se alertaba sobre el riesgo de encarnar a la República —una de las tentaciones habituales en el poder— y del equilibrio necesario para evitarlo: el mismo que haría falta para reconocer errores, al menos permitirse algunas dudas sobre las acciones propias. Si las trágicas consecuencias del indulto resultaron sólo un invento de la prensa amarilla, frente a las encuestas que mostraron al 68 por ciento de la población en contra de la medida, este país tendría más concentración de amarillos que China Popular. La misma lógica puede aplicarse sobre el envío de naves: el ticket de ingreso al Primer Mundo aún no arroja demasiados resultados, fuera del ejemplo —amarillo, es cierto— del canciller Di Tella preocupado por la venta de jugo de limón. Todavía resulta difícil mensurar el costo político de la participación en la guerra, pero vale la pena recordar la encuesta de Demoskopía, que mostró a un 76 por ciento de la población en contra. ¿Será la realidad, amarilla? Como cualquier proceso histórico, el amarillismo en la prensa comenzó con una anécdota menor: en medio de la lucha entre Joseph Pulitzer y William Hearst (ambos propietarios de periódicos en Nueva York durante 1880), Pulitzer publica *The Yellow Kid*, una tira cómica de interés humano que dio nombre al género. El amarillismo forzó la realidad hasta generarla: todavía se discute en los manuales de periodismo si fue William Hearst quien financió la guerra de Estados Unidos contra España (abril de 1898) sólo para aumentar las ventas de sus 38 periódicos. En este perdido país del Sur, sin embargo, la relación entre los periódicos y la realidad parece distinta. Calificando de amarillo al ejercicio de la información, el Presidente adjudica a los medios un poder que no poseen. En un sistema democrático, está justamente en la clase política la posibilidad de modificar los datos agobiantes de la realidad, y no es calificando de amarillos a quienes los describen como se comienza a hacerlo.

Menem firmó el decreto que dispone la venta por remate o licitación de inmuebles del Estado por más de mil millones de dólares

Página/2/3

AL POR MAYOR

A 75 años de Verdún, por Osvaldo Bayer 24

Síndrome de Estocolmo, por Horacio Verbitsky 2

Yeltsin logró más votos en el referéndum

GORBACHOV ARAÑA LA MAYORIA

Martes 19 de marzo de 1990. Menem calificó de "enemiga" a la "prensa amarilla a la que no le gustó el tema de los indultos, ni el envío de las naves al Golfo Pérsico, ni el caso Ginebra, ni otras cosas que estamos haciendo". Esta fue la respuesta de *Página/12*.

Reclame su ejemplar

Rimas

CAMPEON DEL APERTURA

El empate con Argentinos le alcanzó para dar la vuelta olímpica

RIVER

Crespo, Villalba, Corti y Toresani celebran el título.

CANTO BAJO LA LLUVIA

Páginas 21/22/23

Página/12
el país a diario

Buenos Aires, domingo 20 de marzo de 1994

Año 7-Nº 2097-Precio de este ejemplar: $1,60
Recargo venta interior: $0,20-En Uruguay: $12

DESPEDIDA

(Por Jorge Lanata) Esta edición de **Página/12** –que lleva el número 2097– es la última que se realiza bajo mi dirección. Explicar los motivos de una renuncia, en este país donde todo el mundo se aferra desesperadamente a cualquier sillón, es una tarea difícil de lograr en treinta líneas. Es necesario decir, en principio, que mi decisión no tiene ninguna vinculación con diferencias editoriales, de línea o personales con el resto de la dirección. El único motivo de mi salida es de índole personal: tengo 33 años, tenía 26 cuando fundamos este diario, aprendí y me equivoqué encabezándolo –aprendo y me equivoco, en realidad– y debo optar por "congelar" mi carrera o por hacerla más impredecible.

Intento lo imposible: ¿cómo explico una sensación? Me siento en este tiempo más cerca de los libros, de la radio o de comenzar a aprender, desde cero, televisión.

Desvincularme totalmente de **Página/12** sería negarle el espejo a uno de los hechos más importantes de mi vida: a partir de la semana próxima publicaré notas firmadas con regularidad. Imaginé estas líneas durante los últimos meses y ahora, al escribirlas, se traban inevitablemente las teclas y el lenguaje.

–¿Qué estás diciendo? ¿Que dejás la dirección para ser redactor?

–¿Por qué no? Nunca dejé de ser redactor.

En el Reino de la Desconfianza, se publicaron hace algunos días diversas versiones sobre esta renuncia. Con puntillosa mala intención *Ambito Financiero* afirmó que existían conflictos por la marca. El dato del "quincho" ni siquiera fue chequeado: la marca **Página/12** nunca estuvo a mi nombre. Días después *Noticias* lo rectificó –al menos fue hasta el Registro de Marcas– pero difundió una información falsa sobre las cifras de venta del diario (sólo mencionó un porcentaje de la circulación de Capital y "olvidó" la del interior del país). Este diario está acunado por versiones desde su nacimiento: nadie nunca tuvo tantos dueños, tantas secciones vendidas a tantos políticos, tantas acusaciones absurdas.

Mi despedida de la dirección no implica modificación alguna en la línea del periódico: la dirección editorial seguirá, como siempre, bajo la conducción de Fernando Sokolowicz y será Ernesto Tiffenberg, cofundador del diario y hasta hoy subdirector, quien quede al frente de la responsabilidad periodística.

Página representó y representa un desafío a la lógica argentina: un diario progresista con avisos, creíble y con buena circulación. Durante siete años, en este diario, intentamos un tipo de comunicación más humana con ustedes, y ése es el motivo de estas líneas: contarle a un amigo que voy a hacer un cambio en el trabajo, que podemos vernos acá mismo todas las semanas, o todos los días en la radio, o quién sabe dónde. Y que ese amigo se alegre por la novedad, con esa alegría movediza que provoca el futuro.

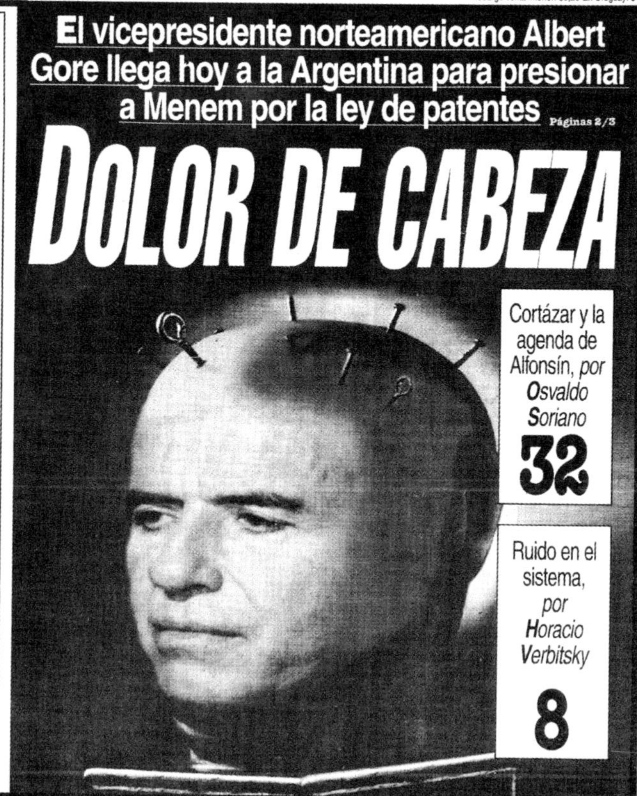

El vicepresidente norteamericano Albert Gore llega hoy a la Argentina para presionar a Menem por la ley de patentes

Páginas 2/3

DOLOR DE CABEZA

Cortázar y la agenda de Alfonsín, *por* **Osvaldo Soriano** 32

Ruido en el sistema, *por* **Horacio Verbitsky** 8

Domingo 20 de marzo de 1994. El último número de *Página/12* dirigido por Lanata, con su editorial de despedida y una foto de Menem cita la vieja publicidad de analgésicos Geniol para ilustrar la visita de Al Gore y la presión norteamericana por las patentes de los medicamentos.

Jueves 1 de octubre de 1998. La pregunta era: ¿En qué se va la plata del Presupuesto Nacional? La respuesta: un agujero en medio de la revista que representaba el enigma, el misterio, la falta de respuesta.

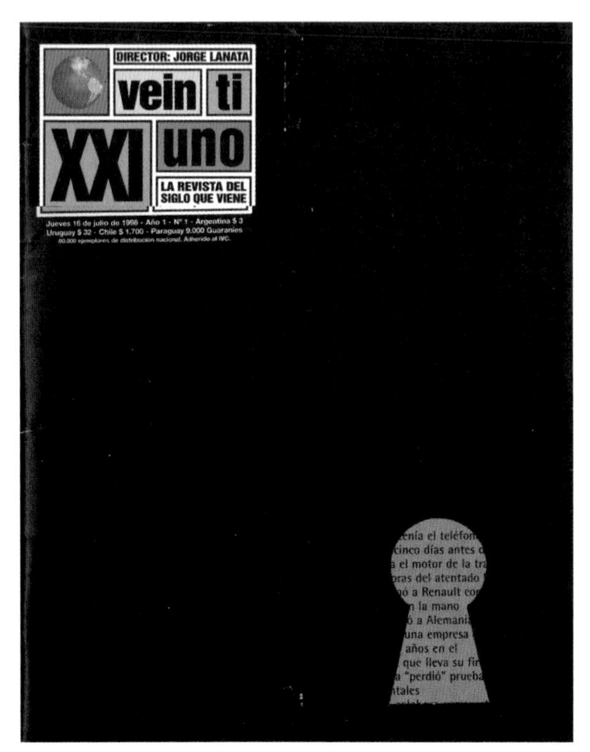

Jueves 16 de julio de 1998.
El regreso de Lanata a la prensa escrita, el primer número de la revista *Veintiuno*: ¿Tendremos alguna vez la llave para saber qué está pasando?

Jueves 21 de enero de 1999.
El caso Cabezas y las maniobras de Duhalde para desviar la investigación.

Jueves 28 de diciembre de 2000. Las presiones políticas que dejaron a Lanata sin pantalla en la televisión abierta.

Jueves 11 de enero de 2001. El fenómeno cultural de la temporada.

ENTREVISTA
FLOR DE LA V
VUELTA A LA TELE CON LA PISTOLA EN LA MANO
PÁGINAS 34-35

LA GUERRA GAUCHA CONTINÚA
MORENO QUERELLÓ POR DESABASTECIMIENTO A TODAS LAS ENTIDADES DEL CAMPO
PÁGINA 15

ACOMÓDESE Y LEA
8 DE CADA 10 ARGENTINOS PASAN SU TIEMPO LIBRE EN UN SILLÓN
PÁGINAS 28-29

CRÍTICA DE LA ARGENTINA

Domingo 6 de abril de 2008
Año I - Nº 36
Precio $4,50
Recargo por envío al interior $0,40
www.criticadigital.com

DIRECTOR JORGE LANATA

Reclame su ejemplar

INVESTIGACIÓN

EN MEDIO DE LA PELEA, LA VERDAD SOBRE LA RELACIÓN ENTRE CLARÍN Y EL GOBIERNO QUE MÁS LO FAVORECIÓ

ENEMIGOS ÍNTIMOS

- La fusión irregular entre Cablevisión y Multicanal, o cómo tener el 70% de la audiencia.
- El hostigamiento a la fiscal que se opuso a firmar.
- La interna de Papel Prensa.

PÁGINAS 4 a 7

1-1 CON BANFIELD
BOCA SE QUEDÓ CORTO, Y HOY RIVER SE PUEDE IR LEJOS
PÁGINA 40

6 de abril de 2008. La relación entre *Clarín* y el kirchnerismo hace casi una década.

FOTOS GENTILEZA DE MARGARITA PERATA, FUNDACIÓN SÍ Y GABRIEL LEVINAS.

El reencuentro

“Un hombre que hacía mucho tiempo
que no veía al señor K.
lo saludó con estas palabras:
—No ha cambiado usted nada.
—¡Oh! —exclamó el señor K.,
empalideciendo.”

BERTOLT BRECHT,
Historias del señor Keuner

Es imposible contar un proyecto hasta que no se realiza: sólo pueden decirse vaguedades o expresiones de deseo que definirían tanto ese proyecto como cualquier otro. Antes, cuando es idea, un proyecto es una serie de signos de pregunta. Realizarlo es ponerlo en respuesta aunque también esa respuesta dará luego sitio a preguntas nuevas. Los proyectos, como las mujeres, son siempre un secreto. Ya hablamos de las formas y del contenido y dije que no creo en la existencia de los géneros, que son simplemente recursos técnicos, sino en utilizarlos para decir alguna cosa.

Cuando dirigí mi primer diario, *Página/12*, acostumbraba decir que los diarios no eran necesarios.

Borges sostenía algo similar: "No vale la pena interesarse en el periodismo, pues está destinado a desaparecer. Bastaría, en lugar de diarios, con un periódico bimensual, ya que todos los días no se producen hechos sensacionales. En la época grecolatina se leían libros y no se perdía el tiempo en tonterías".

E insistió en la idea en *Diálogo con Ernesto Sabato.*

> Sabato: —Yo diría, más bien, que en aquellas reuniones hablábamos de lo que nos apasionaba en común a usted, a Bioy, a Silvina, a mí. Es decir, de la literatura, de la música. No porque no nos preocupara la política. A mí, al menos.
> Borges: —Quiero decir, Sabato, que no se hacía ninguna referencia a las noticias cotidianas, fugaces.
> Sabato: —Sí, eso es verdad. Tocábamos temas permanentes. La noticia cotidiana, en general, se la lleva el viento. Lo más nuevo que hay es el diario, y lo más viejo, al día siguiente.
> Borges: —Claro. Nadie piensa que deba recordarse lo que está escrito en un diario. Un diario, digo, se escribe para el olvido, deliberadamente para el olvido.
> Sabato: —Sería mejor publicar un periódico cada año, o cada siglo. O cuando sucede algo verdaderamente importante: "El señor Cristóbal Colón acaba de descubrir América". Título a ocho columnas.
> Borges (sonriendo): —Sí... creo que sí.
> Sabato: —¿Cómo puede haber hechos transcendentes cada día?
> Borges: —Además, no se sabe de antemano cuáles son. La crucifixión de Cristo fue importante después, no cuando ocurrió. Por eso yo jamás he leído un diario, siguiendo el consejo de Emerson.

Aquella idea, la de un diario que saliera "cada tanto", me persiguió durante años, y llegué a registrar la marca "Cada tanto" pensando en utilizarla alguna vez.

El consumo diario de información es parte de una ficción del mercado que necesita la venta diaria de publicidad. "Cinco muertos en una ruta de Mendoza" no le cambiará la vida a nadie sino a los cinco desdichados que ya no podrán leerlo. Con ese criterio, *Página* fue el primer diario del país que no tuvo editorial todos los días; todos lo tienen: en ellos las empresas dejan clara constancia de la posición editorial del medio. En *Página* los editoriales salían cada tanto y más bien poco: siempre estuve en contra de la figura del opinólogo en sección fija: tengo que decir algo sobre algo sí o sí, básicamente porque es jueves. Dividíamos entonces las columnas de la información, tratando de no teñir de opinión todo el contenido. Las notas de opinión, claro, llevaban firma. El manejo de la firma, aun así, fue siempre un hecho conflictivo: hay quienes sostienen que deben ser firmadas sólo las notas "buenas" como motivador hacia el periodista, y otros creen que deben firmarse hasta los epígrafes.

En el medio, los nuevos periodistas creen que desde su nacimiento se han ganado la firma en todo, y que al lector le interesa su columna sobre partículas elementales y física cuántica, cuando aún no aprobaron física de quinto año.

Un diario "cada tanto" sería uno que blanquee su pacto de lectura con el público: voy a contarte algo cuando sea verdaderamente importante hacerlo. Así, ese diario podría salir una vez al año o treinta, o una vez cada quinquenio. Sería, claro, imposible de sostener aunque sin dudas ese día, el que estuviera en el kiosco, todos sus ejemplares se agotarían a la madrugada. Es curioso, pero ahora que el bombardeo informativo es mayor que el de cualquier otra época, comienza a dibujarse el concepto de "evento": el público ve en los medios tradicionales sólo hechos excepcionales; el resto son solamente "highlights" en las páginas del día siguiente. Los "eventos", claro, suceden cada tanto. Hace unos años, cuando sacamos a la calle el fallido diario *Crítica*, lo presentábamos como "el último diario de papel". Hasta ahora no nos hemos equivocado.

En un capítulo siguiente hablaremos de lo que espero del futuro, pero ese augurio del papel me hizo preguntarme cuál época es mi época: comencé en un momento en el que muy pocos "estudiaban" periodismo, fui después yo mismo objeto de estudio ajeno, me resistí a volverme digital y hoy pienso que recién estamos en la infancia de internet. Mi época fue sin duda la del comienzo de la democracia —decíamos en *Página* que lo que nos diferenciaba de los demás diarios era que dejaríamos de salir después de un golpe— y era también aquella la época de los críticos por sobre los hacedores (el ejemplo de los curadores en el arte es el más exponencial, pero algo similar sucedió en la literatura, los suplementos ad hoc, etc.) y fue también la época de la dictadura en el banquillo y la —primero tímida, luego descarada— reivindicación del setentismo hasta que este llega al poder en la versión kirchnerista. Conmigo Néstor estaba en un problema: yo había hecho el diario que ellos leían desde su salida y, estando en el poder, los denunciaba. Los kirchneristas nunca aceptaron que hubiéramos hecho lo mismo con todos los gobiernos.

El proceso de borrarme de la foto que se llevó a cabo en *Página* fue aún más brutal durante los primeros años K: me asociaban con Videla, Massera, etc. Como no tengo nada que justificar, evitaré usar este espacio en hacerlo: busquen en cualquier biblioteca toda mi obra, vean los años en que fue publicada. Cuando a través de una maniobra hostil en la Bolsa de Londres el kirchnerismo intentó comprar *Clarín*, se rompió la alianza que mantuvieron con el grupo durante todo el primer gobierno (y que permitió que la autorización de la fusión Cablevisión-Multicanal fuera el último decreto de Néstor antes de dejar la presidencia a su esposa). La noticia de mi incorporación al Grupo Clarín fue fatal para el gobierno: sus dos peores enemigos se juntaban.

En 2011, cuando un piquete de camioneros de Moyano intentó evitar la salida de los diarios del taller de impresión de *Clarín* salí públicamente a defender a mi histórico enemigo. Hubiera hecho lo mismo con *Ámbito* o con *La Nación*, o con *Billiken*: soy un editor, todos los diarios deben salir a la calle. "El decurso del tiempo cambia los libros", otra vez Borges. Imagínense, entonces, lo que hará el tiempo con las personas.

Tengo, como este libro advierte, cincuenta y seis años y debo confesar que he cambiado. Sería horrible tener el rostro pálido del amigo del señor. La coherencia es, para parte de los argentinos, un valor estático a mantener. Que alguien no cambie, no aprenda, no se equivoque, no reformule, durante décadas, es una virtud. Tal vez por eso el Partido Comunista Argentino apoyó a Videla como la “línea blanda” del Proceso o el setentismo creyó poseer —aún hoy lo cree— el copyright de la verdad. Quedará para otro trabajo analizar qué le sucedió a la Argentina cuando fue gobernada por quienes sintieron que estaban subiéndose al último tren. La generación del setenta nos mintió y nos deformó hasta donde pudo, en nombre de supuestos nobles ideales. ¿Hubiera estado ahí, de haber nacido cinco años antes? No. No soy capaz de matar.

Finalmente, las grandes discusiones filosóficas se reducen a eso:

—¿Es usted capaz de matar a un preso desarmado, mal alimentado y humillado en un pozo que funciona como “cárcel del pueblo”?

—No.

—¿Enviaría usted a esa misma cárcel a un homosexual por el solo hecho de serlo? ¿Sostiene, como afirmó Fidel Castro, que “la Revolución no es para los peluqueros”?

—No.

—¿Castigaría usted una infidelidad entre sus militantes como recomendaba *Moral y proletarización* del ERP, que aún hoy figura en la web de las Madres?

—No.

—¿Secuestraría al gerente de una empresa matando al chofer y a los custodios en la convicción de que eso mejoraría las condiciones políticas prerrevolucionarias?

—No.

—¿Controlaría usted el contenido de las librerías y dejaría de pagar derechos de autor a cualquier libro extranjero?

—No.

—¿Reivindica usted el control estatal de los medios y la existencia de un solo canal, una sola radio y dos diarios como existe aún hoy en Cuba?

—No.

—¿Controlaría los contenidos de Google y Facebook como en China?

—No.

En algún momento mi generación se sintió culpable al condenar estos hechos. Viajé cinco o seis veces a La Habana. Hace mil años vi, de casualidad, a los niños pioneros: chiquitos de cinco o seis años con el puño en alto, un pañuelo colorado al cuello gritando "¡Seremos como el Che!". Vi también las diplotiendas, frente a las cuales las chicas se prostituían por un champú, y los CDR, sistemas de vigilancia política y social en cada manzana.

—¿Por qué nos mintieron durante tantos años? —le pregunte a José Saramago durante una cena en una parrilla de Buenos Aires. Martín Caparrós, Manuel Vázquez Montalbán y XX hicieron un silencio breve pero profundo. Saramago dijo una frase de premio Nobel: de circunstancia y quizá un poco autocrítica. La figura del Che guio aquel imaginario setentista: el Che llegó a Bolivia cuando ya había acontecido una reforma agraria, en la peor época climática, y fue denunciado por aquellos campesinos a quienes había ido a liberar. Quienes hablan de la "filosofía" del Che —como si este fuera Hegel— destacan su propósito más folclórico: crear el "Hombre Nuevo". Para el Che un revolucionario encarnaba "el escalón más alto de la especie humana". "Una Revolución sólo es auténtica cuando es capaz de crear un 'Hombre Nuevo' —escribió—, un completo revolucionario que debe trabajar todas las horas de su vida; debe sentir la revolución por la cual esas horas de trabajo no serán ningún sacrificio, ya que está implementando todo su tiempo en una lucha por el bienestar social. En cuanto a sus relaciones para con la familia, se hace un poco difícil mantener un entorno familiar real, a menos que estos sientan el mismo amor y la misma pasión por la Revolución para así poder entenderse, de lo contrario sería casi imposible sustentarlo." Curiosamente en el Che la construcción del Hombre Nuevo era iluminista: "La base fundamental del Hombre Nuevo es la educación, ya que es allí donde se va a lograr el cambio de conciencia, ideológicamente hablando". Frente al planteo de —para usar conceptos tomistas— la "causa incausada", esto es: ¿y de dónde sale el primer Hombre Nuevo?, el Che patina: Guevara no detalla el proceso ni surgimiento del guerrillero de manera individualista, sencillamente explica que "hay un grupo más o menos armado, más o menos homogéneo que se dedica casi exclusivamente a esconderse en los lugares más agrestes, más intrincados [...]. De algún golpe afortunado crece entonces su fama y algunos campesinos [...] y jóvenes idealistas de otras clases van a engrosarla". Aunque a partir de este fragmento es imposible responder la pregunta de la cual se parte (lo que tampoco puede ser logrado a través de sus escritos), realizando una detallada lectura de las obras de Guevara se puede deducir que lo importante para él no es el hecho de saber de dónde venga ese guerrillero sino adónde quiere ir. El hecho de que los hombres viejos sean quienes hagan al nuevo plantea un problema casi irresoluble: ¿el Hombre Viejo se "iría haciendo" Nuevo?

Así, el setentismo vivió negando la realidad que lo rodeaba: desde la "contraofensiva" motonera en 1979 hasta la idea mítica de "generación maravillosa": ¿fueron tan especiales que por eso los mataron? Ya el Che, como vimos, ubicaba al guerrillero por encima de la escala humana, lo que en el fondo conlleva una especie de discriminación positiva: ¿y si no hubieran sido tan especiales, estaba bien matarlos? No importa lo real sino lo dicho, lo sostenido por la acreencia moral de la víctima: la cifra de desaparecidos no es tal, los colaboradores o traidores no existieron, la Argentina nos debe la democracia que jamás buscamos. A la vez, el bando militar nunca tuvo una autocrítica sincera, jamás reconoció los niños secuestrados ni los miles de delitos cometidos.

En esa Argentina, en la que transcurría entre las peleas de los dueños de la verdad, hicimos periodismo.

Si alguien cree que se recibió de algo, es un idiota. Sería decirse: "no hay más preguntas, mi curiosidad terminó".

La preocupación por las palabras a la hora de escribir no es estética, es funcional: una nota bien escrita se entiende.

Nunca escriban las preguntas antes de una entrevista: la mayoría de las veces los periodistas toman las entrevistas como la ratificación de opiniones propias; no les preocupa conocer al entrevistado sino tener razón sobre lo que piensan de él. El entrevistado, así visto, es una especie de tesis a demostrar, en la que no tiene ninguna posibilidad de salirse de la escena que fijó el periodista. Un diálogo es dinámico y sorprendente; si se escriben las preguntas, es porque se imaginan las respuestas, ergo, no hay sorpresa alguna.

El reportaje es un juego de seducción en el que debo propiciar que el entrevistado se equivoque: que cuente lo que no pensaba decir. Escribir de antemano las preguntas es, también, un modo de no escuchar las respuestas.

Las palabras tienen música, componen una melodía.

Los géneros literarios existen en las tiendas literarias.

La mejor definición de *head* (cabeza de una nota) que escuché: "Es lo primero que le contarías a un amigo al llegar de viaje".

Para saber si una nota es buena debemos preguntarnos qué recordamos de ella.

No hay malas notas sino malos periodistas: debemos poder hacer una buena nota con cualquier personaje anónimo: Shakespeare duerme en todos, debemos tener la sensibilidad de descubrirlo.

Se conoce desde el cerebro, se cuenta desde el estómago o el corazón.

Se recomienda llorar. No todo el tiempo, claro, pero sí lo suficiente.

Baudelaire no era Baudelaire por el opio, sino a pesar del opio.

No creo en el genio oculto; tardará más en llegar pero llega. Recibo desde hace más de cuarenta años papelitos, cuentos, poesías adolescentes, textos surrealistas. Novelas eternas. En todos esos años publiqué dos. Los demás eran malos. ¿Alguien creería que de haber recibido *Cien años de soledad* no lo hubiera publicado?

Se trata de sentir al mundo, y contarlo luego.

"Lunes. Me gusta la Argentina, la aprecio... Sí, ¿pero qué Argentina? No me gusta la Argentina, la desprecio... Sí, ¿pero qué Argentina?" (Witold Gombrowicz, *Diario argentino*).

Es curioso el tiempo de las palabras; cuando se las pronuncia antes, caen en su sitio, pero su ámbito es más pequeño y previsible: cuando se las pronuncia a tiempo se vuelven populares. Usé varias veces la palabra "grieta", primero refiriéndome a la dictadura en una contratapa de *Página/12* titulada "La grieta", allá a finales de los ochenta, y que pueden leer en este libro. Luego fue cambiando el referente hacia otros temas. Pero no fue sino hasta la noche del 6 de agosto de 2013, en la ceremonia de entrega de los Martín Fierro, cuando la palabra quedó en la memoria de todos. Con los últimos años del kirchnerismo la grieta se volvió una metáfora popular. Sin embargo, había comenzado mucho antes, por consejo del filósofo presidencial Ernesto Laclau, quien aconsejaba crear un enemigo interno, común, para consolidar el frente propio. Aquella grieta se construyó por el techo y sirvió para consolidar la identidad K por la negación. Pero nadie puede decir que esas dos argentinas eran nuevas; conviven desde siempre y ya Gombrowicz, como Ortega y Gasset, nos advirtieron sobre ellas.

"Miércoles —otra vez el diario del polaco—. ¡Duro con el gobierno! Todos viven en la oposición y el gobierno es el eterno culpable de todo." Después del derrocamiento de Perón se produjo un idilio callejero: alegría, emoción y banderas. Pero no duró ni una semana. A los pocos días habían surgido unos veinte diarios de oposición con títulos inmensos: GOBIERNO DE TRAICIÓN, NUEVA DICTADURA, DIGNIDAD O MUERTE, BASTA DE OPROBIO. Al cabo de tres meses el pobre general Aramburu, el presidente, no contaba siquiera con el diez por ciento de sus partidarios (sólo después de su renuncia se reconoció que a pesar de todo había sido un hombre honrado). Cuando después Frondizi fue elegido por aplastante mayoría, otra vez la alegría... y al cabo de unos meses nuevamente: "traidor", "vendido", "tirano"... Aquellos eran los piropos más delicados. La gritería de la prensa oposicionista es digna de admiración. El origen de estos tristes fenómenos debe buscarse quizás en la facilidad de la vida, en los inmensos espacios poco poblados, donde es posible permitirse una gran impunidad, porque de cualquier manera "las cosas se arreglan". Si la vida privada de un latinoamericano se caracteriza por tener cierta consecuencia (sabe por ejemplo que si no repara el techo le entrará agua a la casa), su vida política, social, más amplia, en un nivel más elevado, se le vuelve en cambio algo semejante a las Regiones Salvajes, donde se puede vociferar, parrandear, juguetear, porque no existe ninguna lógica, no hay tampoco responsabilidad, al país no le pasa nada, es tan grande... florecen ahí la demagogia, la fraseología, el delirio político, las ilusiones, las teorías, las fobias, las manías, la megalomanía, los caprichos y sobre todo la "viveza".

Se pregunta Gombrowicz en *Diario argentino*:

> ¿Por qué ocurre tan raras veces el gol? ¿No será acaso culpable de ello el "nosotros", la palabreja "nosotros" (a la que le tengo tanta desconfianza que llegaría a prohibir su uso)? Mientras el argentino habla en primera persona del singular, es humano, flexible, real... y quizás en ciertos aspectos supera al europeo. Menos lastre, menos

peso heredado: la historia, la tradición, las costumbres. Mayor libertad entonces de movimiento y mayores posibilidades de elección; mayor facilidad de mantenerse al paso con la historia. Y esa superioridad sería aplastante si la vida sudamericana no fuera tan fácil, si no desacostumbrara al esfuerzo y a la valentía, al riesgo y a la obcecación, a las decisiones categóricas, al drama y a la lucha, si no desacostumbrara al extremismo que es la zona *par excellence* "creadora". La vida fácil ablanda (¿para qué ser duro?)... todo se derrite... Pero a pesar de la falta de tensión, el argentino mientras se expresa en primera persona es un individuo nada tonto, abierto al mundo y consciente... yo aprendí poco a poco a quererlos y apreciarlos. Muchas veces no carecen de gracia, de elegancia, de estilo. Sin embargo, el problema es que este "yo" funciona ahí solamente en los niveles inferiores de la existencia. No saben introducirlo en el nivel superior: en el de la cultura, el arte, la religión, la moral, la filosofía. En ese nivel pasan siempre al "nosotros". ¡Y ese "nosotros" es un abuso! Si el individuo está por decir "yo", entonces ese "nosotros" turbio abstracto y arbitrario le quita lo concreto, o sea, la sangre, destruye lo directo, por poco lo derriba y lo sitúa en una nebulosa. El argentino empieza a razonar, por ejemplo, que "nosotros" necesitamos tener una historia, porque "nosotros" sin historia no podemos competir con otras naciones, más cargadas de historia... y empezará a fabricarse esa historia a la fuerza, plantando en cada esquina monumentos de innumerables héroes nacionales, celebrando cada semana otro aniversario, pronunciando discursos, pomposos a veces, y convenciéndose a sí mismo de su gran pasado. La fabricación de la historia es en toda América del Sur una empresa que consume cantidades colosales de tiempo y esfuerzo. Si es escritor, ese argentino comenzará a meditar en qué es específicamente la Argentina, para deducir cómo debe comportarse para ser buen argentino... y cómo tienen que ser sus obras para resultar suficientemente propias, nacionales, continentales, criollas. Esos análisis no lo llevan a producir por fuerza una novela relacionada con la literatura gauchesca, puede surgir igualmente una obra realtamente refinada, pero también escrita bajo programa. En una palabra, este argentino educado creará una literatura correcta, una poesía, una música, una concepción del mundo correcta, principios morales correctos, una fe correcta... para que todo eso se ajuste, bien colocado, en su correcta Argentina. Mientras tanto, ¿cómo es esa Argentina?, ¿cuál es ese "nosotros"? Nadie lo sabe. Si un inglés o un francés dicen "nosotros", bueno, a veces eso puede significar algo, porque allá desde hace siglos se sabe más o menos qué es Francia o Inglaterra. ¿Pero en la Argentina? Mezcla de razas y herencias, de breve historia, de carácter no formado, de instituciones, ideales, principios, reacciones no determinadas, maravilloso país, es verdad, rico en porvenir, pero todavía no hecho. ¿Es ante todo Argentina lo autóctono, quienes se asentaron allí hace tiempo? ¿O es sobre todo la inmigración transformadora y constructora? ¿O quizás Argentina es precisamente una combinación, un cóctel, una mezcla y una fermentación? ¿Es Argentina lo indefinido? En estas condiciones, el cuestionario entero del argentino: ¿quiénes somos?, ¿cuál es nuestra verdad?, ¿hacia dónde debemos marchar?, tiene que ir al fracaso. Porque no es en los análisis intelectuales sino en la acción —acción apoyada sólidamente en la primera persona del singular— donde se esconde la respuesta. ¿Quieres saber quién eres? No preguntes. Actúa. La acción te definirá y determinará. Por tus acciones lo sabrás. Pero tienes que actuar como "yo", como individuo, porque sólo puedes estar seguro de tus propias necesidades, aficiones, pasiones, exigencias. Sólo una acción directa es un verdadero escape del caos, es autocreación. ¿El resto acaso no es retórica, cumplimiento de esquemas, bagatela, mamarrachada?

En 1929 Ortega señala que en el argentino "el dualismo de alma, lo que les impide comunicar su pensamiento directo y les resta cordialidad social, y la bravura ante el destino que no parecen querer asumir, aunque aceptan sufrirlo. Contrastan ellos en esto con los europeos, que se entregan a la vida y al destino, y hacen del destino su vida misma, considerándolo como meta. Los argentinos están admirablemente dotados de individualismo, porque no se entregan a nada y menos al servicio de cosa distinta de ellos. El argentino típico vive entregado, no a una realidad sino a una imagen de sí mismo. Mirándose siempre reflejado en su propia imaginación, se hace narcisista y vanidoso. Como ilustración del narcisismo argentino, Ortega señala a Martín Fierro, quien en su monólogo habla con su imagen y se queja de que los demás no la reconozcan. Ortega llega a afirmar que casi todo joven argentino se ve a sí mismo como un posible gran escritor". Para Ortega es el alma individual la que está dividida: "el futurismo optimista de la Pampa no es un ideal común o una utopía colectiva, sino un extraño estado psicológico individual". Es una proyección hacia el futuro imaginario, una especie de mezcla de lo real con lo abstracto. Emana de la falta de seguridad interna, ya que "el alma criolla está llena de promesas heridas y sufre radicalmente de un divino descontento". Otro rasgo observado es el hermetismo de alma que se contrapone a la exteriorización íntima del argentino. La inseguridad interna lo inclina a adoptar un gesto convencional para convencerse a sí mismo y también tratar de convencer a los demás de lo que no es. La palabra y el gesto le sirven sólo para el uso externo. Es una máscara originada en la falta de autenticidad. El bonaerense está siempre a la defensiva, por lo cual Ortega dice que "esa preocupación defensiva frena y paraliza su ser espontáneo y deja sólo en pie su persona convencional". Una relativa justificación para esta situación defensiva se halla en el constante peligro de los apetitos ajenos en torno a su riqueza, posición social o rango público. Este dualismo psíquico Ortega lo atribuye, en parte, a las recientes raíces formativas de la sociedad argentina, que vive bajo la presión de la inmigración, cuya exclusiva mira es hacer fortuna y con cuyo dinamismo tienen que enfrentarse los criollos nativos. El resultado de tales condiciones estriba en que el individuo argentino despliega un doble papel: como persona auténtica para sí mismo y como figura social con artificiales rasgos exteriores. Según Ortega, la estructura pública de la Argentina fomenta ese dualismo del alma individual. La Argentina es, aún, una pelea inconclusa. Confundir lo que somos con lo que queremos ser, pensar que los cambios verdaderos se producen en poco tiempo, trabajar solo para el presente, gastar más de lo que ganamos, la melancolía del imperio que no fuimos jamás, son parte de un problema cultural; lo político se ha servido de ellos para lograr representación: una mosca pegando contra los bordes de una campana de cristal. La mosca rebota contra el vidrio como si no existiera.

Tapas y contratapas/12

Selección periodística: Flavia Pittella

DEBAJO DE LA ALFOMBRA

Domingo 7 de agosto de 1988

El caso de Juliana Sandoval ha obligado a esta sociedad a mirar debajo de la alfombra. Entretanto, Carmen Rivarola y José Treviño —quienes adoptaron a la chica en 1978 por disposición de un juez que no investigó el destino de sus padres desaparecidos— eligieron alimentar el show de ciertos sectores de la prensa que recibieron la noticia como una bendición. Aun cuando no se trata del primer caso, la pregunta que los abogados vinculados a la dictadura hacían en 1984 terminó sucediendo: ¿qué iba a pasar cuando las Abuelas encontraran un niño que no estuviera en manos de represores? A pesar de que subsisten ciertas dudas respecto del trámite de adopción —la vinculación familiar de la adoptante con el juez, la desaparición del expediente, el desinterés del juez por investigar la procedencia de la chica— no puede, sin embargo, asimilarse al matrimonio Treviño con secuestradores conscientes. La polémica parece patinar por ejes falsos y por omisiones. La familia Sandoval —fundamentalmente— y el matrimonio Treviño —en menor medida— han sido perjudicados por lo mismo: son víctimas del terrorismo de Estado. Sin embargo, ninguno de los medios que dedicaron páginas y minutos al caso —entre ellos Bernardo Neustadt y Mariano Grondona, que elevaron la historia de los Treviño al nivel de sus campañas por los teléfonos privados— refiere al asunto desde su comienzo: la desaparición de los padres de Juliana, el derecho legítimo de su abuela a reclamarla, el derecho de la niña a pertenecer a su familia, a reencontrarse con ella y reconstruir su historia. En *Tiempo Nuevo*, Carmen Rivarola ha insistido en el cariño que sienten "por su hija". ¿Acaso cualquiera de los secuestradores de niños no quería a los suyos? ¿Acaso Bianco —médico de campos de concentración— no quiere a los hermanitos Carolina y Pablo al punto de huir al Paraguay para seguir teniéndolos en su familia? Sin embargo, esos no son sus hijos: en algún lugar de su historia se ha quebrado y debe dárseles el derecho de ser personas. Personas enteras, que conozcan y asuman su pasado.

Esta sociedad, que eligió de modo suicida enterrar todo lo sucedido debajo de la alfombra, no se ha dado un ordenamiento legal específico en estos casos en el convencimiento de que, ocultos, los problemas desaparecen.

Algunos sectores de la izquierda han presentado otro argumento endeble: se recuerda que una pericia psicológica realizada en el Ministerio de Acción Social afirma que Treviño "es un desequilibrado". ¿Qué cambiaría en el caso de serlo? O, mejor, ¿qué pasaría si

fuera, en realidad, una persona normal, madura y serena? ¿Tendría en ese caso más derecho sobre Juliana? En medio de la locura general la posición de las Abuelas de Plaza de Mayo aparece como la más equilibrada: darle tiempo a Juliana. Tiempo para que recupere su historia, y tiempo para que —viviendo con su abuela— pueda recuperar los lazos con los Treviño en la nueva situación. En 1978 Carmen Rivarola, prima del juez Gustavo Mitchell, logró la adopción de Juliana Sandoval. Pasaron muchos años hasta que debió enfrentarse a la realidad. En 1988 José Treviño, periodista de larga data, solicitó la colaboración de amigos y compañeros en todos los medios para difundir su caso. Nadie puede dudar de la sinceridad de sus sentimientos hacia Juliana ni su desesperación. Sin embargo, terminó montando una campaña que va en contra de los intereses de la niña: los mismos medios que colaboraron o silenciaron la desaparición de los padres de Juliana son los que ahora lo apoyan y utilizan como bandera. Y, valga la obviedad, el fin no justifica los medios.
El martes pasado, en la emisión de *Tiempo Nuevo*, Mariano Grondona echó por la borda su imagen de liberal arrepentido. Aseguró sin hesitar:
—Esta chica ha perdido, primero, a sus padres fuera de la ley. Ahora ha vuelto a perderlos, pero dentro de la ley, lo que es peor.
Carmen Rivarola asentía en silencio. Puede pensarse que comparte lo dicho.
A kilómetros de esta confusión, con su familia, Juliana Sandoval juega y dibuja. Quizá sienta una mezcla de

alegría y congoja. Con el tiempo, podrá reconstruir su historia. Ojalá tenga un país mejor para vivirla.

♦

ESA PLAZA

Jueves 8 de diciembre de 1988

Es cierto que la indignación lleva a pensar que este es un país menos serio que Burkina Faso. Es del todo cierto, a la vez, este aroma a jarabe del olvido que invade toda la ciudad con el olor dulce de la basura. Mientras el médico asegura que me duelen las piernas por el cigarrillo, intuyo y sé que este peligroso equilibrio por las cuerdas de la transición es el motivo real. Son ciertos los sueños cancelados, esa resignación estúpida que se nos pega a la boca como pasta de dientes apretada, blanca, imbécil. Sentado ahora frente a la máquina y dispuesto a violar las reglas básicas de este diario —no hablar en primera persona, dar información en cada línea, no comentar experiencias personales— me pregunto dónde quedamos todos. ¿No éramos, acaso, mucho más? Hace algunos años que siento con la letanía de una gota que cae y cae que hablamos sólo entre nosotros, que hacemos diarios y programas de radio para nosotros, que formamos parte de una numerosa soledad. La bronca, sin embargo, multiplica otra sensación: es cierto que nada cambia, que muy pocas cosas cambian, pero también es cierto Bragado, y Neuquén, y las fotografías de Villa Martelli que se posaron en mi escritorio el domingo por la noche. Es cierto, como aseguraba Marc Chagall, que "aun cuando retrocedo, avanzo". Que en medio de la crisis la realidad queda clara como un estanque. He asistido también, durante estos años, a la pequeñez. A las divisiones entre nosotros: a la lucha atroz por un trozo tan pequeño de poder que corre el riesgo de ser barrido por un viento suave. He visto también cómo la bestia del olvido, de la inconsciencia, del sálvese quien pueda, mascó durante años de este pasto de la división. Me ha costado entender que podíamos ser peores, que quienes queremos una sociedad más justa, en la que se pueda mirar a los demás a los ojos, podíamos también no ser mejores. "Es más difícil conciliar ideas que cuentas bancarias", dijo alguna vez Mario Benedetti refiriéndose a la división de los sectores progresistas y a la sólida unidad de la derecha.

Escribo estas palabras desordenadamente, como si se tratara de una carta:

Justicia

Impunidad

Vida.

Las releo. Alguien me dice que las Madres hoy comienzan, por veinticuatro horas, la Marcha de la Resistencia. Me pregunto cuánta gente irá. ¿Más que el año pasado? ¿Menos? Pienso que sería bueno volver a encontrarnos entre todos. Quizá fue simplemente una equivocación de horarios: llegamos tarde, o demasiado temprano; pensamos que se habían ido, o que ya no vendrían. Creo que tenemos que empezar a cumplir este largo encuentro. Lo que jugamos en ello es el futuro.

♦

BIRD

Jueves 5 de enero de 1989

Le molesta tener tanta vida encima. Tanta vida no entra en un solo cuerpo. Por eso se burla de ella, la amenaza, flirtea con la muerte hasta la exasperación, se cansa de ella, la sopla y la transforma en música. No le preocupa que todo esto tenga alguna explicación; hace una eternidad, en algún rincón de su infancia, ha renunciado al sentido de las cosas. El mundo simplemente sucede, y se escurre con la rapidez dorada de la arena.

Inaugura una época con la fatalidad de quien abre una puerta. Descubre un día, a finales de los cuarenta, que hay otra trama detrás de la canción que una y otra vez toca en un club social. Y detrás de esa trama otra, y otra más, hasta que las notas se convierten en una madeja suave de lana blanca. Los críticos —apresurados por la definición— lo llamarán be bop. Recorre ese camino con la seguridad de un ciego en su propia casa: sonríe tocando los obstáculos y cada metro se convierte en un triunfo cotidiano. Toca en los cabarets y la mitad de los músicos de Nueva York corren hacia el río Hudson y se desembarazan de su instrumento: nadie puede tocar así.

La ciudad lo aplaude pero no lo consagra, le paga pero nunca lo suficiente. Le da lo mismo: toca en un casamiento judío pocas semanas después de volver de una gira exitosa en París. El dinero va y viene, aunque a veces solamente va.

A comienzos de los cincuenta ya no es *yard bird* (ave de corral), sino simplemente *bird*, y el nombre le calza como un zapato: tiene los ojos inyectados y ausentes de un pájaro.
Es negro y para colmo músico, y no tiene la tranquila disciplina de Dizzy Gillespie: llega tarde, se pica con heroína, aterriza borracho en las reuniones. No es un negro presentable en la mayor democracia blanca del mundo. Fracasa en Los Ángeles: sólo hace música de negros, be bop o como se llame. Vuelve a Nueva York cuando los nights clubs se han transformado en prostíbulos baratos. Algo le rebota en la cabeza diciéndole que ha llegado siempre tarde: morirá sin saber que, en realidad, se ha adelantado.
No tiene ese tipo de fuerza que hace resistir y, como un pájaro, destroza sus alas contra los barrotes. Pasa largas temporadas en el hospital y escapa por milagro del electroshock.
—Moriré este año —dice, y se equivoca.
—Yo soy un reformista. Y vos, un mártir —le dice la sombra de Dizzy Gillespie—. La gente se acuerda de los mártires. Cuando te mueras terminarán con su trabajo: van a destrozarte. Pero después van a comenzar a hablar de Charlie Parker.
Se bambolea por el escenario como un boxeador que ha perdido la dirección del ring. Recobra el sentido cuando baja la cabeza y está el saxo, y el micrófono de pie, y el silencio inmóvil del público que se rompe con un aplauso cerrado. Cuando termina de tocar se sonríe y luego se queda quieto y baja la vista, trágico como un niño.

La muerte le salta encima como un animal: su corazón se detiene mientras mira un programa de televisión, y Charlie Parker muere en el sillón del living, como si se tratara de un empleado de correos disfrutando de su retiro. En 1955 tenía treinta y cuatro años, aunque su cuerpo acusaba casi sesenta.
Bird muere sin casi sospechar que años después Julio Cortázar escribirá "El perseguidor" en su homenaje, describiendo como nadie ese exceso de vida que le saltaba por los poros. Tampoco supo, paralizado sobre el sillón de una casa prestada en Nueva York, que Clint Eastwood, ese actor duro y tan inexpresivo como un semáforo, contaría a finales de los ochenta, en un film agónicamente bello, el obsesivo vuelo de este pájaro hacia la muerte.

♦

EL TÚNEL DEL TIEMPO

Martes 10 de enero de 1989

Tal vez nadie le haya dicho a Roberto Echarte, cuando asumió su cargo como secretario de Energía, que iba a poder dominar el tiempo. Sin embargo esta sorpresa se contaba entre sus atribuciones y por eso el lunes, con tono compungido y consciente de su responsabilidad, anunció que todos los relojes del país se adelantarán una hora a partir de las cero de hoy. Los motivos resultaron tan atendibles como incomprensibles: la falta de energía, la modificación del huso horario y el adelantamiento de la hora por decreto. La burocracia, sin embargo, cometió un desliz: nadie aclaró qué debe hacerse con la hora que sobra —o que falta, según cómo se vea— y cuál será el ministerio encargado de distribuirla. Esta ciudad será, el día de hoy —y seguro los días sucesivos—, un revuelo de relojes. En el mejor de los casos, las agendas se derrumbarán ante los borrones, y tal vez quienes tengan hoy, a las cuatro, una cita decisiva, deban postergarla indefinidamente. La confusión de los relojes provocará desencuentros amorosos y encuentros ocasionales: tal vez a la búsqueda de la hora exacta y por la gracia del ingeniero Echarte, algunos argentinos encuentren su verdadero destino, mientras otros lo perderán irremediablemente: habrán llegado tarde, se habrán ido, no habrá disculpa posible.

—Te esperé una hora —pasará a ser una reprimenda popular.

—Llega una hora tarde —será un descuento de premio por asistencia.

Quienes se hayan hecho una hora libre para desplomarse en una plaza del centro, quizá la pierdan para siempre. Al menos a esa hora, en esa plaza, a la posibilidad de que caminara por allí algún director de cine a la busca de un actor desconocido. Pero de seguro el ingeniero Echarte haya pensado en el lado bueno mientras firmaba su decreto contra el tiempo: el país escuchará una hora menos de campaña electoral, algún programa de televisión quedará perdido en esa hora, y la Argentina habrá disminuido su retraso de cuarenta años con respecto al mundo, al menos en una hora.

Una hora, sin embargo, es demasiado tiempo de vida para perder: desde hoy habrá quienes nunca podrán terminar de despedirse, y queden deambulando por los andenes; otros que jamás leerán el capítulo 7 de *Rayuela* —iban a hacerlo a las dos, pero ya son las tres por decreto—, habrá silencios y miradas que no se pronunciarán en medio de relojes que giran como locos. Hoy, indefectiblemente, fallarán los robos a los bancos y los asesinatos: meses de planificación en departamentos oscuros serán tirados por la borda. El decreto tuvo, a pesar de todo, su costado benevolente: la hora de adelanto no perjudicará a la city —ya que será a la medianoche— y no podrá esperarse una hora menos de especulación financiera. También resulta difícil de creer que, en algún lugar del Fondo Monetario, decidan disculpar esta hora menos de intereses de la deuda.

Los deterministas, por su parte, entrarán en crisis: es cierto que todo estaba escrito, pero no decretos de esta calaña. Aunque quizá se conformen pensando que una mano invisible guio la otra mano, la del ministro que modificó este tiempo.

Habrá desesperados que marquen el 113 con el reloj en mano, esperando en vano una respuesta: la voz de la mujer de la hora dudará o quizá se limite a un carraspeo; quizá dé ocupado todo el tiempo. En esta ciudad donde los relojes de los edificios no funcionan, bien podría pensarse que el "¿Tiene hora?" sirva para aumentar la solidaridad o, al menos, para promover el diálogo.

Ya hay quienes comentan que anoche, sobre el filo de las doce, los acaparadores de horas hayan hecho lo imposible por gastarla antes de perderla de un plumazo. A medida que se acercaba la medianoche, el público que

rodeaba las relojerías fue cada vez mayor, y en la esquina del Trust Joyero una multitud caminaba cabizbaja mientras cambiaba sonrisas de complicidad.
Los melancólicos, por su parte, tendrán algo para contarles a sus nietos con voz quebrada: cómo fue aquel jueves 1.º de diciembre de 1988, el día en que varios relojes terminaron en el cesto y una hora se les escurrió como agua por las manos.

♦

BATMAN EN EL SUR

Martes 24 de enero de 1989

En aquella época la muerte no era un asunto personal. La muerte era, a lo sumo, un perro muerto. Tieso, embalsamado de muerte en el medio de la calle. En aquella época, en el sur, un palo podía transformarse en una espada y la justicia era una reivindicación individual. En las mañanas de invierno las nubes bajaban tanto a la altura de Sarandí que era posible correrlas con la mano, apartarlas como pedazos de niebla y emprender el camino al colegio, al nuevo día que jamás iba a terminar, al pelo por encima del cuello de la camisa. En aquella época el amor era secreto y fatal: amábamos con la cursilería de los boleros, de lejos, del banco del fondo a la primera fila. El corazón podía explotar con el timbre del recreo, pero nadie iba a lograr que pronunciáramos en público el nombre de Ella.
Un año era simplemente una eternidad: sin embargo estaríamos dispuestos ese año, y el otro, y siempre, y aunque la vejez era un accidente ajeno podíamos pronunciar las palabras *Toda la vida sin caer en la trampa.*

En aquella época intentábamos mentir, pero la verdad daba un salto traidor a los ojos, o a la sonrisa, y nos delataba de inmediato. El miedo a la oscuridad de aquellos años tenía poco que ver con la conciencia: creíamos a pie juntillas en los fantasmas, en Dios, en los monstruos; bastaba que alguien apagara secamente la luz para que una batalla de sombras se desatara en el techo. En aquella época, en el sur, buscábamos palabras prohibidas en el diccionario:

—Concha —buscábamos.

—Parte dura que cubre el cuerpo de muchos moluscos y crustáceos: la concha del carey es muy estimada. Anat...

—Anatomía.

—Anat. Concha auditiva: cavidad de las orejas donde nace el canal auditivo. Platillos en forma de concha para servir manteca, aceitunas y otros elementos. No, no dice.

Pocos diccionarios decían. Sencillamente nos matábamos de risa sin saber que íbamos a tardar algunos años en averiguar que aquella palabra también quiere decir luna, humedad, encuentro.

En aquellos años mirábamos los trenes con cierta melancolía y nos cambiábamos para salir al centro. No nos preocupaba quién gobernaba este país: era algún militar que no recordábamos ni siquiera de nombre, y la Casa Rosada era un inmenso monumento de yeso custodiado por los granaderos.

El primer ruido de la mañana era la voz de los obreros que apuraban el paso contra el reloj de la metalúrgica, y el segundo, el del repartidor de leche que llegaba al almacén de al lado.

—Vas a ver cuando vuelva Perón —se decía como un secreto.
—La palabra "Perón" está prohibida —advertían los familiares.
Pasábamos cerca de las comisarías y decíamos bajito: "Perón". Pero no pasaba nada. En aquella época no existían ni la derecha ni la izquierda, y la política era un asunto de los diarios.
El tiempo pasaba lento como una tarde en el parque, y éramos libres. Los malos llevaban bigote, o mirada torva, o una cicatriz que los identificaba con claridad, y el general Custer llegaba siempre a tiempo con el Séptimo de Caballería.
En aquella época, en el sur, llenábamos un plato de pan tostado con manteca frente al televisor y mirábamos *Batman*.

♦

LA GRIETA

Miércoles 16 de abril de 1989

Hitler era vegetariano. Pensaba que "matar a los animales al por mayor", para después comerlos, era un acto demasiado cruel.
En una carta al periódico *Ámbito Financiero*, publicada a mediados de la semana, el general Menéndez balbuceó una excusa: "Yo sólo aprobaba el asesinato de comunistas".
"Yo disparaba contra blancos móviles", dijo, seco, ante la Cámara Federal, el teniente "Rudger" Radice, que

todos los días lleva a sus hijos al jardín de infantes, y despide con un beso casual a Barbarella, la ex montonera que conoció en la ESMA.

Sólo en los barrios del sur se recuerdan aquellos días del cine continuado en que los malos tenían bigotes y cualquiera podía delatarlos desde la última fila, al lado del matafuegos. La secuestradora de Romina Siciliano miente y llora en el programa de Bernardo Neustadt, pero mira frente a la cámara con obsesión y levanta el mentón antes de afirmar.

La muerte puede ser muchas cosas, pero también el detalle de Alcides Lanza Perdomo en el *Nunca más* uruguayo, casi una clase de física, con el timbre del recreo que se retrasa moroso como una carta de amor: "Lo llamaban el chanchito —dice—, consiste en un cajón de unos 75 cm de ancho por 1,20 m de largo, confeccionado en madera rústica, con una pequeña puerta al costado y una tapa de altura graduable, que actúa como prensa". Un caño de tres cuartos "de hierro galvanizado atraviesa el cajón en sentido longitudinal, a unos 80 cm del suelo". Un escribiente de la Comisión de Derechos Humanos de la ONU traduce la muerte al lenguaje de los expedientes: no vacila en usar medidas exactas, palabras como "graduable", "longitudinal", precisiones sordas dentro de un inmenso cajón de madera. "El proceso comienza con una paliza dada con un látigo, de alma de acero y revestimiento de cuero, mientras cambian la posición del alambre con que habitualmente me tenían atado por las nuevas esposas traídas de los Estados Unidos, que al menor movimiento se aprietan más sobre mi carne."

Una mujer con voz afectada —quizá vecina de Pocitos, el barrio norte de Montevideo— dice todo el tiempo por la televisión uruguaya que así no se puede seguir. Que le preocupa lo de La Tablada, ese desastre que sufrieron los argentinos. Dice que quiere vida, que vota la amnistía por eso, que no quiere que vuelva la muerte. ¿Dónde fue más muerte la muerte?

Albert Speer, condenado por el Tribunal de Nuremberg a veinte años de prisión —cumplidos en 1971— por haber "llevado más de cinco millones de trabajadores esclavos al Reich, muchos de ellos en terribles condiciones de crueldad y sufrimiento", respondió el 8 de junio de 1971 a Eric Norden, de *Playboy*: "No hay manera, legal o moral, de evadir mi culpa. En el juicio tomé esa posición, aunque sentí la gran tentación de intentar salvar mi vida mitigando culpa, ofreciendo excusas, culpando a otros, clamando que yo sólo obedecía órdenes. Sin embargo, cada vez que vacilaba, pensaba en el montón de pruebas presentadas ante el tribunal: fotografías, los testimonios, los documentos sobre lo ocurrido. En particular había una foto de una familia judía que iba hacia la muerte: un esposo con su mujer y sus hijos, a quienes conducían a la cámara de gas. No podía quitarme esa foto de la mente: la veía por las noches, en mi celda. Todavía la sigo viendo, ha hecho de mi vida un desierto. Pero también, de una manera extraña, me liberó. Cuando uno comprende por fin que ha dedicado quince años de su vida a la construcción de un cementerio, sólo le queda aceptar la responsabilidad de sus actos. Desde ese momento de entendimiento sentí, por primera vez en mi vida, una calma interior".

Wim Wenders filma la vida de un ángel en Berlín, y Berlín es gris. Los franceses publican y discuten los mitos de la Resistencia: nunca fueron tantos como se suponían y quizá no hayan pasado de cinco mil los que dijeron no.

—Hay momentos en los que un hombre debe decir no —aconseja, desde la reposición de *Pasqualino Siete Bellezas*, uno de los personajes de Lina Wertmüller. Otro, Fernando Rey, escapa del último soplido de la muerte del campo de concentración hundiéndose en una gran cloaca. Hundiéndose en una pileta de mierda.

—¿Cómo lo llaman ustedes? —me dice hace unas semanas un periodista francés—. Grieta —deletrea—. Esta sociedad tiene una grieta. También nosotros tenemos una grieta allá. Es una grieta casi imposible de cerrar.

Hoy Uruguay construye un puente. Este país de tres millones de habitantes, que en un pestañeo parece el Buenos Aires del cuarenta, en el que los policías pueden torturar mientras silban un tema de Viglietti, se prepara para darle una lección de honestidad al planeta. El penúltimo golpe de Estado en Uruguay —a principios de siglo— fue dado con el único apoyo del Cuerpo de Bomberos, a tal punto la vocación de traje civil de este país con pocos jóvenes, demasiados emigrados y muchos viejos que los domingos se calientan al sol por la 18 de Julio, leen con avidez interminable y mantienen intacta la capacidad de indignarse por los atropellos.

A casi veinte años del viaje a la Luna, uno de los países más pequeños de América Latina decide convocar a un referéndum para discutir si se debe autorizar el asesinato. En solemne reunión, otros países vecinos ya dijeron que sí, que depende, que el futuro, que todo es según el cristal.

Primero fueron las firmas y luego ratificación de firmas: el sistema se frotó los ojos en medio del letargo y quiso saber —doblemente saber— si todo eso era cierto. Los uruguayos fueron a ratificar. Contaron firmas como los niños cuentan papelitos, con la misma histérica alegría de saber que todas las partes son necesarias.

Hacía calor, y en una de las ciudades del interior el sistema cometió una travesura:

—No se puede entrar con pantalones cortos —dijeron los burócratas de la ratificación de firmas.

—Pero todos vienen así, no los vamos a mandar a cambiar —se disculpó la comisión.

—No se puede.

—No le entra. Ese pantalón no le entra.

—Pero tiene que votar.

—Pero no le entra.

Dios existe y vive en Uruguay, pasó otro gordo y nunca un talle fue tan exacto, ni en las sastrerías de medida, entonces la comisión detuvo el auto, explicó entre sonrisas repletas de vergüenza y logró que el segundo gordo se quedara en calzoncillos.

Quizá se pierda el referéndum. Tal vez se instale la grieta y el puente se ubique a pocos centímetros del abismo. La realidad sería, en ese caso, un accidente menor: ¿qué hacer con un país que contiene la mitad de su población decidida al recuerdo? Si este domingo los uruguayos simplemente salieran a la ventana, la cara al viento, y gritaran no, el murmullo se escucharía en las Guayanas.

—Típico de sudacas —dirán en el Norte, en medio de un bostezo moderno. Y la semana próxima podrán espantarse en el living: las revistas traerán los resultados a todo color, entre propagandas de Toshiba, la última coupé de Lancia y un modelo de Armani mirando a nada, al espejo, vestido de lino blanco.

Los uruguayos, lenta y silenciosamente, construyen un puente. Quizá lleguen a la costa. Quizá no. Tal vez sea sólo cuestión de tiempo, o de cemento. Han pasado la mitad del río, han sonreído con orgullo ante la grieta. Hoy saldrán temprano de sus casas para decir no.

♦

EL ASESINATO COMO UNA DE LAS BELLAS ARTES

5 de noviembre de 1989

Ximena Vicario no se da vuelta cuando la llaman. Espera que alguien le grite:

—¡Romina!

Y entonces vuelve la cabeza con interés. En los últimos días ha visto su foto en los diarios asociada con los dos nombres: *Crónica* la llama Romina Paola Siciliano, y *Página/12* Ximena Vicario: cuando los micrófonos de Canal 2 le apuntan la garganta, la respiración de Ximena Vicario se acelera y se transforma en un ronquido hueco.

—¿Qué pasa, nena? —le pregunta el periodista en un hilo de baba con veinte puntos de rating.

—Me quiero matar —le dice.

El grupo de policías que el 5 de febrero de 1977 secuestró a su madre, María Gallicchio, en el Departamento Central durante un trámite de renovación de pasaporte, jamás hubiera imaginado este desenlace. Su idea del sufrimiento era sin duda más elemental, y terminaba con la muerte. La idea de una tortura extensa e implacable como la memoria sería para ese grupo demasiado sofisticada. Cuando ese mismo día algún integrante del grupo llevó al bebé hasta la Casa Cuna, seguramente se divirtió con la ocurrencia: ponerle un cartel que dijera, simplemente, "hija de guerrilleros". El poder parecía en aquellos años eterno como la muerte, y entonces el policía no se inmutó cuando tuvo que entregar a Ximena Vicario con sus documentos. Quizá cambió un par de palabras con la enfermera de la Casa Cuna y se lamentó por tener que volver ya mismo al trabajo. Ya en su Falcon y volviendo a Moreno y Sáenz Peña, nunca hubiera imaginado que, en otro piso de la Casa Cuna, Susana Siciliano encontraría el remedio para la soledad que se pegaba en el cuerpo. Esa noche el policía hundió la cara en la almohada y durmió tranquilo. Antes de derrumbarse ante el sueño pensó que quizá le concedieran un ascenso.

En su casa de Rosario, Juan Carlos Vicario escuchó cómo la puerta se desarmaba ante las patadas. En ese momento sólo recordó el rostro de su esposa, María, que por la mañana había viajado a Buenos Aires a tramitar el pasaporte con Ximena. Las manos que tironeaban de Vicario cerraban su parte en este rompecabezas fatal.

Susana Siciliano llevaba casi quince años en su trabajo de hemoterapista de la Casa Cuna. La imagen del cartel que aseguraba "hija de guerrilleros" la persiguió sólo por algunas semanas, hasta que se derritió frente a las sonrisas del bebé. Guardaba su soledad como un secreto, y selló también sus labios ante el secuestro, inventando una historia convincente: la chica había sido abandonada por una mucama. Pero el destino le jugó una trampa: cuando su amiga Olga Violeta Casabianca, compañera de un curso de italiano, le preguntó por el bebé, Susana relató el hecho con precisión: habló del cartel y de Ximena en la escalinata de la Casa Cuna, de Romina en la escalinata de la Casa Cuna, dijo.

Ximena Vicario comenzó a ir al colegio cuando la muerte se declaraba en retirada. En esos años simplemente creció. Con nombre y pasado de alquiler, se daba vuelta en los recreos cuando le gritaban Romina. Susana Siciliano aprendió en esos años que pueden construirse pirámides de mentiras: una sobre otra, y sobre otra, hasta que todo coincida. Tuvo respuesta para cualquier pregunta.

El cristal cayó al suelo por accidente: la imagen de un medallón había quedado grabada en la memoria de Ximena Vicario. Cuando en 1984 volvió a verlo colgado del cuello de Darwinia Mónaco de Gallicchio —su abuela— la chica lo señaló con inocencia y luego se perdió en un recuerdo confuso. Un juez —Juan Edgardo Fégoli— y la madre apropiadora —Susana Siciliano— contemplaron la escena con los nervios de punta.

No pasaron muchos años para que policías y militares reclamaran su feriado: la sociedad debía agradecerles su tarea, habían logrado del asesinato un arte que trascendía su propio tiempo, que podía mezclarse como una mórbida mariposa en los sueños de una chica de trece años, el delito de una solterona y los ojos azorados de una abuela que termina una búsqueda y comienza otra.

♦

CABEZA DE NOVIA

Domingo 3 de junio de 1990

A Bárbara Lanata, para que recuerde

—¿De todo?

—De todo, de cada cosa que pasaba, por pequeña que fuera.

El abuelo hablaba agrandando las cejas y dejaba que pequeños silencios se abrieran paso a los codazos entre las oraciones. A mí me gustaba imaginarlo contando cuentos frente al lago, en un domingo de pesca. Pero en Sarandí no había lagos: sólo un brazo de agua enferma de petróleo hasta el cuello que pasaba a doscientos metros de la casa y se volvía subterráneo en los sótanos de la pensión La Norita. Para señoritas y viajeros, advertía un cartel que había dejado de respetarse años atrás. No había lago; estábamos los dos sentados en el mármol verde del umbral y yo rascaba con una caña sin riel las baldosas de la vereda.

—Se olvidaban de todo —decía entonces el abuelo, luego una pausa, otra vez las cejas en remojo, húmedas y abiertas, y el silencio. Había escuchado toneladas de historias, pero nunca esta. A veces la memoria le jugaba una mala pasada y el abuelo repetía los mismos cuentos con la precisión de un disco de pasta. Una vez me animé a decírselo, y supe días más tarde que lo entristeció. Desde aquel día simplemente me dediqué a escuchar, con su memoria a favor o en contra. Esta mañana doña Carmen había salido de la cocina pegando las manos contra el delantal, como si hubiera descubierto una araña:

—Tanta mala sangre, ¿para qué hacerse tanta mala sangre? —preguntó sin destinatario, caminando hacia el patio.

Un segundo después el abuelo hizo un bollo con un ejemplar de *La Prensa* y gritó un insulto largo, que terminó en un carraspeo. Después del almuerzo, los dos estábamos en el umbral y yo recorría con la caña los bordes de las baldosas.

—Era un país —comenzó el abuelo— donde todos vivían con cabeza de novia. Nunca pudo saberse qué día, porque todos lo olvidaron, claro, pero un día los recuerdos de la gente se apagaron hasta desaparecer. ¿Has visto los proyectores del cine cuando se apagan?

Asentí abriendo la mano y cerrándola hasta mostrar un puño.

—Así, lentamente, así se apagaron.

Seguí escuchando conforme, y volví con la punta de la caña a las baldosas.

—Al comienzo nadie lo advirtió: olvidaron pequeños detalles, hechos sin importancia. Aquel automóvil, ese paisaje, aquella foto del colegio. En el caso de los viejos la explicación resultó cantada: mala circulación, peor memoria; ya han vivido demasiado. También era lógico que los niños olvidaran, con estos tiempos que corren... tan rápido, se vive tan rápido, mira, los niños olvidaban la clase de la mañana y el partido de fútbol de la tarde. Volvían a casa pasadas las siete con moretones inexplicables, rodillas embarradas y solemnes como un enterrador. Pero no fue cosa de un día, ¿eh?

—No, claro.

—Duró meses.

—Meses.

—Pasaron meses hasta que se olvidaron de todo. Al principio la sensación fue dulce: parecía la siesta, como si todos sintieran que la comida baja lentamente por acá, por la boca del estómago, y tienen todo el tiempo del mundo, y se te seca la boca y te moja el sueño. A pesar de que nadie podía saber por qué se encontraban ahí, en esa casa, o en aquel empleo; por qué terminaba el día en los brazos de esta mujer, por qué cargaba con esa prole los domingos por la tarde. Cuando la modorra fue general, sucedió algo increíble.

—¿Qué?

El abuelo masticó un silencio, lentamente. Pensé que se tomaba tiempo para inventar el resto.

—Pues que todos pensaron que aquello, que lo del olvido, era una enfermedad individual. Y todos callaron. Así que llegaban a esa casa desconocida y se saludaban casuales, con aire familiar. Se acostaban buscando los pies fríos del compañero y rascaban con ternura la cabeza de los niños que suponían sus hijos. Algunas cosas los consolaban: es cierto que no podían amar —porque no tenían vínculos ni recuerdos— pero tampoco odiaban. Hacían el amor por una fuerza anterior a ellos mismos, pero olvidaban con facilidad aquel instante de abismo, de abrazo en la cornisa, y encendían con rapidez un cigarrillo. Por paradoja...

—¿"Para..." qué?
—Es cuando tú dices... un contrasentido, algo distinto de lo que se quería.
—Sí.
—Por paradoja no pudieron escapar de la melancolía: es cierto que los recuerdos no los tironeaban, pero vivir en un presente perpetuo era caminar por arena movediza. Y caminaban como sonámbulos. Imagínate un toro embistiendo, yo te he contado aquellos de las corridas, o no, o imagina una pareja de bailarines en un concurso, en un concurso que dura hasta la madrugada: son más de las doce y sólo importa resistir, llegar, no sabes bien adónde, pero sientes cada músculo de la pierna cuando se tensa, cuando está por estallar, cuando estalla; nunca mirarías el reloj, porque podría decirte demasiadas cosas. Sería tan estúpido como preguntar por los pisos por los que vas cayendo. Así se sentían, con una compulsión por inventar un futuro. Bueno, que algo tiene que haber, allá adelante. Algo, digo, alguna cosa. Alguna cosa bueno, claro. Algo por lo que valga la pena estar aquí. Ellos pensaban que era posible pensar en un futuro sin pasado. Pero aquello, hombre, era... imposible.
El abuelo carraspeó un largo rato, y finalmente escupió una bola de tabaco mascado contra el piso.
—Se habían vuelto niños. Inocentes, y también peligrosos como niños. Mira, ¿qué habría pasado si yo te hubiera dado a ti hace, digamos, cuatro o cinco años, una pistola?
—No sé.
—Que era muy posible que me dispararas, niño. ¿O no?

—Capaz sí... no sé... jugando.
—Jugando, claro.
Me incorporé y apoyé la espalda contra el marco de la puerta.
—¿Y qué más pasó?
—Que se volvieron temerosos.
—¿Y qué más?
—Y crueles. También llegó el momento en el que necesitaron inventarse un pasado: no muy grande, digamos, un pasado que se pudiera estudiar en los colegios, llano.
—Liso.
—Liso, sí, un pasado liso como un espejo. Los niños comenzaron a repetirlo como loros y al cabo de un tiempo aquel pasado parecía más y más irrebatible. A esa altura ya se habían encontrado respuestas familiares: ¿Por qué te quiero? Porque estoy contigo. ¿Por qué te quiero? Porque estoy contigo hace tanto tiempo. Mira a los niños, ¿cómo pude pensar alguna vez que no los conocía? Son tan tiernos... Joder, que así vivieron.
—¿Y nunca más les pasó nada?
—No. Nunca les pasó nada.
El abuelo, sorpresivamente, se levantó. Me pidió el bastón con un ademán molesto y empezó a caminar por el pasillo. Aquella era la primera vez que yo escuchaba una historia sin final. Hasta esa tarde de 1970, en Sarandí, los buenos eran rubios de ojos azules que llegaban justo a tiempo, y los malos llevaban barba o bigote. La vida real parecía más complicada. Sin embargo aquel final me desesperó. Corrí por el pasillo cuando el abuelo estaba por entrar a la cocina.
—¿Nada? ¿Nunca les pasó nada? —pregunté.

—Nada de lo que valga la pena acordarse —me dijo, y cerró la puerta.

♦

GUERRA

Martes 24 de julio de 1990

"—Observe la miseria del mundo.
¿Qué hace usted por ella?
—¿La miseria del mundo? No la aumento.
¿Cuál de ustedes puede decir otro tanto?"

ALBERT CAMUS, durante un encuentro internacional de escritores en 1948 y recogido en el libro *Moral y Política*

El presidente Bush juega al golf y sonríe ante la televisión. Cuando le preguntan por la guerra, mira a la cámara y advierte:

—¿Si vamos a hacer la guerra contra Irak? Esperen, vean y aprendan.

El presidente Hussein acaricia la nuca de una niña de diez años y circula por el satélite con la ternura de una abuelita de Quaker.

—Queremos dialogar. Pero no retroceder.

El presidente Menem asegura que la guerra —una guerra estatal, voluntaria y estoica— es la manera más segura de ingresar a Occidente, al confort, a los préstamos refinanciados.

El ex presidente Galtieri, beneficiado con el indulto, riega las plantas en su balcón en Devoto —el barrio residencial, no la cárcel— y amenaza:

—Todavía no ha llegado el momento de hablar.
—Cuando lo haga muchos se van a tener que agarrar fuerte —ratifica su esposa, Lucía Noemí Gentile.
El aspirante a presidente —a gobernador, a ministro, a embajador itinerante— Luis Samid se disfraza de árabe para la revista *Gente* y asegura en los programas políticos que la causa de Irak es similar a la de Malvinas.
—Es una causa justa. Hay que mandar tropas pero para combatir del otro lado.
La concentración de analistas internacionales por metro cuadrado asciende súbitamente en el país: desconocidos especialistas en Medio Oriente invaden la televisión, la radio, los diarios locales. Todos hablan con erudición y lejano respeto.
Mariano Grondona instala la dicotomía desde las páginas de *La Nación*: ¿Hussein es un Hitler o un Quijote? Llega a la conclusión de que Galtieri era el Quijote. Evita las menciones a Sancho Panza, encarnación del sentido común.
La prensa norteamericana apoya una invasión en nombre de la democracia, de Occidente, del planeta. Evitan las menciones a otras dictaduras convenientes —la de Sudáfrica, para citar un ejemplo actual en el que Estados Unidos no respeta el bloqueo; la de Argentina, Chile, Paraguay, Brasil, etc., etc., para citar ejemplos menos recientes— y difunden las encuestas de opinión: la mayoría de los norteamericanos quiere invadir y terminar de una vez con ese tipo molesto, de bigote prolijo como los actores del cuarenta y mirada inescrutable.

Todos los pensamientos se unen en una fatalidad: la manera de lograr la paz es la guerra. Se trata simplemente de unos miles de asesinatos, dos o tres semanas —dos o tres años, qué más da si resulta Vietnam o Corea— de tapas de los periódicos, reactivación de la industria, pasto político para los analistas, y algunos futuros cortados de raíz.
Frente a la Segunda Guerra, en sus carnets, Albert Camus anotó una *Carta a los desesperados*: "Me escribe usted que se siente abatido por esta guerra en la que consentiría morir pero que no puede soportar esta necedad universal, esta cobardía sanguinaria y esta ingenuidad criminal que cree aún que la sangre puede resolver los problemas humanos. [...] Lo comprendo pero no estoy de acuerdo cuando pretende hacer de esa desesperación una norma de vida y, juzgando que todo es inútil, escudarse en su repugnancia. Porque la desesperación es un sentimiento y no un estado. No puede permanecer en ella. [...] Usted dice: Y, por otra parte, ¿qué hacer? La cuestión no se plantea así. Usted cree en el individuo, puesto que comprende perfectamente lo que hay de bueno en lo que los rodean y en usted mismo. Pero esos individuos no pueden hacer nada y usted desespera de esa sociedad. Pero tenga cuidado, porque usted había repudiado esa sociedad ya mucho antes de la catástrofe, usted y yo sabíamos que el fin de esa sociedad era la guerra, usted y yo lo denunciamos y, en fin, no sentíamos nada en común entre nosotros y ella. Llegó a su fin normal. Y, viendo lo que nos rodea, no tiene usted hoy más razones para desesperarse que

las que tenía en 1928. Tiene exactamente las mismas. [...] Pero en primer lugar debe preguntarse si hizo lo necesario para impedir esta guerra. Estoy seguro de que no lo hizo, no más que cualquiera de nosotros. ¿Usted no pudo impedirla? No, eso no es cierto. Esta guerra, usted bien lo sabe, no era fatal. [...] Usted supone que su papel de individuo es prácticamente nulo. [...] Tiene algo que realizar, no lo dude. Cada hombre dispone de una zona más o menos grande de influencia, que se debe tanto a sus defectos como a sus cualidades. Puede convencer a diez, a veinte, treinta hombres que esta guerra no era y no es fatal, que los medios de detenerla pueden ser intentados y todavía no lo fueron, que hay que escribirlo, decirlo, gritarlo cuanto sea necesario. Esos diez o treinta hombres lo dirán a otros que lo repetirán. Si la pereza los detiene, tanto peor: vuelva a empezar con otros. [...] Comprenda que se puede desesperar del sentido de la vida en general, pero no de sus formas particulares; de la existencia, puesto que no se tiene poder sobre ella, pero no de la historia, en la que el individuo puede todo. Son individuos los que hoy nos hacen morir. ¿Por qué los individuos no logran dar la paz al mundo? Sólo hay que comenzar sin pensar en grandes fines. Comprenda que se hace la guerra tanto con el entusiasmo de los que la desean como con la desesperación de los que la reniegan con toda su alma".

♦

BOMBAS

Sábado 26 de enero de 1991

Los cables que ayer por la tarde informaban del estallido de una bomba frente a *Clarín* indicaron con tono casi farmacéutico: "En el lugar no se encontraron panfletos ni ningún otro elemento que permita establecer los motivos del atentado". Sin embargo, la bomba que estalló en la madrugada en Tacuarí al 1800 o la que apareció la semana pasada frente al taller de impresión de *Página/12* reconocen identidades previsibles, y forman parte de una vieja costumbre nacional cimentada en una falacia: que la libertad se combate con trotyl. Las manos que las disponen resultan pequeños instrumentos de una enfermedad social mayor.

—No es para preocuparse, era un termo igual a una bomba casera, pero en este caso no tenían ningún explosivo adentro. Debe ser algún loquito —decía un comisario a uno de los responsables de *Página/12*, el sábado pasado, luego de la bomba que no estalló.

—Un artefacto explosivo de escaso poder que no provocó víctimas ni daños materiales —informaron ayer las radios sobre la bomba casera en la puerta de *Clarín*, que sólo detonó en parte.

Los constructores de bombas disfrutan de varios minutos de celebridad: armaron ese artefacto en algún sitio oscuro, y se solazan al verse al otro día, aunque anónimos, en los periódicos. Creen en la magia de una manera trágicamente infantil y piensan que el miedo es el motor de la historia. Tal vez esperen que, en medio de tanta reivindicación, también se los reivindique; por eso estallan.

Hace algunas semanas, cuando durante el caso Swift el gobierno calificó a este diario de "delincuente periodístico" —por una información que finalmente quedó comprobada por la realidad y motivó cambios en el gabinete—, quedó en evidencia la cólera oficial ante el ejercicio de la prensa libre. Ello provocó diversos comentarios en prestigiosos medios del exterior, un comunicado de la SIP e importantes muestras de solidaridad en la prensa local. Quizá haya permitido, también, que el Gobierno se arrepintiera de los excesos verbales y las amenazas y comenzara a tomar en cuenta el derecho a la libertad de prensa como una de las garantías del funcionamiento democrático. Tiene ahora la oportunidad de demostrarlo, a través de los organismos competentes, poniéndoles nombre a estas bombas que estallan en medio de uno de los dispositivos más importantes de seguridad en la ciudad, mientras se temen atentados terroristas por la Guerra del Golfo. Nunca fue mayor la cantidad de policías por metro cuadrado que sin embargo fueron eludidos por los autores de estas bombas caseras, que no parecen preocuparse por la Guerra del Golfo sino por otra, reiterada y antigua: la guerra absurda que sostiene que a las palabras se les oponen los estallidos.

♦

MEMORIAS DEL SUBSUELO

Miércoles 30 de enero de 1991

Toman el té, aman la ópera o los valses, visten sobretodos verde profundo y devoran su porción ritual de tarta Sacher. Como todos los austríacos, los nazis vieneses sonríen con discreción y obedecen la señal de los semáforos. Guardan similitudes de lenguaje con sus pares argentinos: casi todos recitaron ante los tribunales "Befehl ist Befehl", órdenes son órdenes, iniciando una extensa cadena casual que terminaba en Hitler. La tesis de la Befehlnostand sirvió como atenuante, pero sólo eventualmente como liberadora; a los pocos meses de terminar la guerra muchos fueron fusilados, otros condenados y algunos todavía perseguidos. Las mismas palabras saldrían años después de la boca del teniente Calley por los crímenes de Vietnam y se instalarían en el laberinto del Código argentino. No podrían reconocerse al cruzar una esquina, pero sin embargo los une una línea común: todos ellos, en distintas circunstancias, forzaron el límite de la condición humana.

En 1965, mientras filmaba para el Telegiornale un documental sobre "la mujer en la Resistencia", la idea de *El portero de noche* comenzó a gotear en Liliana Cavani. Una mujer de Milán, sobreviviente de Auschwitz, decía a la cámara: "No puedo perdonarles a los nazis el hecho de haber descubierto, hasta el fondo, de qué era capaz el hombre".

Frente a la realidad hecha de esponja, en la que los límites no existen o son miserablemente clásicos, la disociación es la puerta más cercana a la negación: la idea de Hitler vegetariano (odiaba matar animales) o de Videla postrado ante la imagen de Jesús se convierte en un patético dato de la especie.

El 14 de enero de 1936 el Führer firmó un decreto "sobre el sacrificio y tenencia de peces vivos y demás animales de sangre fría". "A cangrejos, bogavantes y demás crustáceos —decía— cuya carne ha destinado el hombre para su consumo, se les dará muerte a lo posible por separado arrojándolos al agua en plena ebullición. Queda prohibido colocar los animales en agua fría o sólo templada y ponerlos a hervir después." Dos meses más tarde, el decreto era ampliado para la protección de plantas silvestres y animales domésticos: "Se autoriza a los propietarios de terrenos, a los usufructuarios o a sus mandatarios el apresar, sanos y salvos y tomar en custodia a gatos ajenos y perdidos durante el periodo del 15 de marzo al 15 de agosto, mientras la nieve cubra el suelo. Los gatos tomados en custodia se han de tratar con todo cuidado".

—No comprendo cómo puede usted hallar placer —decía Himmler a su masajista— en disparar a mansalva contra pobres animales tan inocentes, indefensos y desprevenidos en el bosque. Eso, bien mirado, es un puro asesinato. La Naturaleza es hermosísima y, al fin y al cabo, todo animal tiene derecho a vivir.

Poco tiempo después, a través del telegrama 234.404 cursado en Berlín el 9 de noviembre de 1938 a todos los puestos de policía, se informaba que "en breve plazo tendrá lugar en toda Alemania una operación de limpieza contra los judíos, en especial contra sus sinagogas. No debe ponérsele obstáculos. Se hacen preparativos para la captura de unos veinte mil a treinta mil judíos en el Reich. Gestapo II. Firmado: Müller".

En Posen, el 4 de octubre de 1943, Heinrich Himmler decía en su discurso a los SS-Gruppenführer: "La mayoría de ustedes sabe lo que significa que haya cien cadáveres tendidos en el suelo, o trescientos, o mil. Haber soportado esto, prescindiendo de excepciones de debilidad humana, y además, haber guardado la compostura, he aquí lo que nos ha endurecido. Esta es la página gloriosa de nuestra historia nunca escrita y que nunca se escribirá".

Los borradores acerca de esta historia se encuentran las páginas siguientes de esta revista, donde hablan —por primera vez— los hijos del Reich, los que vieron crecer desde adentro el huevo de la serpiente.

—¿Cómo puede ser posible? ¿Es que acaso no existe la conciencia? —pregunta el hombre, definitivamente ciego, tanteando un límite inexistente. Simon Wiesenthal intenta una respuesta en *Los asesinos están entre nosotros*: "Tras años de estudios y observación —dice— he llegado a la conclusión de que, en una gran mayoría, los criminales de guerra o no tenían conciencia o eran capaces de desembarazarse de ella como quien lo hace con la apendicitis".

La única respuesta a la falta de conciencia de algunos individuos parece ser la conciencia colectiva: si mañana entraran a una confitería de Viena a anunciar que Hitler está vivo en un pueblo del sur de Chile, ninguno de los presentes se alejaría de su tarta Sacher para argumentar a favor de un perdón especial para el Führer. Sin embargo diversos argumentos, y también la abulia, han ocupado páginas de los periódicos en los últimos días para justificar la libertad de los ex comandantes. Los límites elásticos de la conciencia se transforman en una noticia local: "Estoy convencido de que no solamente la demasiada conciencia —decía

Dostoievsky en *Memorias del subsuelo*— sino cualquier tipo de conciencia es una enfermedad".

♦

AMARILLO

Martes 19 de marzo de 1991

En sus últimas declaraciones, el Presidente sumó una variante a la idea de complot contra la nación: la de calificar de "enemiga" a la "prensa amarilla a la que no le gustó el tema de los indultos, ni el envío de las naves al golfo Pérsico, ni el caso Ginebra, ni otras cosas que estamos haciendo". Días atrás, desde esta columna, se alertaba sobre el riesgo de encarnar a la república — una de las tentaciones habituales en el poder— y del equilibrio necesario para evitarlo: el mismo que haría falta para reconocer errores, al menos permitirse algunas dudas sobre las acciones propias. Si las trágicas consecuencias del indulto resultaron sólo un invento de la prensa amarilla, frente a las encuestas que mostraron al 68% de la población en contra de la medida, este país tendría más concentración de amarillos que China Popular. La misma lógica puede aplicarse sobre el envío de naves: el ticket de ingreso al Primer Mundo aún no arroja demasiados resultados, fuera del ejemplo —amarillo, es cierto— del canciller Di Tella preocupado por la venta de jugo de limón. Todavía resulta difícil mensurar el costo político de la participación en la guerra, pero vale la pena recordar la encuesta de Domoskopía, que mostró a un 76% de la población en contra. ¿Será la realidad amarilla? Como cualquier proceso histórico, el amarillismo en la prensa comenzó con una anécdota menor: en medio de la lucha entre Joseph Pulitzer y William Hearst (ambos propietarios de periódicos en Nueva York durante 1880), Pulitzer publica *The Yellow Kid*, una tira cómica de interés humano que dio nombre al género. El amarillismo forzó la realidad hasta generarla: todavía se discute en los manuales de periodismo si fue William Hearst quien financió la guerra de Estados Unidos contra España (abril de 1898) sólo para aumentar las ventas de sus 38 periódicos. En este perdido país del Sur, sin embargo, la relación entre los periódicos y la realidad parece distinta. Calificando de amarillo al ejercicio de la información, el Presidente adjudica a los medios un poder que no poseen. En un sistema democrático, está justamente en la clase política la posibilidad de modificar los datos agobiantes de la realidad, y no es calificando de amarillos a quienes los describen como se comienza a hacerlo.

♦

IGNORANCIA

Sábado 28 de septiembre de 1991

El estímulo de la ignorancia no constituye tan sólo una forma de dominación; es también una enfermedad enraizada en el cuerpo social que aumenta el miedo, el egoísmo, los prejuicios y la subsistencia de una peligrosa doble moral con la que nos habituamos a convivir. Esta semana, el caso de un alumno de secundario permitió que se soltaran los impulsos más regresores e íntimos de la sociedad, instalados desde siempre en el silencio.

—Imagínese —se exaltó ayer por la mañana una oyente, en el aire de Radio América—, a mi hijo le pidieron que cortara fotos de revistas, y recortó una de una chica en ropa interior.

—¿Y usted qué hizo? —acorraló la locutora.

—Apenas me enteré, lo mandé a tratamiento psiquiátrico.

Sería interesante observar el tratamiento de esta madre de un chico de doce años, puesta a legisladora: ¿prohibiría las imágenes de mujeres en ropa interior?

—¿Y quiénes son los que habitualmente... habitualmente consumen [*sic*] travestis? —preguntó en la noche del jueves Gerardo Sofovich a una sexóloga.

—Mayoritariamente se trata de hombres entre treinta y cuarenta años, casados, con hijos.

—¿Y por qué lo hacen?

—Como reacción a sus tendencias homosexuales.

—Pero... pero... ¿y usted qué propone? ¿Que tiren la chancleta?

En los últimos cincuenta años —sólo para no ir tan lejos— políticos, periodistas, jueces, niños, maestras de escuela, peluqueros, alumnos han convivido cotidianamente con los travestis en la calle, en las escolas do samba, en las revistas pornográficas que ocultaron —u ocultan— debajo de la cama, en el cine y la televisión, etc. Sin embargo, frente a la aparición en un cómic de un travesti realizando algunas prácticas sexuales que no son en sí mismas ni buenas ni malas, sino que son, esta sociedad reacciona con el asombro de un hombre del Paleolítico frente al viaje a la Luna.

—¿Será bueno que vean esto los niños? —se pregunta una Argentina compungida, en la que la mayoría de los niños de clase baja se intoxica con pegamento, gran parte de las adolescentes de la misma clase son condenadas por la crisis a la prostitución callejera y cualquier niño de siete u ocho años, frente al televisor, asiste a escenas de cama con el "debido" oscurecimiento de pantalla y corte. ¿Dónde irán cuando la pantalla se oscurece, mamá, a comprar un repollo?

Para el gobierno, que ayer instruyó al procurador a investigar a este diario debido a la publicación del cómic, habría sido más razonable que todo el país realizara un debate sobre un hecho que, en nombre de una curiosa moral, debía desconocer.

Es interesante observar en este caso la aparente desvinculación (moral) entre la palabra y la imagen: todos los medios —incluidos los oficiales y los oficialistas— dijeron hasta el cansancio:

—Se trata de una escena de eyaculación en la boca, a cargo de un travesti.

Sin embargo, sólo constituiría delito el hecho de publicar el cómic, de "ponerlo al alcance de los niños". Esta hipótesis permite suponer que los niños son sordos, o que —frente a las "palabras malditas"— nunca preguntaron, durante la semana:

—Mamá, ¿qué es eyacular?

La publicación del cómic en este diario no sólo obedeció a una cuestión de línea editorial —que contempla que, fuera de los delitos sexuales que impliquen corrupción el resto de los asuntos pertenece a la esfera privada— sino a un obvio compromiso informativo: se pensó que era obligación de *Página/12* someter a juicio de sus lectores el contenido del cómic que provocó el escándalo y la sanción al alumno Liberman. Pero, en realidad, el caso ya ha trascendido al propio Liberman —y al debate, por demás lógico y necesario, de cuáles deben ser los límites de la disciplina en un colegio— para mostrar estas otras tendencias subterráneas de la doble moral.

A este periodista le encantaría saber cuáles son las explicaciones que el fiscal, el procurador y gran parte de los medios ofrecen a sus niños cuando les preguntan:

—Papá, ¿qué es la corrupción? ¿Qué significa indulto? ¿Qué quiere decir coima? ¿Qué es desaparecido? —asuntos quizá un tanto más importantes que la eyaculación o el travestismo.

"Toda ignorancia es lamentable —escribió en 1936 el pensador liberal Bertrand Russell, premio Nobel y creador de la Lógica matemática— pero la ignorancia en un asunto tan importante como el sexo es un grave peligro." Russell sostenía que no es necesario "engañar a los niños", y que "la mayoría de los moralistas ha tenido tal obsesión del sexo que ha descuidado otras clases de proceder mucho más útiles socialmente".

"No hay razón sana —aseguraba Russell en un ensayo titulado *Nuestra ética sexual*—, no hay razón de ninguna clase para ocultar la verdad al hablar a los niños. Sus preguntas deben ser contestadas y su curiosidad satisfecha exactamente igual en lo relativo al sexo que a las costumbres de los peces, o cualquier otro tema que pudiera interesarlos. No debe haber sentimiento, porque los niños no sienten lo que los adultos, ni ven en ello ocasión para que se hable enfáticamente. Es un error el comenzar con los amores de las abejas y las flores; es inútil andar con rodeos en las realidades de la vida. Al niño que se le dice lo que quiere saber y se le permite ver desnudos a sus padres no tendrá lascivia, ni obsesión sexual. Los niños educados en una ignorancia oficial piensan y hablan mucho más acerca del sexo que los muchachos que siempre han oído tratar este asunto en el mismo nivel que cualquier otro. La ignorancia oficial y el conocimiento real les enseñan a ser hipócritas con los mayores. Por otra parte, la ignorancia real, cuando se consigue mantenerla, es generalmente una fuente de escándalo y de angustia, que hace difícil la adaptación a la vida real."

♦

CINISMO

Miércoles 26 de mayo de 1993

Los cínicos pueden mirar a los ojos. No; los cínicos deben mirar a los ojos; esa es su prueba definitiva.
Nunca estar, definitivamente. Nadie ha estado aquí durante los últimos diez años. Sonreírle al espejo, observar con cuidado el reborde parejo de los dientes —el labio está tenso y apenas tiembla—, mirar al espejo a los ojos: detrás no hay nada.
Decirle a un jubilado, con voz firme:
—Vamos a solucionar su problema.
Decirle al inundado, frente las cámaras de televisión:
—A veces Dios nos pone a prueba. Siempre se dijo que

la gente de la llanura tenía menos temple. Esta es la hora de demostrarlo.
Decirle a su hijo, durante el desayuno, dejando a un lado la tapa de los diarios:
—Papá no fue. Ellos mienten. Ellos siempre mienten.
Decirle a un militante, del partido que fuera:
—No estaba. No fui. Lo denuncié en su momento. Nadie quiso escucharme.
Los labios levemente tensos. Debe mirarse con cuidado al espejo y pronunciar: Perón. Stalin. Videla. Unión Industrial. Astiz. Comisarios. Guerra. Nación. No hay risa, se puede seguir: Ley. Reforma social. Violencia. Conciencia. Religión. El labio superior está anestesiado. El centro del espejo es la cámara, millones de ojos ingenuos, necesidad de luz, spots en el corazón.
Los profesores anotan al cinismo en la lista de los noventa. Los profesores anotan lo mismo desde hace dos mil años: manotazo de ahogado, cuadros sinópticos, maneras torpes de la razón. El cinismo no es sólo una parte constitutiva de la especie, es también un clima, una enfermedad endémica de la poltica salvaje, una exageración de la cultura. Importa poco que los poetas Ilya Ehrenburg o Pablo Neruda glorifiquen a Stalin, o que el embajador Jorge Asís carraspee menemismo. Unos y otros son sólo cinismo de superficie. Lo aparente —denominación culta de lo falso— se convierte a veces en el único código de convivencia.
Vuelvan a casa, felices Pascuas.
Nunca me he drogado.
Vamos a levantar las persianas de las fábricas.
Salariazo.

Soy un asturiano y los asturianos no se rinden.
Esta denuncia es un complot.
Esta denuncia es un complot.
Esta denuncia es un complot.
La cultura de la apariencia forma parte del ser nacional desde mucho antes que Gardel cantara "para la gilada". ¿Alguien tomaría en serio a un país que anuncia poseer la avenida más larga, la más ancha y el falo céntrico más alto? Arriba y abajo: Georgie Newbery tiraba manteca al techo mientras, en el vertical de la escena, cientos de polacos se hundían cavando los túneles de los futuros subterráneos. Luego los militares defendieron la Constitución —¿alguien puede imaginar un violación agradable?— y más tarde los pasillos del Banco Central estuvieron cubiertos de oro. Historias dobles: bulines en la calle Posadas para los buenos padres de familia y fusilamientos para acabar con los fusilamientos. El cinismo se acomodó al lenguaje: asesinar derivó en ajusticiar o reprimir; robar devino en apropiación, expropiación o control de situación.
Clinch. Final de juego. Se nos fue la mano. Barajar y dar de nuevo, dar de nuevo. Ahora, si no hay, pido que valga. Esta va en serio. En esta ciudad en la que Freud es tan popular al punto de aparecer en los grafiti, olvidamos a los griegos: el mito del eterno retorno.
El diálogo comienza a las cinco de la tarde:
—Esta hoja es blanca.
—Es negra.
—Por favor, le digo que es blanca.
—Es negra.
Seis horas más tarde:
—Es negra, esta hoja es negra.

—¿Será gris?
Es imposible estar tan solo, es necesario estar de acuerdo en algo. En los ochenta el cinismo adoptó la reiteración. Una de las claves de la propaganda.
—Se lo ve tan convencido... le juro que lo votaría.
—Señora, Hitler estaba sinceramente convencido de que había que matar judíos.
—Ay, usted siempre me sale con cada cosa...
Los cínicos de los ochenta comprendieron hace mucho que la publiciad es la ciencia del siglo xx, de ella dependen subciencias como la psicología, la sociología y la estadística. El cinismo desnudo hace real lo aparente, lo que se ve es lo único que existe: poco importa que haya tenido que alquilar una casa para aparecer en la revista *Caras*, esa es mi casa, son también mis vacaciones las que la editorial costeó en Egipto, nada me cae mejor que una buena pirámide en verano. La tarde en que Celeste —luego de meses de vacilaciones— decide acostarse con su novio, el programa baja 13 puntos de rating: ¿cómo algo real va a ser más real que lo aparente?
—Y si ganamos, ¿qué hacemos? —dicen que dijo el candidato frente a la primera encuesta satisfactoria.
—¿Y qué quiere que les diga? ¿Que van a ganar menos? ¿Así quién me vota? —razonaba otro.
La abstracción de la clase política en el cinismo es sólo un lento suicidio. El dinero no sostiene, traiciona.
Del otro lado hay un país: confuso, vivo, temeroso, dividido, solo, esperanzado aún frente a la nada. Los cínicos controlan a milímetro el nudo resbaloso de su corbata, y desconocen un dato elemental: están muertos, la vida está en otra parte.

♦

CÓMO HACER UN AGUJERO[4]

Jueves 1 de octubre de 1998

(En un nuevo y extenso monólogo autorreferencial, escrito en primera persona y rebosante de la típica soberbia a la que ya los tengo acostumbrados.)

El Sueco dice que con este número se cumplió su sueño. Sólo un filósofo, un sexólogo o un diagramador puede decir semejante cosa frente a un agujero. De hecho esta ausencia —la falta de lo que sea que se hace presente al ver el agujero— está aquí gracias a él, que hace algunas semanas preguntó:
—¿Te acordás de cuando en *Página* querías hacer un diario con un agujero?
—No, un diario redondo —le dije—. Eso queríamos hacer, pero no se podía.
—Sí, pero aparte de eso. Un diario con un agujero.
Esa noche pude entrar al túnel del tiempo y recordar con alguna dificultad aquella charla con el Sueco, en *Página/12*, doscientos años atrás. Sí soñábamos hacer un diario con un agujero. Habría que repetir que en esos años éramos jóvenes e inmortales, el diario era independiente y entonces cruzábamos los límites sin advertirlo, tropezándonos con ellos.
—Pregunta el distribuidor a quién le liquida los ejem-

---

[4] Si bien esta nota no es sobre una tapa de *Página/12* sino de *Veintuno*, la incluí porque habla de un experimento inédito del periodismo gráfico.

plares —dijo la voz de Adriana (¿o fue la de Delia?) por el teléfono.
—¿Por?
—Porque el diario no dice "Página/12" en ningún lado.
La edición que estaba en la calle se llamaba *Pelota 12*. Habíamos respetado la tipografía y la forma original del logo, pero la tapa se había deportivizado, siguiendo el ejemplo de Menem, que la noche anterior había jugado un partido con Maradona. Así supimos que nunca antes se le había cambiado la marca a un producto, o a un medio, o a lo que fuera. Las marcas estaban para respetarse, viejo.
Hubo que pelear con caras demudadas cuando publicamos la tapa en blanco informando sobre el indulto, y con falta de papel cuando editamos el diario como *Amarillo 12*, respondiendo a una crítica del Presidente. Viendo esa tapa en el noticiero de la CNN aprendí que la forma, a veces, puede tener el mismo peso que el contenido: una extensa nota argumentando contra la acusación de "amarillistas" no hubiera logrado el mismo efecto. Al día siguiente, el doctor Menem enfrentó a los periodistas de Casa de Gobierno reconociendo, con sonrisa forzada, que la idea le había gustado.
El agujero de esta revista es, aunque suene idiota, casi tan difícil de realizar como el agujero negro del presupuesto: fue necesario adelantar un día y medio el cierre de la edición, y cada ejemplar se agujereó a mano en cuatro talleres distintos, por la gran cantidad de ejemplares. Un consejo: si alguna vez están por desembarcar en Normandía, o necesitan llevar por tierra

la torre Eiffel, o sueñan con agujerear una revista, sepan desde ahora que no van a poder hacerlo sin Margarita.
Nuestra jefa de Producción, Margarita Perata, no es sólo una paciente psiquiátrica grave aunque admitida como ambulatoria, también es la persona indispensable para hacerlo.
Antes del agujero pensábamos festejar San Gerardo, en homenaje al "Patrono del Gato". Estudiamos con Margarita la posibilidad de regalar medias negras, portaligas, pero todo era imposible.
—Regalemos una manzana —le dije—. Y saquemos lo del gato.
Margarita llamó al distribuidor para hacer la consulta y, escuchándola, tomé conciencia de lo que queríamos hacer:
—Sí, una manzana —le dijo Maggie, con el tono casual del que pide un café.
Hubo un silencio de los dos lados de la línea. Margarita después dijo:
—Bromatología, sí. Ah, sí, claro... sí.
Y cortó.
No se pueden repartir alimentos en los kioscos. Después nos reíamos imaginando cómo armar el reparto de las manzanas: ¿en una bolsa?, ¿con los camiones que llevan los diarios?, ¿y si se pudren? Mucho más fácil es cortarlas por televisión.
La publicidad, uno de los sectores supuestamente creativos del cuerpo social, reaccionó frente al agujero de modo conservador: hubo algunos avisos que se levantaron escapando del sacabocados.

Ilustrar la nota del agujero negro con un agujero quizá logre una mayor presencia del presupuesto en nuestra lista de preocupaciones. En ese agujero la política se estrella contra la vida real: la plata de la que se habla es nuestra y es el Gobierno el que la gasta con discrecionalidad. En estas páginas encontrarán cifras indignantes pero también otras que mueven a risa y algunas del todo inexplicables. El presupuesto para 1999 ocupa 13 disquetes, más otros dos disquetes del Plan Nacional de Inversión Pública. No sé si cualquier ciudadano puede acceder a ese detalle de información, y creo —aunque tuviéramos, en teoría, ese derecho— que es difícil imaginarse a una abuelita en la mesa de entrada del Congreso pidiendo que le copien los disquetes. En la Madre Patria los ciudadanos pueden acceder al presupuesto de Bill Clinton (con Monica incluida) a través de internet en la dirección http://speakernews.house.gov/budgetx2.htm. Ahí encontrarán también un apartado aún más minucioso titulado "Full Text Budget 97". La discusión presupuestaria —como la del pago de impuestos— ocupa varias semanas de primeras planas y de discusión concreta; después de todo, es nada menos que cómo y en qué se gastará nuestro dinero. Si eso no nos preocupa antes de que sea tarde, ¿cómo podremos preguntarles después qué hicieron con la plata quc les dimos?
Desde la semana próxima incorporaremos, área por área, la información concreta y aún más detallada sobre cada gasto, con pequeños reportajes a los responsables de cada sector, personajes de bajo perfil que nunca aparecen en la prensa pero que son los que, en última ins-

tancia, pagan los gastos del Estado con nuestro dinero. Un agujero existe desde lo ausente, desde lo que no está. Las decisiones del presupuesto también podrían leerse de ese modo: no hay problemas de plata, sino criterios políticos de distribución. El mismo gobierno que regala 413 millones de dólares en subsidios a las autopistas, trenes, etc., decide darles sólo 22 millones a las pymes. ¿Es demasiado ingenuo pensar que hay algún punto que vincula la decisión de gastar tres millones en un monumento a Rosas con los índices de desnutrición? De ese agujero, que aparece en estas páginas, es de lo que estamos hablando.

♦

UN HOMBRE[5]

13 de junio de 2009 18:21
Subject: se complicó

Resulta que el jueves a la noche empecé con unos dolores abdominales imposibles, y pensé que me iba a morir. Tomé una sopita de arroz y me fui a la cama. No podía dormir, todo empeoraba, me angustié y me asusté mucho... Llamé a "Emergencias y riesgo de vida" de OSDE e inmediatamente me internaron en el Fleming, detectaron todo tipo de quilombos y complicaciones severas, y me obligaron a quedarme internado hasta el lunes 15. De hecho hoy, sábado, estoy internado. Quieren que esté

[5] Esta nota sobre Peña tampoco salió en *Página/12* pero la incluyo porque sí, porque lo quería mucho, porque no quiero que quede afuera.

aquí controladísimo para empezar la próxima quimioterapia en perfecto estado. Me hicieron una batería de análisis oooootra vez: cultivos, sangre, placas, pruebas de coagulación, etc., etc. Lo que no podían entender era por qué no bajaba ese dolor abdominal muy, muy agresivo, con el cual sentía que el abdomen entero me iba a explotar. Se resolvió hacerme una tomografía computada con líquido de contraste y ahí vieron que el hígado estaba híper distendido y se apretaba contra los pulmones. Los tratamientos son muy agresivos y deformaron los órganos y los desplazaron. Yo era un grito, lloraba, Javier estaba impotente y pasamos una noche de mierrrda.
A la mañana siguiente vino el doctor Chacón a la habitación y nos dijo que había que empezar a recomponer el desorden provocado por la quimio inmediatamente pero que había una muy buena noticia: el tumor estaba remitiendo!!!!!!!!!!!!!!! Nos pusimos felices. De ahora en adelante se trata ir atajando pollitos a medida que los problemas de los efectos colaterales vayan surgiendo pero ya está, el tumor reaccionó!!!!!!!!! Todo sufrimiento a partir de ahora valdrá la pena. Me pone muy contento compartir esta noticia con ustedes y los quiero!!!
Ahora será un día a día con sus complicaciones pero acompañado de un notición hermoso... Sé que gran parte de esto se los debo a sus fuerzas y deseos... Estoy lagrimeando... adiós...

Una enfermedad es, también, una tragedia cotidiana, llena de pequeñas noticias. Peña había elegido esta forma para comunicarla: hace poco más de un mes co-

menzó a circular entre un grupo de amigos una especie de parte diario de su vuelta a la quimioterapia en medio de la embestida de un nuevo cáncer, esta vez de hígado y fatal.
Su primer "parte de batalla" me causó gracia y un poco de estupor. Después los entendí, aunque: ¿cómo alguien puede volverse práctico frente a la muerte?
Lo de los "partes" era la solución frente a un brazo enyesado: se transmite una gacetilla a los amigos y se evita repetir una y otra vez la misma idiota anécdota.
Esta fue la primera vez en la que Fernando pensó que iba a salir, que podría hacerlo, que iba a ganar. Antes, en cada uno de los precipicios que pudo saltar, se dio por muerto. Puta casualidad de mierda. Puto mal chiste.
Hace dos o tres domingos pasamos la tarde en su casa del Bajo San Isidro, a la vuelta de lo de Andrea y Bárbara. Comimos pastelitos y jugamos con los perros. Hablamos boludeces, como sucede en cualquier familia los domingos. Le costaba incorporarse. La casa estaba luminosa. Quedamos en ir a José Ignacio. Las fechas comenzaron a dividirse en antes y después de la quimio.
Quedé en enviarle en esos días una vieja entrevista que habíamos hecho en septiembre de 2001, frente a uno de aquellos precipicios cuando todos lo daban por muerto inminente. Fernando quería filmar un reality de su cáncer.
Veía casi todas las noches *Después de todo* y la llamaba a Sara a cada rato para hacerle algún comentario sobre lo que estaba saliendo al aire.
Peña no era neutral. Era un artista: un desequilibrado, un bello, un rencoroso, un cándido, un hombre. Él ha-

cía todo eso para que lo quisiéramos y, quizá, nosotros lo queríamos por sus debilidades y no por sus virtudes: por posesivo, por cabrón, por ególatra, por niño solemne, por puto del orto.

Y al final, se murió.

Y al final, el chico del colegio inglés que se la chupaba a los profesores se murió. El comisario de a bordo que les tenía miedo a los aviones se murió.

El tipo que quería ser libre se murió, aunque pudo dejarnos encima esa incomodidad de la verdad y la belleza.

Que Peña siga jugando en paz, sin dolor. Por toda la eternidad.

Sobre el periodismo o la galaxia que viene

La imprenta cambió el mundo. Internet está cambiando el mundo. Alrededor de 1450 los libros se difundían en copias escritas por amanuenses: monjes y frailes dedicados exclusivamente al rezo y a la copia de ejemplares. No todos los monjes copistas sabían leer y escribir; se limitaban a copiar, como se copia un dibujo. Podían llegar a tomarse diez años en hacer un trabajo. Gutenberg se propuso hacer a la vez varias copias de la Biblia en la mitad del tiempo y creó los primeros tipos móviles. En dos años de trabajo llegó a producir ciento cincuenta Biblias que fueron compradas por el Vaticano. Cincuenta años después la producción de libros fue mayor que la de los mil años anteriores. La escritura sustituyo a la tradición oral y se generalizaron los libros y los periódicos. Eso es lo que McLuhan llamó "Galaxia Gutenberg".

Para seguir a McLuhan con la producción masiva de libros llega la lógica mercantil y de consumo; la imprenta introdujo los sistemas de precios y el concepto de mercados, apareció la reproducción masiva de libros y se potenció la figura del autor, el nacionalismo y el proceso de producción, comercialización y distribución del libro, también la categoría de "público", que daría lugar, más recientemente, a la de target. El saber empezó a ser portable: el libro se lleva encima. Parte de la educación queda a cargo de los medios. Con el telégrafo el siglo XIX empieza la idea de aldea global. Estamos en la infancia de internet: nace en 1986; la llamada World Wide Web en 1991 junto a los primeros navegadores. La primera versión del Internet Explorer es de 1995. El vértigo de su desarrollo no es distinto del vértigo que le dio la imprenta al mundo. Pero hay un desfase que ahora es mayor: la filosofía no da todavía respuestas a decenas de avances tecnológicos. En la era digital, por ejemplo, desapareció el concepto de original: toda copia es imperceptible. En las redes "P to P" (persona a persona) se disolvió el concepto de propiedad, que quedó todavía más disuelto en el cloud. ¿La propiedad se define por el uso? ¿Lo que tengo en la nube es mío sólo cuando lo bajo? Los algoritmos —por ejemplo, el que alimenta el flujo de noticias de Facebook— están diseñados para darnos noticias que ellos creen que queremos, de modo que nuestra visión actual del mundo es una que refuerza nuestras creencias y nuestros supuestos y no permite los cortocircuitos.

"Estoy buscando activamente en Facebook gente que celebre la victoria del Brexit pero la burbuja de filtros es tan fuerte y se extiende tanto en cosas como la búsqueda personalizada que no puedo encontrar a nadie que esté contento a pesar de que medio país está claramente eufórico hoy, y a pesar de que estoy intentado activamente oír lo que dicen", posteó Tom Steinberg, fundador de mySociety, el día después del referéndum en Inglaterra. El "detector de mentiras" del diario *El Espectador* aplicado al pronunciamiento del ex presidente Álvaro Uribe sobre el acuerdo con las FARC dio que, de cuarenta y una afirmaciones, sólo cuatro eran verdaderas, siete ciertas con salvedades importantes, cinco falsas, seis engañosas y ocho apresuradas. Todos recuerdan el resultado de la elección en Colombia, a favor de Uribe. El mismo detector aplicado a una entrevista a César Gaviria mostró que "de las veintiséis afirmaciones que chequeamos, la mayoría son verdad".

En abril de 2010 la revista humorística norteamericana *Grist* publicó, en un artículo de David Roberts, la expresión "política posverdad" por primera vez. Seis años después, ahora, el *Diccionario Oxford* reveló "post truth" como la palabra del año y *The Economist* le dedicó su tapa: "La fragmentación de fuentes de noticias ha creado un mundo atomizado en el que mentiras, rumores, chismes, se riegan con velocidad alarmante. Mentiras compartidas en una red cuyos miembros confían entre sí más que a los grandes medios, toman la apariencia de verdad". No es casual en este contexto que el populismo latinoamericano haya orquestado los mayores aparatos de prensa estatales desde la Guerra Fría. Hemos visto a Chávez, a Lula, a Cristina Kirchner, a Correa desmentir verdades evidentes y calificar de enemigos de la patria a quienes decían lo contrario, entendiendo a la patria como solamente a ellos mismos. El concepto de periodismo militante es la peor herencia de esos años, ya que es un término instalado en algunas academias y es, en esencia, filosóficamente contrario al periodismo. El periodista pregunta, el militante responde; estamos en el sitio opuesto del mundo. El militante tiene certezas; el periodista, dudas. Así, en la Argentina de hoy la discusión política se ha vuelto religiosa y hasta la matemática se volvió relativa. Ahora que el peronismo gobierna los Estados Unidos vale la pena preguntarse si un periodismo militante en sentido contrario tiene valor: "Trump es un mentiroso", publicó en su tapa *The New York Times*. El director del diario explicó: "No se trata de decir a la gente lo que debe pensar, se trata de decir quién miente".

Los cambios que nos esperan son de fondo y forma: hoy tenemos en la red diarios del siglo XIX y aún no sabemos del todo cómo hacer complementarios los formatos. Repensar la prensa en digital será, necesariamente, reelaborar desde la manera de titular a la extensión de los textos. El desafío de la generación que viene será reinventar la televisión, la radio y las publicaciones. Creo, sin embargo, que algunas reglas básicas del periodismo se mantendrán en pie: buscar la verdad que conmueva, inspire y permita agregar puntos de vista. No hay malas notas, hay malos periodistas: Shakespeare está en cualquier persona, sólo hay que sentirlo y poderlo expresar. Todo el mundo tiene una historia y esa historia es, siempre, la historia del hombre. Los niños juegan cada día con juguetes más sofisticados, pero una rama sigue siendo una espada.[6]

---

[6] Palabras pronunciadas al inaugurar el XXII Congreso Mundial de AMMPE, Asociación Mundial de Mujeres Periodistas y Escritoras en Santiago de Chile.

El guía de turismo explica el paisaje

La imagen es esta: un grupo de insectos examinando a un entomólogo. Me tocó vivir la era de los críticos y el universo de los curadores. En el caso de la pintura es claro: con la autoridad de un *insider*, Simon de Pury, ex dueño y fundador de la casa de subastas, da un golpe a los historiadores y académicos del arte afirmando que el concepto de "arte contemporáneo" lo estableció Christie's con las obras creadas desde los años setenta hasta la fecha para vender más, y que ellos deciden a quiénes deben anunciar como los "grandes maestros actuales", no hay un análisis de los valores conceptuales de la obra, es una decisión comercial, buscan artistas que produzcan mucho y rápido porque entre más obra, más negocio, cita en su blog la brillante crítica mexicana Avelina Lésper.

La Real Academia Española, que no se ha lucido por su sentido del humor, hizo en este caso una excepción: explica "curador" como un anglicismo que significa "comisario", comisario artístico. Esto es: un tipo que al comienzo de la calle Santa Fe decide qué cines están abiertos según sea de su gusto la película. Hoy, en las muestras, el nombre de los comisarios aparece encima del de los artistas. La autoridad de la "academia" en la literatura es similar: los críticos de los diarios, algunos egresados, profesores de segunda línea en cátedras latinas en Estados Unidos, expertos, en cualquier caso, en relaciones públicas cobran mensualmente la cuota de ingreso al Parnaso. El guía de turismo explica el paisaje. Encontré esta mañana una vieja entrevista a Rómulo Macció publicada en *La Maga* en 1987:

> "Soy un hombre antiquísimo, así que yo no hablo de pintura, soy un pintor a la manera de antes —dice Macció—. Si yo voy al Louvre y veo un cuadro de Rafael y pregunto dónde está Rafael para que me explique, porque si no no puedo mirar el cuadro... eso no tiene que ver con la pintura. Esto de la cultura y de que el artista tiene que explicar todo lo que hace, es un invento nuevo. Hay algunos personajes que son como tontos: entran en una exposición, miran y lo primero que preguntan es dónde está el pintor. Lo primero que hacen es buscar el pintor, se acercan al pintor y antes de mirar el cuadro le preguntan qué quiso decir. Y Fellini dijo, y tenía razón, que se enteró de lo que quería decir con sus películas cuando hablaba con los críticos, que le decían 'usted quiso decir tal cosa'. 'Sí puede ser', contestaba."
>
> —Los fuerzan a definir cosas que ni siquiera ustedes saben...
>
> —Es evidente, porque vos ves la realidad y hacés un reflejo de esa realidad. Tratás de hacer una interpretación poética de esa realidad. Una síntesis. Cargás esa realidad con la materia pictórica y la traducís en hecho pictórico. Si hay poesía, conmueve; y si no hay poesía, no. Y eso es un milagro. No tiene explicación, entonces ¿qué vas a estar explicando? Siempre digo lo mismo.
>
> —Eso es lo que se llama reproducir o interpretar la realidad.
>
> —Interpretar la realidad. Hay elementos de la realidad

que me conmueven y digo "quiero pintar un cuadro sobre esto". Pero no tengo la receta para pintar.

—¿Siempre lo pensó así?

—No es un pensamiento. El pintor nunca pensó nada. El pintor dice "quiero hacer un paisaje", va con el caballete y se pone a pintar el paisaje. ¿Hay que pensar eso? No, no hay que pensarlo. No sirve de nada pensar mucho la pintura porque hay gente más inteligente y más culta que los pintores que no puede poner una sola pincelada. Así que no es una cuestión de inteligencia ni de pensamiento; es una intuición, es un sentimiento. Es como bailar, como cantar. Son las expresiones primitivas del hombre, no algo premeditado. Pintar es natural en el hombre. Toda la intelectualización que se ha hecho del arte, bueno... Yo no tengo nada que ver con eso. Porque un intelectual y un creador no tienen nada que ver. Son dos cosas totalmente distintas.

La primera "tesis" sobre *Página/12* fue hecha por la Universidad de San Pablo, en la cátedra de Bernardo Kucinski, entonces corresponsal de *The Guardian* en Brasil. Fue en 1988, y tuve el honor de asistir como "profesor" invitado. El año anterior, las páginas de medios de *Time* y de *Libération* nos habían dado el empuje necesario para decenas de notas en los lugares más insólitos del mundo. La segunda tesis sobre la que tuve noticias se publicó mucho después en laArgentina: fue el libro de Horacio González *La realidad satírica, 12 hipótesis sobre Página/12*, de Ediciones Paradiso, en 1992. El mismo Gonzalez que, años más tarde, dirigiría la Biblioteca Nacional durante el kirchnerismo. Es un libro curioso, que agrega al texto de González una entrevista a mí mismo hecha por Marcelo Constantini.

Nunca supe que entrevista y libro irían juntos: Constantini se presentó como un estudiante de TEA y me entrevistó en esa calidad. La entrevista aparece destacada en la tapa. Llamo "curioso" al libro porque allí tanto González como su cronista se cuidan en aclarar, todo el tiempo, que es esa la crítica de un lector. El único párrafo en el que se demuestra que González entendió algo de lo que critica está en la página 11:

> El género satírico tiene una larga militancia contra los poderes. Contra una forma de ellos, la solemnidad, el secreto y la decisión ilegal que desfavorece a la sociedad democrática. La lengua satírica de *Página/12* es una retórica de izquierda. Los contenidos suelen ser una versión estricta, radicalizada y clásica del liberalismo. *Página/12* pudo, durante cierto tiempo, en sus orígenes, ser confundido con un periódico de izquierda antes de que se descubriera que es un diario liberal modernizador, con un lenguaje tomado de la larga tradición de las izquierdas de lenguaje, es decir, las retoricas satíricas.

Con perdón de la intrincada sintaxis de González, no se entiende cómo puede caracterizar a Verbitsky, Soriano, Gelman, Bonasso, Briante o Julio Nudler. Una a favor: acertó en mi caso. El resto del análisis de González es, por lo menos, frívolo: se queda empatando en un estudio lingüístico sin siquiera mencionar los efectos políticos que el diario produjo en esos años. En aquel momento, víctima de mi carácter, me había propuesto escribir un libro titulado *El señor González*, y busqué alguna obra, aunque fuese mínima, que él hubiera hecho, más allá de sus puntos de vista sobre obras ajenas: no encontré ninguna.

Contar

Conté mil veces lo que no tiene mucha explicación: por qué *Pagina/12* se llamó así: doce páginas tenían los números "cero", aunque el diario, el 26 de mayo de 1987, ya salió a la calle con dieciséis páginas. Decidimos entonces poner, en la página doce, un reportaje a toda página para que quedara como característica. Todo esto sucedió en la Argentina, claro, donde finalmente luego volvió a cambiar y nadie nunca entendió nada. El destino inmobiliario quiso luego que, en sus primeros meses en la calle, la redacción se mudara a un piso número 12, el de Perú 362, el mismo piso donde cuatro años antes había estado la campaña electoral de Alfonsín. Cien personas en cien metros: éramos una foto móvil de la *rush hour* en Tokio. Hubo todo tipo de teorías conspirativas: 12 de septiembre es mi cumpleaños, doce fueron los apóstoles y doce también los Caballeros de la Mesa Redonda.

Números y letras: *Hora 25* fue un programa de radio en Rock & Pop que salió al aire, azarosamente, entre las cero horas y la una de la madrugada. Era, también, un homenaje a una novela de mi adolescencia: *La hora 25*, de Virgil Gheorghiu. *Día D* fue, años más tarde, nuestro programa de televisión en América que desveló la última época del gobierno de Menem. Salió al aire los domingos y por eso fue día D, aunque Día D fue también el día del desembarco de las tropas aliadas en Normandía y se utiliza, desde entonces, para denominar un día clave por algún motivo. *XXI* —léase *Veintiuno*— fue también un número en el colmo del capricho matemático; cambió la marca cada año. Fue también *Veintidós* y *Veintitrés* y tenía que ver, claro, con el siglo que empezaba. Data 54 fue un manotazo en el peor momento de la burbuja de la web: 54 es el código de área de la Argentina.

Letras y números. *26 personas para salvar al mundo* fue una miniserie que hicimos en Turner para toda América Latina. El "26" tiene una explicación completamente mercantil: eran dos ciclos de trece capítulos cada uno. Pero el destino siempre mete la cola: en etapa de preproducción, meses antes de salir al aire, me llamó una productora de MTV: enterado del ciclo, un importante rabino de Nueva York quería encontrarse conmigo. Nos vimos en un bar naturista de Manhattan, de esos sitios en los que ni siquiera el café es normal. "El 26 —me cuenta— es un número sagrado." Sumando las seis filas de la Estrella de David el resultado siempre es 26 (recuérdese que los números son también letras): 4 + 7 + 9 + 6 = 26; 1 + 11 + 12 + 2 = 26, y así. La suma de los números colocados en las puntas de la estrella también da 26 (13 para los dos extremos del eje vertical y 13 para los 4 restantes). Es, en la Cábala, la suma del Supremo Nombre Sagrado YHVH en el que Y = 10 h = 5 V = 6 y H = 5. Total = 26. Y tres veces 26 da 78: el número motor que mueve al Universo.

Y ahí estábamos, en un bar de Manhattan, MTV, Dios y yo. Y yo solo estaba cada vez más nervioso, queriendo salir a fumar a la vereda, donde los números decían lo mismo: aplicando a cada letra un número del alfabeto (A = 1, B = 2, etc.), el nombre de Dios en inglés da el mismo número: GOD: G = 7, O = 15, D = 4. Total: 26.

También fue número y letra mi repaso sobre la década robada: 10K, y lo es ahora este libro, *56*, más de cuarenta años de periodismo y un poco de vida personal. Este número —que en la quiniela significa "la caída"— tiene interpretaciones muy distintas en el Tarot y en el I Ching, y ambas son coincidentes: el arcano 56 es El Peregrinaje y el hexagrama 56 es Lu, el Andariego. Ambos coinciden en que es el momento de empezar una nueva vida: "Hay autoconfianza, hemos vivido unos cuantos desafíos y hemos salido ilesos. No son los objetivos del yo personal los únicos que están en juego, lo que sucede es algo que nos excede. Nuestra acción es un catalizador, cuando estamos presentes allí, la acción de todos se hace vertiginosa, se producen cambios y tenemos que tomar conciencia de ellos".

Si los números tienen razón, el próximo libro va a valer la pena.

Índice